復刻版

現代知識 教化講習録 第2巻

不二出版

〈復刻にあたって〉

一、復刻にあたっては、高野山大学図書館にご協力いただきました。記して深く感謝申し上げます。
一、本復刻版は、より鮮明な印刷となるよう努めましたが、原本自体の不良によって、印字が不鮮明あるいは判読不可能な箇所があります。
一、資料の中には、人権の視点から見て不適切な語句・表現・論もありますが、歴史的資料の復刻という性質上、そのまま収録しました。ただし、「地方資料」は編者との協議の上、収録しておりません。

（不二出版）

〈第2巻　収録内容〉

『現代知識 教化講習録』執筆者索引

凡例

一、本索引は配列を五十音順とした。
一、旧漢字、異体字はそれぞれ新漢字、正字に改めた。
一、表記は、復刻版巻数―復刻版頁数の順とした。

（編集部）

現代知識

敎化講習錄

第三巻

現代智識 教化講習録（第三巻目次）

實用論理……（一―一六）……東洋大學學長 境野黃洋
歐洲近代文藝思潮……（三三―四八）……文學博士 金子馬治
大戰後の世界現勢……（四九―六四）……ドクトル・オブ・フイロソフイー 長瀨鳳輔
社會問題と思想問題……（三三―四八）……帝國大學助手 文學士 赤神良讓
自治民政と佛教……（一七―三二）…… 加藤咄堂
社會教育……（三三―四八）……文部省社會教育課長 文學士 乘杉嘉壽
我國の政治と佛教……（三三―四八）……文學博士 村上專精
日本の文化と神道……（三三―四八）……帝室博物館祭祀神祇部主任 津田敬武
經濟學說と實際問題……（一七―三二）……慶應義塾大學教授 淸水靜文
天台宗の安心……（一―一二）……天台大學學長 末廣照啓
課外講義 我國靑年團體の概要……（一―一七）……內務省囑託 今井兼寬
敎化資料……（一八―二三）……地方資料……（二四―三〇）……質疑……（三一―三三）雜錄……（三三―三四）

實用論理

東洋大學々長　境野黄洋

一　總說

これから實用論理學の名の下に因明學の大要を講述致します。

論理學にも大體二種の區別がありまして、現在科學的研究の上に適用されてる實驗或は經驗上の事實を根柢として、成立することになつて居る歸納法論理學は、これは近代になつて、主として英國のミルから始まつたのでありまして、つまり此の論理學は、外界に於ける事實を基礎とする、實驗論理學であります。普通に論理學と言つてるのは、之とは違つて、我々の思想上の形式を根本として、成り立つて居るもので、言はゞ思想の上に一定の法則がある、此の法則を根本とするものなのであります。例へば、一つのものを見て「私は之を白いと思ふ、そうしてまた黑いとも

思ふと申したらば人は皆笑ふに違ひない。人は一つのものを、白いと同時に黑いと考へることは、どうしても出來ないのであつて、それが我々の思想の上に、動かすことの出來ないきまりとなつて居るのであります。此のきまりがやがて、思想の法則なのであります。「此のものはこゝに在ると同時にこゝに無い」とか、「一と一を加へれば、三になる」とか、そんなことは、どうしても考へられない、それは思想の法則として、そういふ風には考へられないことになつて居るのであります。斯くの如く思想の運用には一定の法則があるとすると、此の法則によつて考へられ、組織された說は正しいので、之に反して、此の法則を無視した說は正しくないといふことになるのであります。斯樣に、思想の法則を根柢として成り立つ論理學を、形式論理學、または演繹論理學と名づけるのであります。私が講じ樣とするのは、つまり此の形式論理學に屬するものであります。

斯う言つてしまふと、論理學は甚だ簡單な平凡なものゝ樣であります。一と一を加へれば二となる位の論理は誰でも知つてると思ふ。ところが此の「一と一を加へれば二となる」といふ簡單にして平凡な原理が本になつて、種々複雜な數學上

の組織が出て來るので、どんな複雜なものでも、段々分折して解きほぐして行くと、つまり「一と一を加へれば二となる」といふ樣な、單純な原理に還つてしまふのであります。數學は、論理學の、數といふものを材料とした、一つの應用なのであつて、論理學と數學とは、最も密接な關係があるのであります。論理學に於ても、原理は極めて簡單平凡なものであるが、此の原理の複合によつて、種々の複雜なる議論や推論の形式が現はれてくるので、此の複雜の議論推論も、之を分折して行くと、皆此の單純の原理に還元してしまふのであります。こんな單純の原理であるから、それが複合して行つたとしたところで、そう大した間違ひは無い筈の樣に思へるが、其の實は、數學でも、複雜になつて來ると、大數學者も頭を惱ます樣なもので、推理の筋道を間違ひて、知らず識らず、法則違反の議論推論をなし、心づかずに居ることが出來るので、これが即ち錯誤であります。かゝる論理上の錯誤がなか〳〵多いので、論理學には、何時でも誤謬論といふものが、附隨して研究されて來ることになるわけであります。

尙ほ一つ此の形式的の演繹論理について注意すべきことは、已に思想上の法則

を根本として、其の形式に順ふものが正しい順はないものは正しくないときめるのであるから、其の取り扱ふ材料の吟味は、此の論理學ではしないのだといふことであります。例へば日本人は肉食は少くつて、多くは菜食である、殊に婦人などは菜食を喜ぶものが多くつて、牛肉や豚肉などを食はないもの丶方が多い、それでも身體を强健に維持する上に於て差支がないものだらうかと言つた樣な話が、時々話題に上る。すると或醫者は「そりやア別に差支はない、自分が甘いと思つて食へば菜食だつて、十分身體の强健を保つ丈のものはある、甘く無いと思つて食つたらどんな肉食だつて效果は無い」と斯う言ふ。すると一方の人は「イヤそうでは無い多くの婦人は、甘いか甘くないか食はないのだからわかる筈はない、食つて見れば、存外甘いのだから、食つた方が身體にも良い」と斯う言ふ。此の場合に、「甘いものは、身體健康の上に良い」といふ結論は、兩者の間に一致してるのでありまず。然し牛肉は甘いか甘くないかといふ一點で一致して居ない。然し形式論理學では、其の牛肉が甘いか甘くないかといふ事實の調査まではしないのである。それであるから、「何でも甘いものは身體に宜い」「牛肉は甘いから身體に宜い」といふ議論も、「何でも

甘くないものは身體に宜くない」「牛肉はまづいから身體に宜くない」といふ議論も論理上の形式としては、兩方とも正しいといふことが出來るのであります。それであるから演繹法論理學では、議論の出發點に間違ひがあれば、結論まで全體が間違つて行くのでありますが、然しそれでも議論の形式としては、思想運用の法則に違はない限りは、論理の形式としては、誤謬がないと言はなければならないのであります。

其の議論の出發點は、議論の原理であつて、其の原理の中に含まれて居る道理を、特に明瞭に言ひ顯はすことを演繹するといふのであります。例へば「總べて熱は物を燒く」といふ原理から「此の火の熱も物を燒く」と演繹して來る樣なものであります。「熱といふものゝ全體」が、物を燒くといふことが、動かすべからざる原理ならば、「此の熱の中の一つであるものも物を燒く」といふ道理が、引き出されるわけでありませう其の引き出すことを演繹といふのであります。そこで此の場合に「熱は果して全體が物を燒くか」といふに、此の議論の出發點に、大なる誤りがある。熱でも物を必ず燒くときまつてるわけではない、強度の熱は、燒くかも知れないが弱い

熱は燒かないといふ樣なことがある。故にたとひ推論の形式としては誤りがなくとも、出發點の原理に誤りがあれば、結論は無論誤謬になつてしまふわけでありませす。若し其の原理に誤りがないならば、次ぎに、論理の形式としては、「全體」と「其の中の一部」卽ち「部分」の關係といふことに注意しなくてはならない。そうして、其の議論の出發點たる原理については、相互認許のものでなければならない。原理其のものに異議がある場合は、論理的推論は一歩も進められない筈である。「熱はどんな熱でも、皆物を燒くものだ」と一方できめて來た場合に、「イヤそうではない、物を燒かない熱もある」となつたらば、議論は一歩も進められない。先決問題として、其の「熱は總べて物を燒くか燒かないか」といふことから究明しなくてはならないことになる。それであるから、思想の法則として、「總べて熱は物を燒く」「人體にも熱がある」「故に人體も燒かれて居る」といふ形式は間違ひはない、卽ち論理的推論の形式としては正しい。が然し實際の場合、甲乙二人で相論じ合ふとしたならば、先づ「總べて熱は物を燒く」といふ、第一提案の原理について、こゝに異議が起るに相違ない。そうして其の原理を、二人が共に認許した場合に、始めて結論に進むといふことに

なるに違ひない。故に冒頭の提案は、兩者の間に於て、異議のない、一致したものでなければならないことは明である。

但し斯ういふ場合に於て、語義の明確といふことにも、何時も注意しなくてはならない。例へば、熱は總べて物を燒く」といふ、其の「燒く」といふことは、普通に考へられる樣に、「火」「燄」を立てゝ、つまり「赤く燃える」ことをいふのか、或は「人間が酸素を吸入して、體内に熱を起してる狀態」、之を「燃燒」と名づけ、卽ち「燒く」といふか、どうか、之をハッキリときめてかゝらなければ、問題にならないのであります。そこで論理では言葉の曖昧といふことを絕對に注意しなければ、混雜を來すといふことは、明かになつたであらうと思ひます。此のことは、また後になつて別に詳細にすることゝする。

斯く言語の意味を明確に限定し、第一提案（之を大前提と名づける）を、爭論兩者の間に於て異議なきもの、卽ち共許（ぐうこ）のものとし、斯くて、思想運用の法則に順つた、形式の具備したものである時、始めてこゝに、論式が實際的になつてくるのであります。之を一般形式として、

甲は乙なり
丙は甲なり
故に丙は乙なり

といふ型になるので、名づけて之を三段論法と呼ぶのであります。こゝで「なり」といふのは、肯定の言葉で、「なり」でなくとも「物を焼く」の「く」、「人は死す」の「す」の様に肯定の言葉でさへあればよいので、之に反對の言葉は否定の言葉である。

甲は乙にあらず
丙は甲なり
故に丙は乙にあらず

の論式に於て「乙にあらず」は皆否定の言葉で、「あらず」の代りに「焼かず」とか「死せず」とか言つても、同種類の否定語であります。つまり肯定語は「である」と許す言葉の總稱で、否定語は「でない」と許さない言葉の總稱であります。之を假りに實際の物に充てゝ見るならば、肯定の方は、

人は死ぬ（甲は乙なり）

某は人である(丙は甲なり)
故に某は死ぬ(故に丙は乙なり)
で否定の方は、
鑛物は死なない(甲は乙にあらず)
金は鑛物である(丙は甲なり)
故に金は死なない(故に丙は乙にあらず)
といふ如きものであります。此の「である」「でない」が、爭論の一番緊要な點であるから、之を最も重いものとして、第一に着目して置かなければならないのであります。
それからもう一つ注意すべきことは、言葉の範圍といふことであります。例へば、こゝで「人は死ぬ」といふのは、どんな人でも、「總べて」人は死ぬといふことか、或は人の中の一部の「或る」人は死ぬといふことかといふことを明確にきめて置く必要があるのであります。勿論此の人の死ぬ場合の如きは、これは「總べての人」にきまつて居るが時によると此の範圍の混雜から來る論理の錯誤といふものが、可なり多く現はれて來るのである。此の範圍の限定の曖昧と、用語の不確實とが、種々にこん

がらかつて、終に意味の歸着のわからないことにもなり得るのであります。例へば、「人は總べて死ぬ」といふけれども、「死なない人もある」とも言へる。例へば佛の如きは「我は永久に不滅だ」と明言して居られるから、佛も人である以上、「或る人は死なぬ」といふ、議論が出て來る。これは「佛は普通の意味に於ける人か人でないか」といふ意味も明にせなければならず、「死ぬ」といふ言葉の意味も判然きめてかゝらねばならないので、此等は用語の意味が、同じ言葉でも大に違ふことがあり、隨つて、それが、範圍の限定に關係して來る問題となるのであります。も一つ言つて見るならば、「何でも總べてうまいものは、身體の營養になる」とした時に、「あいつの話はうまい」「故にあいつの話は身體に營養になる」といふ樣なわけで、「うまい」といふ言葉は同じでも、内容の意味は大に違ふのであるから、それを混雜しては大なる間違ひを來すわけであります。

扨以上述べた、論理上の必要な注意點を閑却しないで、組み立てられた三段論法の論式に於て、

總べて甲は乙なり（總べて動物は死ぬ）

總べて丙は甲なり(總べて人は動物である)
故に總べて丙は乙なり(故に總べて人は死ぬ)

の第一提案は、之を大前提と名をつけ、第二提案を小前提と名づけ、第三の提案の「故に」といふ言葉を冠した一つを斷案と呼ぶのであります。そうして此の甲と乙との關係、丙と甲との關係、丙と乙との關係を、「なり」「ならず」「である」「でない」といふ最後の言葉できめるので、此の言葉によつて總べての提案は支配さるゝのであります。「なり」が「ならず」となつたり、「ならず」が「なり」となつたりしたらば、大變で、問題は殆んど此の一つの言葉できまると言つてもよいのであるから、これほど重要な言葉はないので、つまり二者の關係を結合して、肯定或は否定するのであります。故に之を結辭とでも名づくべきでありますが、これ迄は、一般に名辭と之を呼んで居るのである。

これで三段論式が、人間の思想の法則に順つた、必然のそうして自然の推論の形式であり、型であるといふことは、略ぼ明になつたと思ふが、つまり此の形式を根本として、之に關連した、種々の法則を研究するのが、卽ち演繹法論理學といふものゝ

大體の性質であります。

論理學は、斯く「研究する」學問であります。此の思想の法則を、實際に應用して敵となり、味方となり、討論論戰をする實用に供するといふ場合は、これは學でなく、寧ろ術となるので、佛敎に用ふる所の因明は、つまり此の實用の術に屬するものであります。卽ち印度では、佛敎で之を採用する樣になつた以前から、此の論理の法則によつた、論式を組み立てゝ、御互に議論も、討論もしたのであつて、現に佛敎の唯識宗や三論宗などの書物には、相互の正否を決する場合に、此の論式組織の形の上に、筆陣を張つて、やり合つて居ることは、今見る書物の上にも澤山にある實例であるのであります。

但し因明の方では、術であつて、研究でないのであるから、論式の組織が一般論理學とは、多少異つて居るのであつて、其の最も顯著なる點は、第一提案(大前提)と第三提案(斷案)との位置が轉倒して居るといふことであります。研究ではない、術として實際に應用される場合は、これは當然斯うならなければならないわけでありませう。卽ち法則の一般形式から言へば、「動物は死ぬ」「人は動物である」、「故に人は死ぬ」

というのが、當り前でありますけれども、實際議論論爭となる場合は、「人は死ぬか、死なないか」といふの一點が、問題となつて居るのであるから、一方では、先づ「人は死ぬ」といふ肯定の斷案を第一提案とし、一方では、「人は死なない」といふ、否定の斷案を第一提案とし、そこで肯定の方では、どうして「人は死ぬか」といふ理由を、斷案の次ぎに出して行く、其の理由からあとが、大前提、小前提に當るものとなるので、否定の場合も之と同一の理由があるわけであります。それであるから、因明論式では、必ず

　總べての丙は乙なり(總べて人は死ぬ)——斷案に當る

　總べて丙は甲なるが故に(總べて人は動物だから)——大前提に當る

　總べて甲は乙なり(總べて動物は死ぬものである)——小前提に當る

斯うなつて行くのであります。

　此の三段論法を、因明では、三支作法といふ、作法とは、實用論式の意味である。斷案の第一提案を宗といひ、第二提案の大前提を因といひ、第三提案の小提案を喩といふのであります。

　因明學で示す、實用論理では、大體に於て、此の宗と因と喩の三つに就いて論究す

るのが、主要の目的でありますが、就中因が中心の問題になるのでありますから、故に因明といふ名稱がついたのであります。因學とでもいふほどの意味である。明は印度の五明の明と同じで、學問のことであります。五明は五種の學を指したので醫方明(醫學)、工巧明(工藝學)、聲明(音聲學この中には、音樂學、及び文法學、言語學等を含む)因明とそれに內明(自分の信じてる宗敎學)であつて、因明は、卽ち此の中の一つであります。

二 因明小史

因明學の歷史の最初に出て來るのは、其の生存年時も、事蹟も、一切不明ではあるが、唯劫初の時といふから、言はゞ太古の時に現はれたと信ぜられて居る足目仙、卽ちアクシャパーダ(Aksʹapāda)といふ人の名であります。此の足目仙が卽ち因明學派、卽ちヌヤーヤ派の祖で、因明は此の人から始まつたといふのであります。

此の因明學は假りに之を二つに分けて見ることが出來る。一つは外道因明學二つは佛敎因明學であります。何故斯く二つに分けるかといふに、因明は、元來外

道のヌヤーヤ派に起つたものではあるけれども、後には、其の論式の一般規則は、佛敎の方でも之を採用し、應用して、其敎理研究の助けとしたので、其の結果因明學は佛敎の方に來てから、また特殊の發達を遂げて居るので、隨つて、佛敎の方の因明學は、自ら外道ヌヤーヤ派の因明學とは、自ら特別なものとなつたからであります。元來ヌヤーヤ派で、此の論理の形式を發明し、方則を組織したのは何の爲めであるかと言へば、ヌヤーヤ派は、一種の智識派と目すべきもので、人間の一切の迷妄は、無智から來る、無智なるが故に眞理を認識することが出來ない、眞理を認識することが出來ないから迷妄に陷る、故に總べての迷ひ、總べての煩惱を取り除くには、智識を明瞭にし、眞理を間違はない樣に、推究し、論明しなくてはならない。そこで此の推究論明の正確な法則を立てなければならないといふところから、此の因明の論理的法則が組織せられたわけなのである。然し人間の煩惱迷妄は、單に正確な智識的認識だけで排除せられるものでは決してない。智識的にはどんなに明確に眞理を認識しても、人は直ちに此の認識の眞理を實行し得るものではない。故にかゝる智識派の說は、正しいものだとは言ふことが出來ないのである。然し古代

の哲學では、獨り印度ばかりではない、西洋でも、希臘の哲學では、人間の精神作用の中では、智識を殆んど絕對的價値のあるものゝ樣に考へ、此の考は可なり近代まで續いて來て居るので支那でも、智識は、どの心的作用よりも、重要視せられて居る。人間の心作用中で、寧ろ智識よりも情意が中心視さるべきものだとか、イヤ直覺だとかいふ樣に論ずる哲學者の現はれたのは最近のことであつて、それまでは、何處でも大體に於て智識中心說であつたので、ヌャーヤ學派は、蓋し其の極端なるものであつたのであらう。然し迷妄は無智より起り、煩惱は此の迷妄より起るといふことも、全く誤謬ではないので、これも一つの眞理はある。佛敎では此の一方面だけを承認して、智識的推究論明の方式として、之を採用したのであつてこゝに佛敎論理學が起つて來たのであります。

佛敎因明學も之を二期に分けることが出來るので、それは單に足目のヌャーヤ派の因明を其の儘踏襲して來た時代と、之に改新の手を加へて、全くヌャーヤ派の因明とは、面目を異にして來た時代とであります。足目踏襲時代は之を古因明と呼ぶので、龍樹菩薩、無着菩薩、世親菩薩を始め無着の請によりて兜率天より降下說

て、人智の無限に微小に薄弱なことを感じた結果に外ならない。即ち我等人類は到底大自然の神秘に通ずることは出來ないといふのである。更にまたモンテイヌは個性の自由な發展といふ事に非常に重きを置いた。蓋しそれ〴〵異なる個性は、畢竟無限に復雑な大自然の豊富な現はれであつて、其の個性の特徴を自然のまゝに開發させるが眞の敎育に外ならない。あらゆる意味に於て不自然な束縛や干渉やは最も忌むべきことであつて、すべてが自然のまゝに其の特性を開發しなければならないと。モンテイヌの自由主義とか個人主義とは、おほよそ此の意味のものに外ならなかつた。

(ロ)イギリスの文藝附劇詩の發達　第十六世紀の英國──エリザベス女皇治下の英國は、單に一國の歴史に於てのみならず、廣く世界の文化史から見て、世間稀に見る壯嚴華麗典雅な文學の發達を示した時代であつた。文藝復興の氣運は、英國に於ては、遲れて十五世紀の末から十六世紀に至つて漸く發達した。國運の進歩の上から見ても、當時は恰もアングロ、サクソンの實力が異常に華やかな實を結んだ時代であつた。中世紀來の封建制度は倒れ、薔薇軍の亂は治まり、動搖を極めた

内亂は全く熄み、更に國力は次第に充實して國民の氣勢俄に高まり、遂にスペインの常勝軍的大艦隊を擊破するに及んで、國運はまさに花爛漫の盛運に達した。在來の質朴な生活に代つて、一時に豐富な驕奢な生活が出現した。民心は俄に快活にはでやかに或は放縱不羈に或は奔騰的にさへも進まんとする形勢を示した。生命充實の力づよい感じは、歴史上稀に見るやうな强烈なものであつた。若くして華やかな感じは國內に滿ち滿ちた。此に於てか、あらゆる意味に於てはでやかな見世物、行列、芝居其の他各種の儀式は俄に一代の風潮と成つて、嚴肅な宗敎道德上の事柄は、おのづから世間に輕んぜられ疎んぜられる勢ひであつた。

國運の發達はまさに斯くの如くであつたから、假令イタリーやフランスから華やかな文藝復興の氣運が輸入されずとも、ルネサンス新興的氣運はまさに國內に發生せんとする有樣であつた。エリザベス治下の英國々運は、其のまゝにして直にルネサンス的精神を發揚するものであつた。斯かる時代に於て、最も若々しく最も華々しい力づよい文藝が現はれたは、まさに當然の結果であつたと言はなければならぬ。エドモンド、スペンサーが現はれ、マーローが出で、シェークスピヤが

産まれたことは、決して偶然でなかつたのである。エリザベス朝の文藝を回顧することに、吾々は文藝と國運とは最も親密不離なものであつて、國運は直に文藝に關係し、文藝は更に國運の上に偉大な影響を及ぼすものであることに深く想ひ及ばざるを得ない。

エリザベス朝の文學は、若々しく華やかに力強いことを特色としたが、主として美しい戀を歌つたソンネット(短詩)が多數に現はれたこと——シェークスピヤを初として、すべての詩人がソンネット式の叙情詩に手を染めたこと、これが當代文藝の特徴であつた。たゞはでやかな官能的な情といふよりも、寧ろ氣品の高い力づよい感情の奔騰が全體の特色であつた。歌ひ出さるべき情調が極めて豐富に充實してゐたこと、こはエリザベス朝文學の根本基調であつて、此の充實された情調が各種の詩形を取つて現はれたのである。殊に此の時代に於ては、後段に解釋する如く、劇詩の異常な發達——近代劇詩の基礎が据ゑられたとも見られる異常な發達が實現された。斯くの如き異常な發達が實現されたには、そこにさまざま複雜な原因が有つたは言ふまでもないが、一般の情調が甚しく人間的となり自然的と

化して、中世紀の干からびた生活形式の反對に走つた結果であるは明白である。人間そのものに限りない興味が感ぜられたゝめ、人間を中心とする劇詩が俄に發達するに至つたとも解釋されやう。

エリザベス朝——殊に其の宮廷方面に於て當代の文藝を代表した者は、彼のすべての人の尊敬の的であつたフィリップ、シドニー(Sir Philip Sidney 一五五四——一五八六)であつた。華やかな氣品の高いギリシャ精神に養はれ、彼れの熱烈な高い情調を飽まで上品につやゝかに歌ひ出したが彼れの叙情詩であつた。有名な「アーカディア物語」(Arcadia)は、此の種類の詩の代表と言はれる。彼れはまた詩の「辯護」を(Apologie)書いて、廣く文學の高い効果を説明した、此の「辨護」は恰も文藝に對する當時の人々の思想を語るものであつた。蓋し當時に於ては、まだ文藝の本義は明らかに理解されず、之れを廣い意味の學術と同一視して、普く智見を廣め、道德の進歩を補助することが、やがて文藝の本領と主張された。殊に文藝の本領を道德から分離することは、當時に於ては全く不可能と考へられたのであつた。

フィリップシドニーの恩寵を受けてエリザベス朝の英文學を代表した大立物は、言

ふまでもなく彼の有名な「仙女王」(Faerie Queene)の作者エドモンド、スペンサー(Edmund Spencer 一五五二――一五九八)であつた。彼れは單に當時の英文學を代表したばかりでなく、同時に最もよく北歐ルネサンスの特徴を代表した詩人であつた。「仙女王」の中に寫出された人物は、當時の風潮に從つて、それ〴〵道德上政治上の概念を象徵したものであつたが、全體の精神は、直にギリシヤの昔に返つて、自然の本質や造化の深秘に融合し、若々しく美しく、奇羅びやかに神變不可思議な夢幻境に參するといふ一種反キリスト敎的な異敎的な特徵を持つてゐた。殊にスペンサーはイタリー式に事物を活き〳〵と畫のやうに寫出す長所を備へ、更に最も微妙な音樂的傾向をさへ備へて、詩全體の上に尊いギリシヤ的大調和を造り出した。幽玄深秘の中に大なる調和の趣を備へた點、それがスペンサーの特長であつたと言はれる。斯やうに異敎的でありギリシヤ的であつたに拘らず、又エリザベス時代が道德的には可なりルーズであつたに拘らず、スペンサーは、深くルーターの宗敎改革に共鳴して、全體の詩の背景に、峻嚴な道德的基調と敬虔な宗敎的傾向とを宿して、どこまでもイタリーのルネサンスとは異なる傾向を示した。ギリシヤ的精

神とキリスト教的傾向と、不思議にも調和して、其の間に何等の矛盾を感じさせないところに、スペンサーの詩の妙趣が存すると言はれる。

エリザベス朝が、如何に若々しく華やかな元氣に滿ち、其の極奔騰不羈常規を以て律すべからざる、放縱自在を極めたものであつたかは、先づ當時盛に現はれた無數の叙情詩就中若々しく華やかな戀を歌つたソンネットといふ短詩に於て明白であつた。後の古典時代の詩形の如く、外から何等の規律や束縛を受けず、自由自在に自然のまゝに、或は痛ましいこと悲しいこと、或は尊いこと有りがたいこと、或は壯烈なことと勇壯なことを、有りのまゝに歌ひ出し寫し出したが當時の短詩であつた。シドニーやスペンサーを初め、シェークスピヤも有名なソンネチーアであり、他にもドラモンド(Drummond)ワトソン(Watson)ドレートン(Drayton)等無數著名な短詩家が有つた。エリザベス朝は確に叙情詩の黄金時代であつた。

叙情詩の發達は、彼の國劇(National drama)の發達と最も密接な關係を持つてゐる。人間の自然の情を歌ひ出すといふことは、それみづから最も多くルネサンス的傾向であつて、然かも人間そのものに最も深い興味を持ち、人間そのものを直に詩の

對象とするものは、言ふまでもなく劇詩(ドラマ)である。イタリーやフランスに於ては、特に新らしい國劇は發達しなかつたが、スペインとイギリスとは、或意味で完成された新國劇を後代に殘したのであつた。就中イギリスに於ける劇詩の發達は、世界文藝史上に於ても、最も目ざましい事實であつて、此の劇詩の發達のためにこそ、エリザベス朝の文藝は、後に至つて世界的勢力を振ふに至つたとも言はれる。(蓋し英文學は、全體のイギリスの勢力と同じく、十八世紀までは佛獨伊等諸國に何等の勢力をも振はず、漸く十八世紀以後主としてシエークスピヤの名を以て他國に深甚な影響を及ぼのに至つた)。

吾人此の點に於て、簡單に歐洲劇詩の發達を回顧しなければならぬ。他の方面に於けると同じく、劇詩の方面に於ても、中世紀は、極端に宗教的な不自然なものであつた。所謂「ミステリー劇」(Mystery)は主として敎祖キリストの神性を象徴したものであり、又「ミラクル劇」(Miracle)は主として敎祖の弟子たちの難行を寓したものであり、そして此の外に尙「道德劇」(Norality)と名づけられて、宗教上道德上の寓意を旨としたものが有つた。すべて此等は敎義普及の手段であつて、自然の劇そのもので

なかつたは言ふまでもない。然るにイギリスやスペインには、特に自然の人情――本然の人間そのものに關する興味が强く發達し、且若々しく華やかな元氣や、ベイジアント式のすべて華奢な傾向が高まつたゝめ、おのづから劇及び劇詩の發達を促すに至つた。

イギリスに於ては、シエークスピヤが現はれるに先だつて、旣に多數の先驅者――國劇創造の先驅者が現はれた。靑年詩人團として知られたマーロー、グリーン(Greene)ピール(Peele)ロッジ(Lodge)ナッシ(Nash)キッド(Kud)等はそれであつたが、就中マーロー(Christopher Marlowe)一五六四――一五九三)は、シエークスピヤに先だつて、英國劇詩を創造した一方の天才であつた。彼れは三十歲未滿にして早逝し、後世に殘した小數の作もおのづから未成品たるを免れなかつたが、而も一種銳い天才の閃めきは、其の作の隨處に見られると言はれる。殊に彼れは大膽な想像、想ひもよらない創才、最も强烈峻刻な感情――殆ど全くユーモアを缺いで、一種戰慄を感じさせるたぐひの强烈なパッションの所有者であつた。其の豪放な氣分や深刻な調子は確にイギリスのルネサンスを代表したものであつた。彼れの有名な「フア

ウスタス」(Faustaus)は、知識に對する飽なき無限慾を寫出したもので、其の深刻さに於て屢々後のゲーテの「ファウスト」と對照される。

シエークスピヤと同時に又は其の後にも、イギリスには多數の劇詩人が輩出した。ベン、ジヨンソン(Ben Jonson 一五七三——一六三七)を初めとして、ビウモント(Beaumont 一五八四——一六一六)フレッチャー(Fletcher 一五七九——一六二五)等は其の主なる人々であつた。吾々はこゝで一々此等の諸家に就いて、それ〴〵の特徴を記述する要を持たない。すべて此等劇詩人の群を拔いて、最も具體的に且最も大仕掛にヨーロッパのルネサンスを代表し且發揮した天才シエークスピヤ(William Shakespeare 一五六四——一六一六)の名だけを記憶すれば十分である。吾々は此の世界的劇詩人に就いて玆で詳しく研究する必要を持たない。たゞヨーロッパのルネサンスが、此の大天才によつて、最も大仕掛に發揮されたことを注意すればよい。卽ち今日まで種々の批評家によつて說明されたとほり、シエークスピヤは直に廣大無邊な自然(ネチユア)をさながら其のまゝに示した極めて多方面的な普遍的な詩人であつた。否彼れは直に自然の權化であつたとさへ言はれた。何となれば、

彼れは人生に有りと有らゆる總ての種類の人物や事件やを自然のまゝに取扱つた。彼れが劇詩には、英雄も有れば帝王も有れば、武士も有れば凡人も有れば、學者智者も有れば、愚者狂者も有り、高上壯嚴な人物も有れば、低劣卑賤な人物も有り、老人も有れば少年も有り、魔女も有れば阿呆も有る。恐らく彼れくらゐ種々な人物を自由自在に書き出した詩人は他に見出だされまい。人物や性格ばかりでなく、自然物や事件に至るまで、有らゆる簡單な事件から初まつて、有らゆる複雜な事件に至るまで、さながら小自然ではないかと思はれるほど、シエークスピヤ劇の中には、有らゆる事物や事件が複雜に編みこまれてゐる。そこには何等人爲的な制限も無ければ束縛も無い。何等の偏狹も無ければ缺乏も無い。就中人間が備へてゐる有らゆる種類の感情は、最も單純なものから初まつて、最も複雜なものに至るまで、殆ど遺漏なく彼れが劇詩の中に描寫されてゐる。取分けエリザベス朝に固有な若々しく華々しい元氣、はでやかなつや〳〵しい氣分、强烈なパッション、ペイジアント式なはで〳〵しい心持は、遺憾なくシエークスピヤ劇の中に寫し出されてゐる。且また奔騰不覊であつた彼れが詩才は、イタリーから移植された古典劇の

形式によつて束縛されるには餘りに激烈であり自由であつた。古典的形式等には頓着なく——其のくせ彼れは劇詩の材料をば少なからず古典文學から學んだのであるが——人物や事件の劇的發達をば、殆ど自然のまゝに或は無規律にさへも進行させたのである。彼れの劇詩が極めて複雜多岐であつて、古典式な單純さを缺き、然かも其の中に無限に强烈な情緒を包んだゝめ、後世に於ては、彼れは直にロマンチシズムの本源とさへも考へられた。斯やうに複雜多岐であり、放縱亂雜でさへもあつたが、然かもシエークスピヤ劇の全體には、尙アングロ、サクソン式な一種健全な道德觀が宿つてゐたことは、北歐の藝術はどこまでも南歐のそれでなかつたことを立證してゐる。

斯くしてシエークスピヤは、曾に當代の文藝を代表したのみならず、十八九世紀に於ては、フランス及びドイツの文壇をも支配して、ヨーロッパの近代文藝はさながら一シエークスピヤであつたかの如く見做されたのである。此の意味に於てシエークスピヤは、單にイギリスの一劇詩人であつたばかりでなく、同時に全ヨーロッパの近代を代表した思想的天才でもあつたのである。彼れはドイツのルー

ターと並んで、文藝復興期に於ける最大の天才であつた。

第二章　唯理思潮及古典文藝

第一節　唯理思潮及古典文藝の由來

第十五六世紀を文藝復興期と名づけることが出來れば、第十七八世紀をば、吾人は假に之れを唯理思潮(Rationalism)及び古典文藝(Classical literature)の時代と名づけることが出來る。文藝復興朝はヨーロッパ文明發現又は創設の時代であつて、何事に於ても、膨張、擴大、伸長、發達を意味したが、十七八世紀は、創設された文明を組織し秩序づける守成時代であつて、秩序規律組織統一が其の生命であつた。文藝復興朝は潑剌たる若い元氣が一時に爆發した時代であつて、十七八世紀は、血氣まさに收まつて、分別や理智が漸く働き出した時代であつた。情熱の時代は過ぎて、漸く理性の時代が來たのであつた。

時勢の斯かる變遷は、固より自然にして且必然な變化ではあつたが、斯くの如き變化が全ヨーロッパに起こつたにはおのづから一定の原因が無ければならなかつた。即ち第十六世紀の末から第十七世紀の前半期にかけて、ヨーロッパは、或は

內亂、或は外患、或は宗敎戰爭等、有らゆる種類の戰亂破壞を續けた。イギリスには王黨と共和黨との爭ひが有り、歐洲大陸には三十年戰爭といふ大擾亂が續いた。第十六世紀に於て折角發生した近代文明も此れがために頓挫し、精神界は再び中世紀の昔に引返へされるにあらずやとさへも疑はれた。斯やうな事情であつたから、十七世紀の後半期から初まつたヨーロッパ文明は、其の大勢に於て、必然的に破壞を收拾し、亂れたるを正し、癈れたるを起こして、すべてに秩序と法則とを與へざるを得なかつた。ルネサンスの滿潮は、十七世紀に至つて、漸く干潮に向かはざるを得なかつた。法規と理智とが最も必要なものであつたから、何は措いても理性を發揮し秩序を整頓することが最も主要事と考へられた。斯くして十七八世紀の理智主義の時代が出現した。

然しながら、一層深く時勢の推移を觀察すれば、そはどこまでも自然にして必然的なものであつた。文藝復興期に於て、ギリシャ及ラテンの文藝が復活されたとはいへ、そは古文學の精神又は傾向の復活であつて、未だ細かに其の形式や個々の特徵やを復活するまでには進まなかつた。然るに十七世紀は所謂第二期古文學

復活であつて、十五六世紀よりは、一層綿密にギリシャ及ラテンの古文學の形式や精神が學ばれた。殊にフランスは、此の意味の古典文藝——主としてラテン文藝復活の中心であつて、それがイギリスに波及し、更にドイツにも傳播したのであつた。蓋し古典文藝は、おほまかに言へば、調和正整の文藝であつて、形式に於ても精神に於ても、ルネサンスの亂雜不規律なものゝ反對に、完全に整頓され調和されたもの、微妙な調和が直に古典文藝の特徴であつた。斯やうな文藝の復活は、恰も時代の傾向に相當したもの、斯かる文藝によつてのみ、時代は秩序つけられ整頓されると考へられた。故に十七世紀は、簡單に言へば、古典文學の全盛期であつた。殊に調和の精神に富んだ古典文學は、恰も似よりの性質を備へてゐたフランス人の嗜好に投じて、そこにラテン、フランス融合の一種獨得な趣味感情が養はれるに至つた。ルイ十四世治下に現はれた劇詩人ラシイヌは、最もよく此の趣味傾向を代表した者であつた。

ギリシャ、ラテンの古文學は、直に理性の文學理智の文藝とは解釋しがたいが、一面に於ては調和を主眼とし、他面に於ては優秀な理智的傾向を備へたところから、

見やうによつては、古文學は著しく理智に長じた文藝とも言はれる。取分けプラトーン――殊にアリストテレースの哲學は、最も深刻な意味に於て、理智尊重の氣風を養成したに相違ない。殊にイギリスには斯やうな傾向が著しかつた。故に廣い意味の古文學がおのづから唯理主義の傾向を釀したことは、自然且必然の約束であつたとも觀られる。卽ち十七八世紀の唯理主義は、決して偶然な結果ではなかつたのである。

然かのみならず、理智尊重――理性を人間活動の最高と觀る傾向は、ネルサンスを受けついだ十七世紀の必然の形勢であつた。自然科學的知識の發達は、先づルネサンスに於て其の端緖を開いた。此の種類の知識の發達は、中世紀の永い間の末開に比較すれば、驚くべき人生の進步であつて、人生の進步は、ひとへに此の知識の開發に存するのではないかとは、當時の人心の自然の結論であつたに相違ない。人間の知識の開發は、神性の開發と同じく無限であつて、如何なる深秘如何なる不可思議にてもあれ、苟も理性の力を以て思議し得られないものはないと、これが當時の人々の確信であつた。卽ち理性尊重は、偶然的な單純な理由に基づいたもの

でなく、其の由來するところは、頗る複雜に且深遠であつたと言はなければならぬ。畢竟十七八世紀は、ヨーロッパ文明に於ける理智發達の時代に外ならなかつたのである。

斯やうに理智的な時代であつたから、十七八世紀に於ては、純粹の文明と並んで、科學と哲學――就中哲學が一種顯著な發達を遂げた。否觀かたによつては十七八世紀は主として哲學の時代であつた。イギリスにはホッブスやロックを初めとしてヒウム等の哲學的天才が現はれ、フランスにはデカルト、マールブランシユ、パスカル等が現はれ、更にオランダには有名なスピノザ、又ドイツにはライブニッツ等の異才が輩出した。十八世紀フランス文壇の大立物であつたヴォルテールでさへも、純粹文藝の方面から甚しく純理哲學に傾かざるを得なかつた。つまり時勢が極端に理智的であつたから、人心はおのづから哲學や宗教やに向かつたのである。故に十七八世紀の文藝思潮を概觀せんとすれば、吾人は先づ主として英佛に發達した唯理的乃至哲學的傾向を觀察し、さて然る後純粹文藝思潮の大勢を概觀しなければならぬ。つまり哲學的思潮は、全體の文藝思潮の背景又は根柢に

である。ハムブルグ並にブレメンに於ては獨逸政府の保護奬勵の下に大航海協會の創立を見た。此の協會は全世界の海上に巨船を派し獨逸の國旗をして競爭國の國旗に對抗せしめたのであるが、數年ならずして此等の船舶の數とその噸數とは二倍するに至つた。

斯くて此等の商業殖民及海軍の發展より來りたる結果として獨逸はその商業と海外の植民地とを保護する必要を認め、決然として巨艦建造の方針を採つた。而して一八九九年より一九〇七年に至る間獨逸はその海軍豫算を七十三パーセント增加したるに過ぎなかつた。茲に於て英國既往の優勢は最早恐むに足らざるに至つた。蓋し一九〇八年以後獨逸は英國に肉薄し短期間に戰鬪單位として計算せらるべき巨艦卽ち弩級艦の建造に着手した。一九〇八年度の獨逸の豫算は四億萬馬克(マルク)であつて、他の潛航建築費に七百萬馬克を計上せられた。然るに此の豫算は今次戰爭勃發の際にも八億馬克に達したる筈である。

茲に於てや英國は財政上及兵具上の資源を以て果して克く如何なる二强國の海軍聯合するとも常に之に匹敵するの勢力を保持すべしと云ふ自ら歷史的に定

めたる約束を果して得るや否やの疑問に到達した。此の不安の絶間もなくツェッペリン飛行船の發明に會して一層熾甚と爲つた。此の結果遂に英國は大陸に於て同盟國を求むるに非ずんば到底侵略を免がることが出來ぬと云ふ信念を英國人の心中に植付けた。而して此の危險は英國の輿論を動かしてエドウアード七世の見解と政策とを助くるに十分なるものとならしめた。

人の知る如く英國の外交は主義を聲明して行動することが極めて稀であつてビスマルクの評せるが如く常に事件より事件へ問題より問題へと移り行くのであるが、その結果は漸次歐洲諸國の眼に映じ來たるのである。此の愼重なる豫防的政策はエドウアードの全治世間卽ち一九〇一年よりジョージ五世卽位の日たる一九一〇年五月六日に至る迄遂行せられ、且ジョージ五世に依りて踏襲せられた。然るに此の政策を遂行するに當たり此の兩元首並にその政府の最大意見は常に明白に戰爭の回避に努むるに在つた。

要するに英國は獨逸の言行に依つて覺醒せられたるも、その實唯之に對する用心を爲したまでの事であつた。

一八九九年以來英佛兩國は互に植民地問題に就て妥協を遂げ、玆に相互接近の途を開くに至つたが、エドウアード七世の卽位は更に一層此の新策をして活潑且顯著たらしめた。乃ち一九〇二年五月一日王はルーベー大統領を巴里に訪問せられたが、その際英國商業會議所に於て注意すべき數語を發せられた。卽ち『英佛兩國の交誼こそ朕が絕へず心に掛くる所の目的である』と。斯くて兩國は一九〇三年に仲裁々判協約を締結し、更に翌一九〇四年四月八日一層重要なる英佛協約を結びてモロツコ問題を外交的に解決し、又之れと同時に植民地問題の殘件たる埃及問題及びその他をも解決した。

英佛和親協約の實を擧ぐるに至りたるは實に此の日以後の事であるが、されど締盟國の一が一朝戰爭に從事するの場合該協約には他の一國が實際的協力を確保し非ざるが故にその間に多少の危險を有して居た。要するに該協約は同盟では無かつた。されど親交的關係の繼續と相互見解の共通と他の列强特に露國の參加とに依りて漸次その效果を見るに至つたのである。

デルカツセが大統領ルーベー時代に締結したる英佛和親協約は一九〇六年よ

り一九一一年に至るフアリエール大統領時代にピション氏の努力に依りて喜ぶべき發達を遂げた。

英國に於ける自由黨の一部並に若干の閣僚が有して居た親獨的傾向は時として該協約の效果に疑を挾さましめたるも之が實行は克く此の薄弱の原因を漸次減少し遂に再びその影を見ざるに至らしめた。

开は兎も角該協約は英佛兩國をして全世界の懸案と爲つて居た困難なる問題を解決するを得せしめ特に獨逸が猛烈に干渉を試みたるモロッコ問題に於て我が國の支援を佛國に齎らしたるが如きの效果を奏した。

英佛和親協約の主要なる效果の一は英露の接近を可能ならしめ、以て獨逸に對し當然締結すべき歐洲同盟を完全ならしめた事である。

英國は一度び佛國の盟邦と爲つたる以上何時迄も露國との暗鬪の狀態を持續することが出來なく爲つた。偶々日露戰爭は英國をして亞細亞に於ける露國の膨脹の危險の著るしく減少したるを感ぜしめた。されど此の危險を失ひたるも他の危險の之に代りたるものがあつた。それは卽ち獨逸であつて露國が支那に

於て旅順口を失ふと同時にその勢力を失ひたるに反して獨逸は膠州灣の奪取に依りて或る程度迄自らその勢力を獲得した。是れぞ英國に於ける新たなる危險であつた。

されど此の間君府問題或は近東並に地中海問題なるものありて英國は久しき間墺匈國の政策と相結びてスラーヴの膨脹に對抗し來つたのであつたが、露國が內亂と又戰後の恢復とに沒頭しつゝあつたので、此の方面に於ても英國は舊時程露國の恐るゝに足らざるを知つた。然るに之に反して獨逸が切りに亞細亞方面に於て活動、就中バグダッド鐵道の大計畫に依つて波斯方面に發展せんとするを見るに至つて、流石の英國も蘇士(スエス)運河と印度植民地との安寧に對して不安の念を禁じ得なかつた。

茲に於てや一九〇六年五月アスキース內閣の外相サー・エドウアード・グレーの如きは下院に於て英露接近に好意を有する旨を聲明して言ふた。『英露間には兩國に關する問題を友誼的に解決せんとする傾向ありて日に盛んになりつゝあるが、此の儘にて進まば兩國の相互間に關係する諸問題の逐次的解決と兩國間に存

在する友誼的關係の緊束とを當然馴致するであらう』と。

而かも英露兩國海軍の訪問交換は互に此の好傾向を刺戟し、此の時ポール・カムボンを指導とする佛國外交團は倫敦に於て之が仲介者の役を遂げた。斯くて整然たる相互交渉の結果印度國境、阿富汗斯垣、波斯、西藏、波斯灣等に關する諸問題も談笑の間に圓滿にその解決を告ぐるに至つた。

露國側に於ける此の政策の指導者はニコラス二世の外相イズウォルスキーであつたが、一九〇八年二月グレーは此の政策の繼續を下院に要請して曰ふた。『予は兩國が共通的利益問題に對して理智的且誠實的の諒解を有せんことを欲するものなるを言明す。予は此の見地に立脚するものなるが故に、若し下院にして之に反對し、或は之が實行を不可能ならしむるに於ては、予は直ちに本職を辭するの覺悟なり』と。

グレーは斯くの如く果敢卒直なる一言を以て、英國が殆んど一世紀間近くも有し來つた反露政策を一朝にして排除し去つて了まつた。而かも一九〇八年六月に於けるエドウアード七世とニコラス二世とのレヴアール會見は英國王の巴里

訪問と同様の效果を收さめ、英露接近は玆に於て愈々確實となり此の時以來三國協商の存在を見るに至つた。

獨逸が墺匈國を援けてバルカン半島に野心を遂げやうとするに當りて、英國の世界的事件に於ける勢力の偉大なるを顧慮しなかつたとすれば、それは獨逸が全々盲目であつたと謂はねばならぬ。而かも墺匈國と英國とはバルカンに關しては舊來の交誼もあり、又協力者として多年半島に於けるスラーヴの發展に反對し來つた關係もあるから英國の勢力を按排することは必ずしも不可能で無かつたのである。それに又假令英國はエドゥアード七世の登極以來佛國に接近し、更に深く獨逸の發展を監守しつゝあつたとは言へ、將た又獨逸が『我が國の將來は海上に在り』と唱へた英國の反感を招いたとは言へ、英國と雖も亦獨逸と衝突するを恐れたに相違ない。是は英國が英佛協商の實效に制限を附し、或は同盟なる文字を避け、一方伯林との外交的親善を失はざらんことに努めて居た事實に徵しても蓋し明白である。現にアスキースやグレーなどは演說中一度此の問題に入れば必ず『英佛間には何等英國が事實上の援助を爲すを要するが如き密約なし』と再三辯解

するを常として居た。

英國が常に平和を希望して居たのは此の國民の素質上から見ても然るべきである。本來商業家たる國民は歴史を通じて皆此の特性を現はして居る。蓋し多年勤勉の結果蓄積したる絶大の富をば一朝にして戰爭の爲めに犧牲に供するのは彼等の決して好む所で無い。故に英國は輕微なる危險にしても深かく之を恐れて居た。

曾ては尙武的國民であつた英國も漸やく軍人たるの職責を怠り、今ではその效用だも思はぬ樣になつた。只野外の競技や運動のみを以て健全なる身體と精神とを養ふ唯一の方法として認ため、血を流す事には何等の興味をも感じない。隨がつて殺人の演習などは全然之を不必要と爲し、又何人も他に武力を要するの時が來やうとは考へて居なかつた。時には先見の明ある一部の人士が之を警告した事もあつたが、一般に義務兵役の如きは唯不和の絕へない歐洲大陸國の事で、英國などの關知する所では無いと信じ、商工業に從事する數萬の壯丁を擧げて之に兵營の訓錬を與ふることは此上もなき愚擧であると考へて居た。

特に斯かる平和主義を標榜し、干渉や挑戰を主とする所謂舊式政道に反抗し來つたのは自由黨であつて、バンナマンやロイドジョージなどがその主唱者であつた。就中ロイドジョージの如きは熱烈なる辯舌を以て盛かんに聖書の字句を引用して平和を鼓吹したることが幾回なるを知らざる程で、而かも彼れの平和主義や或は經濟萬能主義は恰も天國に入る說敎でも聽聞するやうに自由黨員をして感喜の涙を流がさしめたのである。

然るに突如天の一方に於て局面急轉し、烈風忽にして砂を捲き起したるの觀を呈するに至り、流石平和主義なる英國の自由黨も止むなく戰ふの決心を堅むるに至つた。さらば如何にして又如何なる事情に由りて斯かる豹變を見るに至つたかと言ふことに就て、今少しくその原因を究めて見やう。

一九〇七年に公刊せられたる一書があるが、その書中には詳かに獨逸側より現はれたる危險に對して漸次英國に波及したる空氣の變化を說明して居る。卽ち先づ第一に獨逸製品の販路擴張戰の結果は英國有識者の注意を喚起した。而かして之に次ぐものは獨逸の世界統一策であつた。此の政策に對して一點の疑を

容れざるに至つたのは、第一の原因は獨逸皇帝や閣臣の宣言であつたが、此の宣言は恐らく早産に過ぎたる世界政策を聲明したものであつたらう。されど尚その第二の原因を成したのは汎獨逸主義を祖述する文字が追次人の眼に入るやうに爲つたのであるが、更に第三の原因は戰備や外交發展等に於ける事實上の調査が獨逸の籌策に一點の疑を容るゝ餘地なからしめた爲である。即ち獨逸は以爲らく簡單なる純理上その領土と比例せざる人口數を有する國民は帝國主義となるか或は人口制限論に屈するか、二者その一を選ばねばならぬと。而して獨逸は直ちにその一を擇むで曰ふた。此の發展にして歐洲大陸に之を企つることが不可能とすれば、是非共海上に眼光を放たねばならぬ。隨がつてその直接の結果として海外に發展せんと欲せば海上權の獲得を必要とする。而かして此の海上權を獲得するは英國に對して勝利なる戰爭を爲さねばならぬと。何人も獨逸の海軍擴張案を一覽したならば英國と好んで戰はんと欲するものと外思へないであらう。又獨逸が土耳其や君府に手を染めたのは、蘇西、埃及及び波斯灣に於て英國に對する準備を爲したものと外考へられない。

然かり英國は確かに獨逸に狙はれたのである。所が英國は多年來樂みたる泰平の夢より未だ覺めずして此の危險の如何なるかを知るを欲しなかつた。前途の險難を豫想したる幾多先見の士の言說も更に之を顧みなかつた。

斯くて一九〇五年に政權を握つた自由黨內閣の行動は平和的傾向を有して居たばかりでなく、閣員の數名は特に獨逸との協和に志し熱心に之が達成に努力した。同黨の公認機關紙デーリー・ニユースの如きも三國協商に對して常に懷ける不安を公言し、特に英露接近の不安を論述し、又サー・エドウアード・グレーも屢しば此の點に關して他の注目を惹いた程であつた。事實外交上佛・露・英三國間も何等かの同一歩調を採る場合あれば必らず英獨間には之と併行する協議を爲すを常として居た。一言以て之を蔽へば英國は獨逸と反目するのを欲しなかつたのである。

而かして一九一一年十二月に至る迄も此の優柔不斷なる態度は止まなかつた。グレーがモロツコ事件落着に關し英國の所爲を說明せる演說中にも之を窺ふことが出來る。卽ち彼は聲明して曰ふた。『吾人は一九〇四年佛國との密約條項を

公表した。その他には毫も密約なるものが無い』と。アスキースも亦十二月六日更に明確にその意味を叙說し、加之獨逸に對して好意を明かに示さんと欲し、『英國は啻に獨逸の世界的發展政策に反對せざるのみならず、却つて吾人の利益に直接害なき限り之を援助するに努めた』と言明した。又佛領コンゴーの一部を獨逸に割讓せんとする事件に關する談判中にも此の方針は遵奉せられた。卽ちその際『若し獨逸にして他國と友誼的協約を結びて、阿弗利加に發展するも(暗に葡萄牙領を指す)英國は敢へて之を妨げやうとは欲しない。馬の食事を妨碍する犬の役割を演ずるは馬槽の中に投身すると同樣である。何條吾人は斯かる愚を演じやうか』と言つた。

是れぞ獨逸皇帝の閣臣等が英國よりの言質に從つて之を奇貨措くべしとしたる原因である。乃ちベートマン・ホルウエーヒは傲然たる語調を以てグレーの前言に答ゆる次の如き演說を獨逸聯邦議會に於て爲した。

本大臣は英國首相が外相グレーと共に我が國民の進步は決して英國の嫉視を起さず不滿足を買ふものに非ずと言明せられたるを茲に陳述するを喜ぶもの

である。諸君(力を入れて)吾人も誠實に英國と友誼を厚ふし、平和に生活するを希望するものである。(此の時議場が靜謐と爲つた)然れども兩國の關係は英國政府が積極的に此の親交に必要なるものを示せる程度に準じて和親すべきである。(喝釆)若し夫れ爾餘の諸國の如きはその如何なる國を問はず獨逸の發展を念頭に置かねばならぬ。蓋し何物も此の發展を阻害する能はざるものである。

斯くの如く握手の手は先づ倫敦側より伸べられたのであるが、英國陸相ホルデン卿の旅行は兩國の和親に具體的好影響を及ぼしたのである。然るに英國は如何に好意を表すとも、終に根本的平和の發生を防ぐ能はざるの一事實がある。开は外でもない。英國を危險の地位に置く獨逸海軍の擴張卽ち是である。

その後一九〇七年には弩級艦競爭とも稱すべきものが起つた。英國は當初之を遺憾なりとて明かに躊躇したるも、その相手に追跡せられて更に一段の躍進を爲さゞるべからざるに至つた。之と同時にその陸軍が國際的時局柄その任務を遂行するに絕對に不十分であつて、而かも不適當なるを思はしめたのにも拘はらず

英國は優柔爲す所なくその閣臣の多數は如何なる事情あるも平和を期せんとするの方針に捉らはれて、時局の危險に陷いる場合に備へなかつた。就中ホルデン卿とウィンストン・チャーチルの如きはその尤なるものであつた。

然るに一九〇八年の十一月ロバート卿は貴族院に於て一場の演說を試み人をして首肯せしめた。卽ち彼れは次の如くに極論した。

危險の日に日に切迫しつゝあるのは明白ではないか。獨逸は一朝にして英國以外曾て存在しなかつた一大海軍國と爲つた。然るに今や尙彼れはその海軍力を增大する爲めに更に最も恐るべき方針を定めた。

吾人の眼前に展開する光景は世界の何人も未だ曾て目擊せざる所のものである。卽ち人口六千萬を有する市場に於て最も有力なる我が競爭者にして最も好戰的なる一國は急激に發達せる海軍力を以てその壓倒的兵力を倍加した。

吾人は獨逸の此の努力に對して敵するものではないが、我が安寧の必要上適當の方法を講ぜねばならぬ。帝國の特別の擁護者たる吾人は自己的にして狹少なる利益の慾求者たる獨逸の上位に此の帝國を支持しなくてはならぬ。之が

爲めには啻だに我が海軍を更に有力のものたらしむるのみならず、海軍の完全なる戰略的自由を期するの必要がある。軍備の缺陷の爲め我が沿岸に膠着せしむるが如き窮境に我が海軍を立たしめてはならぬ。

此の時ローズベリー及ランスダウン兩卿就中後者の如きは保守黨の名に於てロバート卿の意見に滿腔の同意を表した。然るに自由黨は政府と共に尙昔日の平和的意見を捨てなかつた。

越へて一九一二年の秋バルカンの危機その頂點に達し、世人は之を更に重大なる戰爭の序幕であると思惟したる時に於てすらも、英國は常に獨逸と接近の手段を求むるに熱心であつて深甚の注意を以て英佛協商に同盟の性質を與ふることを避くるに努めた。而して一九一三年より一九一四年に亘れる冬期に於て英國は冗長にして無勢力なる倫敦會議の言論に沒頭し、その閣員は一般の狀勢に關して徒らに樂觀的言說を弄して滿足して居た。

然るに時の大藏大臣ロイド・ジョージは一九一四年デイリー・クロニクル紙上に於て意見を發表して昔日の平和主義者たるを示し、更に熱心に親獨派たるを示すに

至り、世人は爲めに驚倒した。而して又彼れは英國は海軍擴張を徐々に行ふを得べしと說き、最後に『尙歐洲各國は現に陸軍擴張の爲めにその資源を集積するに努むるを以て英國は爲めに競爭より退くを得べし』と附言した。恐らくロイド・ジョージは先見の明がなかつたのでもあらうが、彼の同僚なる內閣員も亦平和的冀望を有して居たことは否定することが出來ぬ。

されば獨逸の外交家が英國は戰爭に參加しないであらうと思ふて居たのは、倫敦內閣の躊躇的態度とその無氣概とに迷はされ、又一方には英國の新聞や輿論に欺かされた爲めに相違ない。而かして又獨逸はその野心と著述家や軍人の曲說の爲めに誤られて自家的着眼點より脫却することゝ又事物を客觀的に判斷することが出來なかつた結果英國に對して二重の過失を行ふたのである。即ち獨逸は英國政界の狀勢を察せず、又更に此の國の實力を知らなかつた。そして英國は戰爭に參加するを欲しない。否參加することが出來ぬであらうと速斷した。蓋し獨逸は英國自由黨內閣の不統一に鑑み、又當時愛蘭自治案の投票が英國を非常なる危機に陷らしむるであらうと思惟したのである。

あるから、地球の表面の既に一定なる以上、必ず食糧に窮する時の來るのは明白なることである。

我日本に於いては、明治二十一年より明治二十五年迄の間、一人一ヶ年平均米の需要額は九斗四升八合であつた、それが大正二年より大正六年の五年間になると一年一人平均一石五升に昇つてゐる。これは國民全體が經濟的に富み、或は奢侈の進んで今迄は雜穀を常食とした者も、雜穀を混用してゐた者も、米食をするやうになつたのを原因としてゐるが、大正二年より大正六年の五年間、一ヶ年平均の需要總額は五七二〇六〇三三石で内地の生産額は五四三七〇二五九石であるから一年に二八三五七七四石卽ち二百七十九萬五千九百七十五人分の不足を生ずる譯である。

此年々の不足額を補ふ策として、新舊二つの解答がある。舊いものは穀物輸入策で、從つて輸入税撤廢論となり、重商工主義となるのである。これと反對に新しい者はこの歐洲大戰中饑餓政策に苦しめられた經驗によつて、新しい形式を以つて起つて來た自給自足策で、必然輸入税存置論となり、重農主義となるのである。

英國民はこの大戰中獨逸の無制限潜航艇戰に會つて、はしなくも一八四六年卽ち今より約七十年前穀物條令第三回の討議の際に、宰相デスレリが與へた豫言を思ひ出さずにはゐられなかつた。デスレリは穀物輸入稅の徹廢に反對して「穀物條令廢止論者の泥醉の眞夜中に於いて、やがては苦き醒が來るであらうと語るとも今は徒勞の事であるかも知れん。彼等が經濟的亂心の滿潮期に於いて、やがては煩悶の干潮期が來るであらうと注意するとも、今は閑散の事であるかも知れん。然しながら闇黑な避け得ない逆境時代がやつて來るに相違ない」と云つてゐる。コブデンはこれに對し、惡樣に「外國に賴るて？　誰れがその長い間埋れてゐた幽靈(饑餓)を再び堀出すものか」と答へたのである。然るに何等かの理由でオキシネの諸港或はシ、リ島から穀物船の到着が齟齬した時にアテネの市を濶步しエヂプトからの穀物船がシ、リの海賊によつて阻斷せられ、或は其後亞弗利加の諸港が封鎖されて船舶の出帆が禁示せられた時に再びローマの市を徘徊した、その同じい幽靈が一九一五年の末頃から英國に現れ始めたのであつた。

そこで世界の各國では再び自給自足の策に着目したのである。この政策によ

つて農事改良の必要が叫ばれ、都市に人口の集中して農村の荒廢するのを防止せんとして農村問題がやかましく論ぜられるやうになつて來た。

其外食糧問題として、論ぜらるべきことは食糧品の利用及改良、滋養價の研究、價額の調節、造酒の代用品の研究或は制限等の諸問題がある。*けれども紙數に都合があるから端折らなければならぬ。

※東京帝國大學農學部教授稻垣博士の實驗に依るも砂混米を洗ふ爲めに五%程餘計流れるそうである、これを日本の消費する米を概算六千萬石とすると、三百萬石を流してゐるのであるから、一石四十圓とすると年々日本人は一億二千萬圓づゝ流してゐるのである。

第三節　植民問題

一國の人口が增加するのに、食糧が之に伴はずして、不足を來す時は、勢いその收容し得ない人口を國外に移さなければならぬ、卽ちこれが移民である。

この移民を出す社會と、移民を入れる社會とには人口構成上の問題が起ると云ふことは、前に述べた所であるが、其外に質の上に於いて、優劣が二樣の形式に於い

て起るのである、卽ち第一の形式は本國に殘留する者は意氣廢頽し、何等の向上心なく、身體薄弱なる者が主として殘留し、移民は主として燃ゆるが如き向上心と、一種の野心と、意氣とに充され、且つこれをもるゝだけの强健なる體格を有する者である。これが卽ち米國移民史の上代に於いて見られた現象である。

然るに米國移民の質は年と共に低下して本國に於ける食つめ者、或は世間を狹くし、或は大なる失敗をした者が多くなつた。卽ち後者が第二の形式である。

尙移民を受ける國に於いては其國の文化、風俗、慣習、歷史、國語、宗敎等を異にする諸民族が混入するのであるから、其社會の鞏固を脆くし、其社會の統一を薄弱にする。これを最も痛切に感じ、目下白熱的に此問題に沒頭してゐると云つてもよい國は、やはり世界第一の移民國たる北米合衆國であつて、この歐洲大戰の當時同國內にあつた獨逸生れの人々、或は獨逸系の人々は實に一千六百七十萬人であつた。それ故に、米國がこの人々を統制するに如何に大なる苦心を拂ふたかは、思ひ半に過ぎるものがある。そして、この辛き經驗に刺戟されて、起つて來た問題は、米國化問題(The Problem of Americanization)であつた。米國化問題は、米國社會がなす所の消

極的な自衞的社會化に關する所の問題である。

米國人の正系を成す人種は說明するまでもなく、一六一八年から一六四〇年に亘つて、マサチユセツ及コンネカツトの二州へ移住して來た二萬の英吉利淸敎徒である。そして、現在、米國人の血管中を流れてゐる血液の四分の一は確に、此淸敎徒から脈々として續いてゐるものである。一七九〇年に行はれた第一回國勢調査の記する所に據れば、白人の總數は三百萬で、其家族の姓から判斷すると、その八割三分五厘は英吉利系であり、六分七厘は蘇蘭、五分六厘は獨逸、二分が和蘭、一分六厘が愛蘭、五厘が佛蘭西系である。

然るに一八八〇年から、獨逸に於ける自由の束縛と經濟上の困難とによつて、獨逸の移民が激增し、これに倣つて、瑞典人、諾威人、丁抹人の移住が始まり、一八八五年からは、轉じて南西歐洲の諸國から多數の移民が陸續として流れ込んで來た、斯くして北米合衆國は人爲的ならざる萬國人種博覽會場と化して了つた。今では、米國に百以上の異なる言葉が使用され、一千萬人の讀者を有する千三百種以上の外國語新聞が發行せられてゐる。

此の移民の内に人種的團體をなして居住し、恰も米國内に於いて自國を建設せんとするが如き態度に出た者は彼の獨逸人であつた。即ち南北戰爭の少し以前から、米國に移住した獨逸人は獨逸文化を以て世界に冠絶してゐるものと考へ、「獨逸人及その子孫は英語を語り又讀むべからず」と云ふ一種の約束をして、獨逸の理想及政策は北米のそれに優越するものであることを誇り、獨逸語新聞を發行し、獨逸敎會を建て、その特別保護の下に敎區學校を設置して、その運動の中心點とした。又米國の諸大學に招聘された獨逸系の敎授は進んで、此の運動の指導に當り、獨逸人の子弟にして、米國の小學校に通學する者がある時は、其兩親に說き、或は强制してまでも獨逸の敎區學校に轉學せしめたのである。

この運動に抑壓を加へたのは、一八八九年から實施された、ベンネット法案*であつた。

*ベンネット法案は、米國化の先驅的運動者たるウ井スコンシン州の知事ホワルド君の一八八八年に提出した法案であつた——第一に七歲以上十四歲以下の子弟を保護する親又は保護者は必ず、その子弟を公立又は私立の小學校に入學させればならぬ、——

第二に子弟の基礎的教育として、讀み、書き、算術及び合衆國の歷史を英語にて教ふるものでなければ、學校として認めないと云ふのである。

斯くして、始められた米國化の運動は、今度の歐洲大戰によつて更に一段の火の手をあげ、次第に學理的にこの實現方法を研究し、風俗、慣習、言語を異にし、且つ無學なる分子を含んでゐる移民を化して、米國の國是に添ふものとし、完全なる米國の市民として「各國國旗の上に只一國旗(米國旗)を捧持し、而かもその一國旗に忠義を拔ずる一國民となさんとする」努力をやつてゐる。

然るに此問題は反對に移民を出す國にとつて、又一の重大なる問題として現れ來なければならぬ。例へば、米國が日本の移民を排斥する理由として、「日本人は米國に同化せず、」卽ち米國化しない者であると云ふことを主張する。縱しそれが單に一つの口實であつて、事實はこれと大に異つてゐやうとも、或は又最初、米國が日本の勞働者を歡迎したのは、下級勞働者としてであつたのに、今や日本の勞働者は下級卽ち亞奴隸的勞働者たるに滿足せずして、上級勞働者となり、白人勞働者の强敵と轉化し、遂にはこれを凌駕して、資本家の地位を蠶食するに至つたのであらう

とも、排斥されつゝあることは動すべからざる事實である。そして又一國の存立が相互に尊重すべき理由を有する以上、その國が自己の存立を鞏固ならしめんが爲に採る社會化の運動も、それが自衞的範圍を越えざる間は是認してやらねばならぬ。

玆に於いて、我日本の如く狹小なる領域を有し、且つ年々人口の增加を來す國はその過剩人口を何處に移すべきであるか。再言すれば人口の飽和狀態にある社會が、その過剩する人口を移出することが出來なくなつた時は、消極的に饑饉、疫病、戰爭の襲來を待つか或は人爲的に晩婚、減民(間引、墮胎、避姙)の陋策に出で、而もこれに新マルサス主義(Neu-malthusanism)の名を附してその醜惡を蔽んとするか、さもなければ更に積極的に植民の政策に出ずるか、この二途の中その一を選ばなければならぬ。新マルサス主義は一種の遁辭である、この遁辭は洵にその社會が窮する所を語るものであつて、「新」に加ふるに片假名を以てし、更に加ふるに「主義」の二字を以てするが故に美なり善なりと謬解してはならぬ。

植民政策は移民政策より遙に優秀なる政策である。移民政策が捨子政策であ

り、居候政策であるに反して植民政策は堂々たる分家政策である。それ故に一國の政治家が多少の經綸と幾分の意氣地とを有してゐたならば、必ず其の國民を他國に捨て去て食客の汚辱に居らしめない、斷然移民政策の陋劣を避けて、國旗の威力の下に植民地を開拓して、過剩せる人口を移植する方策に出ずるに違ひない。

然るに我帝國は押しも押されもせぬ世界の一等國であるけれどもそは偏に天皇の御陵威と忠勇なる臣民とに負ふ所のものであつて、局に當る政治家は事事に失敗の歷史と、無識、無經綸を遺憾なく暴露してゐる。彼等は唯だ黨利の爲に國利を犧牲として、平然顧ることなき勇氣と、百年の大計どころか、曲りなりにさい十年の計も立て得ず、臨機應變主義を名として無爲無策の其日暮しの裏棚住居に滿足してゐる安心立命だけを有し、一枚の舌を二枚に使い分けたり、五個の珍品に自己の節操を豹變せしめるだけの技巧を持つてゐるに過ぎない。そして天皇の赤子を空しく、外國に捨てて貰子老婆の慈悲心にすがり徒に國際的温情主義を當にしてゐる。當事は常に先方より外づれると云ふことは今始つたことではない、正義人道自由平等を金看板としてゐる米國に於いても、日本移民が一生の汗と血と

で贏ち得たる所の地歩も、財産も一朝、加州議會の氣紛れ議員の一票の投じ樣で左右せられる有樣となつた。これ正に責任觀念なき政治屋のみで充されてゐる人物的破産國の悲境である。

上述の如く移民政策を捨てて植民政策を採る時は第一に現今の世界に於いて植民地を開拓することが果して可能であるか、可能であるとすれば此植民社會の經營に關する雜多の問題と植民と遺留民との質の差、等の諸問題を含むで所謂植民問題が起るのである。

植民を分けて、三類とすることが出來る、第一は普通に植民と謂はれてゐる國外卽ち海外植民であり、第二は國內卽ち內地植民(Innere kolonisation)である、そして第三は最內植民とも謂ふべき家內植民である。それ故に此問題も亦海外植民問題、內地植民問題及家內植民問題の三類に分れねばならぬ。

然るに今、世界の地圖を延べて一見すると、海外に植民地を開拓する事が至難の業であると云ふことは議論の餘地さいない事實である。獨逸が海外植民政策の樹立に就いて英、佛、露の諸國に數步遲れた結果として、窮策に窮策を弄し、チグリス

ユーフラット兩河の流域にその植民地を開拓せんと計畫した。そしてこれが遂に悲慘なる歐洲大戰を惹き起すに至つた如く、吾日本もこの海外植民政策に於いて歐洲先進國に數十步の遲れを取つてゐるのである。日本の識者が德川三百年の惰眠から醒めて、目を海外につけた時は、もう祭の過ぎた後であつて、太平洋中の一孤島ですら、この懶け者の爲に取り殘されてゐなかつた。

それ故に此海外植民の能、不能は努力如何の問題ではなく、機會如何の問題となつて了つた。「正理公道に準據して領土を擴張し、就中接壤接水の地域を開拓して出來得る限り速に內地の統制的部分となさんとす」れば、購買に由つて他國の植民地を購入するか、或は兩國の合理的協定に由る併合によるか、の二樣式を以てする外に、その手續がないのである。前者卽ち購買によるものは例へば一八〇三年に北米合衆國が佛蘭西からルイジャナ州今のニウオルレアンスと云ふ大都會のあるミシシッピー河よりロッキー山に至るまでの廣大無邊なる地方を僅に千五百萬弗で買ひ、一八六七年には五萬方里以上の露領アラスカをこれも僅々七百萬弗で買ひ、獨逸が一八九九年に西班牙から西米戰爭の起らんとする際にマリアナ群

島を千六百萬麻克、即ち現今の相場に直して、多くとも、六十二萬圓以下で買取つてゐる如く、屢々歴史に於いて繰返された事實である。後者即ち併合も亦古來より東西に散見する史實である。

要之、植民地の開拓と云ひ、購買、併合と云ひ皆機會の問題である。然しながら機會は自然的であつて、人爲的に作ることが出來ぬものであるとしても、自然的に來る機會を捕へ、之れを利用するだけの人物がない時は、如何に機會が屢あつても、これを利用することは到底出來ない。「千里の馬なきに非ず、伯樂無き也」の嘆は又人物大拂底の我國にも繰返されねばならぬことで、殊に政治屋、外交屋のみ多く、政治家、外交官とも云ふべき者が絶無であることは、他面敎化問題として大に考へねばならぬ當面の疑問である。

第四節　内地植民問題

以上述べて來た、他國の溫情による移民と、人倫に背反する滅民と、機會によりて右左せられて、何時でも自由に植民地を開拓することの出來ない植民とに賴らないで、人口を增殖し得る方策として、最後に殘されてゐるものは内地植民と、家内植

民とである。

内地植民政策は一面、近世商工業の發展に伴ふて、人口の都市集中が急激に行はれ、農村の人口が非常の勢を以つて減少して、茲に食糧生産額の低下を來したことと、他面その社會内の人口増大を救濟せんとする要求とによつて、生れ出たものである。この政策に必要上最も熱心であつた政治家は、かのビスマークであつた、その結果として此政策の最も發達して居るのが世界中で、獨逸だと云はれてゐる。

此内地植民政策に關連する問題を内地植民問題と云ふのである。此問題中は、自給自足問題、關稅問題、農事改良問題、食糧價額問題、農村問題、或は都市問題中に於ける住宅問題等に密接なる關係を有するものである。殊に今度の歐州大戰は各國の社會に於ける各種の社會問題にもその影響を及してゐて、英國に於ける小作人問題や、佛國に於ける耕地問題となり、米國に於いては農業勞働者を工業勞働者に激變せしめ、爲に平素の村落人口はその二割方を減少してゐる。從つて、戰後、工場閉鎖、勞働者解雇が相繼いで、失業者の續出となつて來た時は、この過剩してゐる勞働者を如何にして再び農耕地に定住せしめるか、或は人口密なる地方より人口粗なる

地方に散布せしめるか、の內地植民問題となつて、盛に議論されたり畫策されたりした。其內殊に、米國が目下困難を感じてゐる問題は戰時中高率の賃金を以つて、南部地方から北部の工業中心地へ大移動さした所の黑人勞働者が、戰後再びその家族と共に失業の結果、就職口のありそうな大都市へ向けて流れ込んで來たことである。總て工場設備に於いて、最も遲く雇入れられる者は、不熟練の黑人であり、解雇される最初の者は亦この不熟練なる黑人であるから、就職を與へる點からしても最も困難である者は、この黑人である。そしてプロビデント、レスキューミッションの無料宿泊所に集つてゐる、一群の彼等に「さて諸君、仕事に離れた諸君は再び南部地方へ歸るかどうか」と、一夜質問されたが、「歸ろう」と云ふ希望を表はした者はなかつた。又ピェッツバーク市のキングスレー館のコーパー氏の報告によると、「懶怠なる黑人男女の數を大都市に於いて計算することは困難である、何故ならば四圍の地方で一時解雇された後に、都市に入つて來た人等を計算する方法がない。本年（一九二〇年）一月の或る十二日間に二千百の黑人が地方からやつて來た、そして彼等の誰もピェッツバーク市に嘗つて働いた事のない者である。即ちこの十二日間

に二千百八の者がビェッバークク市の小さい神教傳道事務所へ就職口と補助とを申込んだのである、又一週間の内に一千二十七人の者が此市の都市聯盟へ就職口を申込んで、八名採用されたのである。」この黑人が都市へ流入する問題は、又社會政策或は社會福祉事業が大都市に於いて多少變的に施置され、發達して、遂には市民の質に於いて、グレシャムの法則が行はれ、質の惡い市民が多くなり、其結果として質の良い市民が減少しはせぬかの疑念を與へるものである。

飜つて我國に於けるこの內地植民民問題は歐洲大戰當時、米價の狂騰して、越中滑川に女房一揆が起つたり、上野で市民大會が開かれたり、松坂屋の硝子窓が破られたりしたのと、英國で呼ばれた自給自足の山彥とに驚かされて、荒地開拓とか、農村改良とか、云云され、農商務當局者の如きは日本に於ける未開墾荒地の段別を列記して、その開拓をなすに於いては、自給自足をなし得ると堂々論じたり、穀物輸入稅廢止を論じたりしたが、今日では少し、米價が當時より、低下したので地方地主連にその根據を据いてゐる政友會より閣員を出してゐる政府は夢の如く一昨日の醜態を忘却して、米價を釣上げ、近視鏡的に低能なる一般農民より幾分の輿望をつ

ないで、失政百出以つて、陛下の臣民を苦しめたる不正事件を誤魔化さんと努力するのみで、何等一定の國是もなく、十年に亘る計畫もない有様である。斯くして他日我國をば英國の二の舞を演ぜさせたり、滑川分署長をして再び辭職をせしめたり、松枚屋をして日沒に先だつて硝子窓に鐵蓋をさせる不安を抱かしめる事がなければ幸である。

然るに此時に當つて、我國社會學界に於いて最も有力なる團體である日本社會學院は來る十月三十日東京商科大學に於いて「内地植民問題」を研究報告問題として、第九大會を開き、この事が帝國にとつて重大且つ急を要する問題であることを宣べ敎へんと企ててゐるのは我意を强うするに足る壯擧である。

第五節　家内植民問題

家内植民政策は主として、我建部遯吾博士によつて、創説された最内植民政策であつて、博士はこの家内植民問題を「現代社會問題批判」の九十七頁より九十八頁に――「其外に是は獨逸が默つて居りながら、稍々實行を始めたと私は睨んだのでありますが、獨逸の學者はまだ何とも申しませぬ。併し獨逸がやらうがやるまいが

二　民政と時代

先きにもいうた如く、國家の存在は人民の共同生活を保障し（規制）、更に其の共同の利益を計つて（創造）行かねばならぬのであるから、國家政治の根本義は常に人民の爲めといふことに存するので、何れの時といへども、此根本義を逸却しては安泰を保ち得べきではない。太古一般の人智未だ開けざる時代にあつては、其の中の優秀なるものが、專ら之れを指導し統卒し民衆はたゞ之れに從順して行くことによつて其の福利を得たので、此時代にあつては之れを指導し統卒する王者は神の如く、民は之れによつて他の社會から侵逼せらるゝこともなく、他の人民から危害せらるゝこともなく、安らけき生活を送り、指導者たり、統卒者たるものも亦民を敎へ導くことを主としたので、何れの國の創業時代に於ても聖王の美蹟の傳へらるゝは之れに外ならぬのであるから、此時代を敎導の時代といふ。しかも、其の指導を奉せず統卒に服せざるものに對しては、勢ひ權力を以て之れを服從せしめざるを得ず、此に於て、治者被治者の間に權力關係を生じ、王者は此權力を以て共同の害惡

を除き、民は之れによつて安全を得たので、所謂信賞必罰は古の良典、賞罰を明にして民を導いたので、之れを刑政の時代といふ賞罰明かなれば民其の賴る所を失はないのであるが、此權力關係は、やがて王者の權力を擴大し、終に之れを濫用するもののあるに至つては、民は其の堵に安んずることが出來ない。先きにもいうた如く賞罰悉く王者の自由意志に出ては何を爲して罰せられ、何を爲して賞せらるゝかが明かでないから民は行爲の規準に迷はざるを得ないのであるから、終に法なるものを定めて之れに背かずんば罰せらるゝことがないといふ範圍が明かとなるに至つて國家の組織は一段の進歩を爲したと云はれるので、之れを廣い意味の法治時代といふのであるが、此の法の規定、改廢悉く王者の、自由に一任せられて居る場合は尙ほ專制政治たるを免れない。專制といへば直に壓制を豫想するが、これは大なる誤解で國家の統一は寧ろ一人の專制者に任じて其の鞏固なるを得るので、ソクラテースがいうた如く、多くの民衆がさま／＼の論議をするより一人に任じた方のよいのは何の經驗もない乘組の船客が航海の方法に就て論議して居つては船は行く所へ往かれはせぬが、一人の經驗ある船長に信賴してこそ正しき航

路を取ることが出來るのである。併しそれは其の船長たる統卒者が熟練である場合で、不熟練であつては、之れほど危險なことはない。さればプラトーンも一切の政治の中で最も理想的なのは君主專制であるが、一切の政治の中で最も害惡の多いのも君主專制であるといひ、理想的なる時は哲人政治となり、害惡的なるときは暴君政治となることを說き、アリストーテレスは一人又は一族が他の民衆より優れて居る場合は君主專制が適し少數者が多數民衆より優れて居る場合は貴族政治となり、一般民衆の知識が一樣に進んで來て、初めて民主政治が適するのだというて居るやうに、君主專制も亦或る時代に於ては必要なる制度で、此時代は勿論人民によつて行はるゝ自治ではないが、人民の爲めの政治は比較的に發達するのである。それはクリステンゼンが「群衆と政治道德」の中にいうた如く、如何なる君主も人民の反抗を受けては其の位を保つことが出來ないのであるから、君主自身の必要からいうても人民の爲めの政治を施さねばならぬので、古來、君主專制を以て政體とし來れる支那に於て人民のための政治を以て王者の道とし、一たび之れを誤る時は所謂禪讓放伐革命の風を助長し王者をして反省せしむる幾多の敎訓

を遺し來つたのであるから、專制時代に民政なしと見るのは、一種の僻見に過ぎない。況んや我が國の如く萬邦無比の國體を有し、名は君主專制に屬するであらうが、實は君民同治の美風を助長し來つた國柄に於ては、時代によつて其の形式こそ異なれ、民政の美蹟見るべきものが、少なくないのである。

第二章　日本民政史の一瞥

第一節　上古の民政

一　我が國民政の特色

何れの國も、其の初めを尋ねますれば男女の有性的結合に基く血緣關係が其の基調を爲し、それが漸次擴大して氏族となり、民族となり、終に國家を形成するに至るべきでありませうが、其の民族が未だ國家を形成せざる以前に他の優秀なる民族に併合せられたり、又其の民族が分れて二つの國家や、三つの國家に分屬したりして一民族が其儘に國家を形成するといふやうな場合が少く、よし國家を形成し

た所がそれが建國以來、少しの支障もなく持續して居るといふ例は他に求むることが出來ず、多くは盛衰興亡幾變轉を經て其の領域も變れば其の主權者も變つて居るのであるが、獨り我が國のみは其の治者をいへば遠き神代の昔に天照大神が、天孫瓊々杵尊に「此の豐葦原の千五百秋瑞穗の國は我が子孫の王たるべき地なり」「寶祚の隆なること天壤と倶に窮りなかるべし」とのたまひし皇室を戴いて居るのであり、被治者をいへば其の皇室と血緣關係を持つて居る同一民族であり、其の土地を問へば其の瑞穗の國であつて、國家成立の三大要素たる治者、被治者、土地とも に建國の初めより、其の儘に繼續して居るので、國といへば國であるが其の實、家の擴大とも申すべき狀態であるから、治者と被治者との關係も單なる權力關係ではなく、同一血族たる情味を以て結ばれて居るので、雄略天皇の御遺詔にある「義は則ち君臣にして情は父子を兼ね」て居るのであるから、其の初めに於ても父が子を導くが如き情味を以て民を指導し啓發せられたることはいふまでもなく、其の情味は歴代の皇室に繼承せられて今日に至つたので、時に隆汚あり、世に盛衰があつても、此情味に變りなく、歴代の皇室は人民中心の政治をお布き下され、我等の祖先は

皇室中心の至誠を捧げ、統治の主體たる君主は仁慈を以て民政を施し、統治の客體たる臣民は忠良を以て之れに服し來たつたので、此人民中心の政治が敎育勅語に所謂「德を樹つること深厚」となり、此皇室中心の至誠が「克く忠に克く孝に億兆心を一にし」來り此國體の精華によりて民政の實は結ばれたので、他の君主專制政體に於て見る如く君主自身が其の位地を確保するが爲めに民政を施したのではなく、子が親を思ふが如き大御心より迸發したので遠く人皇十代崇神天皇が「昔、我が皇祖は大に鴻基を啓きたまひしより聖業はいよ〳〵高くして王風は轉た盛なり、然るに今朕が世に當り、しば〳〵災害あり、恐らくは朝に善政なきが故に咎を神祇に取るならん」と詔して自ら戒めたまひし大御心は、近く、明治天皇が

千早振神ぞしるらむ民のため

世を安かれと思ふ心は

と仰せられたのと古今其の揆を一にする我が民政の基調であると見奉つても誤りはないのである。

二　農業の奬勵

此豊葦原の瑞穗の國は農を以て本としたる國であるから古來の民政は此の農に關係し、神代の昔に於て、八くさの天つ罪として數へられたものも皆な農業に關したもので、

一　毀畔（あなはち）（田の畔を毀つこと）

二　埋溝（みぞうめ）（灌漑用の溝を埋むること）

三　放樋（ひはなち）（用水の樋を放開すること）

四　重播（しきまき）（他人の田に重ねて種を播くこと）

五　刺串（くしさし）（他人の田を自己の田の如くに標すこと）

六　生剝（いきはぎ）

七　逆剝（さかはぎ）

（共に耕作に必要なる牛馬の虐待）

八　屎戸（くそべ）（新嘗の祭日を汚すこと）

を重罪としてあるのでも明かであり、國家の宗廟たる伊勢神宮の內宮は天照大神の神靈を奉祀するに對し、外宮は五穀を司りたまふ豊受大神を奉祀したまふのでも知ることが出來る。　されば崇神天皇は六十二年秋七月に

農は天下の大本なり、民の恃みて以て生をなす所なり、今、河內狹山の埴田に水少し之れを以て百姓は農事に怠れり、其れ多く地溝を開き、以て民業を寛めよ。

と仰せられて池溝の開鑿を奬勵したまひ、垂仁天皇も亦之れを奬勵したまひ、親しく皇子を遣して、其の工を督せしめたまひ池溝を開かしめらるゝこと八百の多きに達し、民大に富むと傳へ、神功皇后の三韓征伐以後、高麗、百濟、任那、新羅の民の來朝するや、應神天皇の六年には武內宿彌をして、これら韓人を卒ゐて韓人池(からびとのいけ)を堀らしめたまひしを初め、歷代池を開き、堤を築いて水利を興し、水害を除くことを奬勵したまひ、仁德天皇は斂煙の稀薄なるを見て三年課役を除きて民を富ましめたまひ宮室の朽壞をも顧みたまはず、

天の君を立つるは、本、百姓の爲めなり、故に君たるものは百姓を以て本と爲す、古昔の聖王は一人の饑寒を顧みて身を責められたり、百姓の貧しきは則ち朕の貧

しきなり、百姓の富めるは則ち朕の富めるなり、未た百姓富みて君の貧しきものあるを聞かず。

と仰せられたのは有名な芳躅であり、雄略天皇は大に養蠶を奬勵し且つ呉の國より渡來せる漢織(あやはおり)、呉織(くれはおり)等によつて機織をも盛んにしたまひ、繼體天皇には有名なる勸農の詔がある。曰く、

朕聞く一夫耕さゞれば天下或は其の飢を受くることあり。一婦織らざれば天下或は其の寒を受くることあるとも、故に歷代の帝王自ら耕して農業を勵まし、后妃は手づから桑をとりて桑序を勉めたまひぬ、況んや群寮より萬族に及ぶまで農績を廢棄して殷富に至るべけんや。有司、普く天下に告げて朕が懷を識らしめよ。

と、我が國の農業は此の如く歷代皇室の敎導と奬勵とによつて發達し來たので、推古天皇の十二年に制定せられたる聖德太子の十七憲法の第十六條にも、

民を使ふに時を以てするは古の良典なり。故に冬月、間あれば以て民を使ふべし春より秋に至る農桑の節は民を使ふべからず。其れ農せずんば何をか食し、業せずんば何をか服せん。

とあつて、農を中心とせる政治が卽ち民政の根本であつたのである。

三　地方民政

國家の統一を完成するには、地方行政を徹底せしめねばならぬ。神武天皇は卽位の二年、國造縣主を置きて地方の鎭撫に任じたすひ、崇神天皇は「民を導くの本は敎化にあり……しかも遠荒の人、未だ王化に霑はず、其れ群鄕を選び、四方に遣はして朕が意を知らしめん」とて大彥命を北陸に、武淳川別命を東海に、吉備津彥命を西海に道主命を丹波に遣はして專ら敎化を旨とし「敎を受けざるものあれば兵を擧げて之れを伐て」と仰せられたので此四道將軍の任務は征服が主でなく敎化が主であつた。此天皇の時代に初めて民口は調査せられ賦役は定められ、成務天皇に至りて地方制度稍完備に近づき、國郡の境域を劃定し、國郡に長を立て、縣邑に首を置くこととし、一の稻置をして略ぼ八十の民戶を治めしめ、一の國造をして十の稻置を統べしむるといふやうに體制が出來たのであるが、時隔たり、世移るに從ひ、何事をも氏族を貴び、其の職を世襲にしたるの結果、次第に紀綱弛みて、氏族の長たる

ものは其の氏族を卒ゐて其の職を世々にし、終には其の土地人民をも私有して一種の封建制度のやうな狀態を呈出し、中央の政治に參與する大連とか大臣とかいふものも亦其の職を世々にするが故に、こゝに閥族の跋扈を來し、大臣家たる蘇我氏、大連家たる物部氏等の軋轢となり、中央の政令は地方に行はれず、地方官たるものが私を營むの弊が生じて居つたので、これが改革に心を勞せられた聖德太子は十七憲法の第十二條に於て

國司、國造、百姓を歛することと勿れ、國に二君なく、民に兩主なし、卒土兆民、王を以て主と爲す、任ずる所の官司は皆な是れ王臣たり、何ぞ敢て公の爲めに百姓に賦炊せん。

と仰せられて苛税を課することを戒めた、且つ第六條には、明に訴訟を辨ずべきを示して、

其れ百姓の訟は一日に千事、一日尙ほ爾り、況んや累歲をや、頃ろ訟を治むるもの利を得るを常と爲し、賄を見て訴を聽く、便ち財あるの訟は、石を水に投ずるが如く、財なきの訴は水を石に投ずるに似たり、之れを以て貧民は則ち由る所を知ら

ず、臣道亦こゝに於て缺く、といふて時弊を矯められたのも亦皆な地方民政に心を勞せられたに外ならない。併し太子の此改革は太子の時代には充分に行ふことが出來なかつたが、太子が隨に遣はして留學せしめられた人々が主動となつて行つた大化の革新によつて大成せられ、我が民政史に一紀元を劃するに至つたのである。

第二節　佛教の影響

一　佛教と慈善政策

上來、二三引用した如く聖德太子の十七憲法は深く民政に意を用ひられたので其の根據する所は主として民を教へ民を導くを旨とした支那の儒教の政治說に淵源するのであるが、又慈悲を以て根本精神とし、和合を以て教團の基礎とする佛教思想の少なからざる影響を與へて居ることは否むことが出來ないので、殊に其の第二條に「篤く三寶を敬へよ」の章があり、第十條に「忿を絕ち瞋を棄て、人の違ふを

怒らざれ、人皆な心あり、心各執あり、彼れ是なれば則ち我れ非、我れ是なれば則ち彼れ非、我れ必らずしも聖にあらず、彼れ必らずしも愚にあらず、共に是れ凡夫のみ」といへる如き明かに佛敎思想と見ることが出來るのであるが、佛敎の太子の施設の上に現れて民政に大なる影響を與へたのは、我が國社會事業史の劈頭を飾るべき四天王寺の建立に伴ふ四院の創設である。　則ち四天王寺を敎化を司る敬田院とし、之れと共に賑恤救濟を司る悲田院、貧者に藥を施す施藥院、惡疾を治する療病院を設けられたので、これ以前にも貧を恤み窮を救ひたまふの政策はあつたのであるが、社會救濟の機關を置かれたのは之れが初めである、聖德夫子が盛んに佛法を興隆し、それと共に支那大陸の文化を輸入せられてより我が國の文化は頓に發展し、爾來歷代の皇室、佛法に歸依したまひ、太子の此慈善的なる政策も亦繼承せられて、社會を緩和し來つたことは、少なくないので、百般の施設の上に此精神は現れて居るが、特に其の民政に關係あるものの二三を擧げんか、光明皇后は慈恵院を建設せしめて施藥院の名を賜ひ養育院を立てゝ悲田院と名けられ、鰥寡孤獨の者も、不具廢疾の者も之れによつて其の衣食を得せしめたまひ、聖武天皇は「夫れ百姓、或は痼

疾に染沈して年を經て未だ癒えず、或は重病を得て晝夜辛苦す、朕、父母となつて何ぞ憐憫せざらむ宜しく醫藥を左右京、四畿及び六道を國に遣し、此類を救療し皆な安寧を得せしめ、病の輕重によつて穀を賜ふて賑恤すべし」と勅したまひ、淳仁天皇は民苦を問ひ、貧病を恤み、飢寒を救はんがために石川豊成を東海に、藤原淨辯を東山に、紀、廣純を北陸に、大伴潔足を山陰に、藤原藏下麿を山陽に、阿倍廣人を南海に、藤原楓麿を西海に遣はされたる如き皆な此精神の發露にあらざるはない。

若し其れ僧侶の慈善の思想により民人の福利を計れる事業に至つては、孝德大皇の朝に宇治橋を架して交通の便を開ける道昭あり、諸國を遊化して路傍に井を穿ち、渡頭に舟を置く、聖武天皇の時に行基あり、交通のためには道昭を開き、橋架を架し、灌漑のためには池を掘り溝を通じ、樋を作り、海岸には港を造り、市邑村里にては今日の無料宿泊所とも目すべき布施屋を造る等枚擧に遑あらざるの功を顯はし、其の佛教の信仰より出でたる個人の事業としては和氣廣虫の八十三人の孤兒を收容して我が國孤兒院の祖ともいふべきあり、越智靜養女の私財を抛つて窮民を資養すること一百五十八人の多きに達せる等ありて、佛教の渡來と共に慈善の

風は我が國の上下を風靡したのである。

二　佛敎の福田說

一體、佛敎は何を以て道德の基調とするかといへば慈悲と報恩とである。此慈悲と報恩とが行爲に現はれて諸種の善行美德となり、此善行美德は苦趣を脫離して幸福を得るの種子となると見る所に八福田の說がある。何故、福田といふかといへば、若し此八つを努めば農夫の田に種を蒔きて秋に其の收穫を得る如く、福を種るの本となるからで、

一　曠遠の道路に於て義井を穿鑿し、以て往來渴乏の人を濟ふ之れを福田と爲す。

二　通津斷港の處に橋梁を修造し、用て往來の人を濟ひ、以て病涉の苦を免れしむ、之れを福田と爲す。

三　道路嶮岨の處をば則ちこれを平坦にし窄溢の處をば之れを開闢し、以て往來顚墜の患を免れしむ、之れを福田と爲す。

以上は皆な交通の便利を計り世を益し民を利することであるが、次ぎには

四　父母は形生の本たり、敎養鞠育、愛念切至なり、子は當に力を竭して親の意に順適し、以て劬勞の恩に報ゆ、之れを福田と爲す。

とて人倫の大本を示し、更に宗敎として特色を擧げて、

五　三寶とは佛と法と僧となり、尊むべく貴ふべし、之れを稱して寶と爲す、其の大功德を以て普く群生を濟ひ、覺岸に超登す、故に當に歸依恭敬すべし、之れを福田と爲す

といひ、次ぎに賑恤救濟の事を擧げて

六　病患の人は衆苦、身に集る、實に悲憫すべし、當に湯藥及び所須の物を給與し、其の四大調和し、身に安樂を得せしむべし、之れを福田と爲す

七　貧窮の人は所須缺乏にして飢餒逼切し哀告する所なし、當に慈憫の心を起して、其の所須に隨つて皆な之れを周く給すべし。之れを福田と名く、

といふ、此の身の救濟に對して更に宗敎的なる靈の救濟を加へ、

八　無遮は周遍の義なり、曰く普度の大會を修設し、一切の沈魂滯魄をして悉く

第三回　社會教育各論

一　學校擴張事業

學校擴張事業の事に就ては既に第一回に於て其大要を述べた通であるが最早今日では學校は單に兒童生徒の敎育を爲すばかりでなく更に社會に對して其敎育の力を及ぼして國民の智識を高め德性を養ひ且つ活動の能率を進める上に大なる貢獻をなしつゝあるは歐米先進諸國に於ける學校の現狀である今其學校敎育の擴張事業の梗概を述べることゝする。

學校敎育の擴張方法には大要三つの種類がある卽ち第一は系統的の敎授法を用ひるもので之を形式的敎授とも言へる第二には變則的の敎授であつて實際社會の各方面に對して學校の意見を提供する方法である第三は學校が他の團體又は機關と共同聯合して施設を行ひ事業を計畫することであつて之を假に共同事業と名付くべきである以下順次之を詳述して見よう。

第一　系統的敎授

之は一定の系統を立て社會の敎化に當る施設であつて更に之を次の六つに分類することが出來る。

一　講義
二　讀書科(又は會)
三　通信敎授
四　巡回學校
五　實習指導
六　各種の研究倶樂部(又は會)

第一の講義と云ふのは學校又は各種の倶樂部、團體乃至會合等に於て學校が催す講演會であつて多くは一週一回夜間に之を開催し數週間に亘つて其の講義を繼續するものであつて斯の種の講義は一定の題目を定めて授けるものである、從來我邦でも學校が公開の講演會を催すことがあつても如斯一定の系統を立てゝ組織的に講義を一般民衆の爲めに行ふ施設は未だ廣く普及して居らぬとは甚だ遺憾である。

第二の讀書科と云ふのは學校が多くは地方の敎育當局者と共同して計畫せらるゝもので會員は自宅に居て學校より指定せられたる圖書に就て研究し且つ其の結果を論文其の他の方法によつて學校に報告し常に通信の方法によつて學校より指導を受くるものである、之は現に一定の職業に從事して其の土地を離るゝことの出來ない人々に對して研究の便宜を與へる方法であつて米國では盛んに此の方法によつて遠隔の地に在る人々に對して日新の修養を積ましめ居ながらにして各自の好むところに從て研究の便宜を與へて居るものである、之が實行につ いては各地の圖書館が學校と協力して會員に圖書の貸與又は給與に多大の便を與へて居るのである、今この讀書科の施設の一例として次に學校敎員に對して行はれて居る米國の一讀書會を紹介する。

米國農村指導者讀書會

米國農村指導者讀書會は、州の敎育長官との協力にて大正五年米國敎育局により組織せられた而して本會の目的とする所は、地方の進歩的にして眞面目なる農村敎師を發奮努力せしめ且つ當局者と共鳴して大に地方のために貢獻せしめん

とするにあるのである。

米國の農夫は戰爭中土地よりの產額を倍加せしめて戰勝の爲めに貢獻し戰後も同樣最善の努力を以て經濟界改造のため盡さねばならなかつた、夫故近世科學的農業の素養ある新しい指導者養成は實に焦眉の急務であつた、此目的を達するためには國民は此の際完全なる敎育あり、修養あり、又經驗に富む有望なる男女敎育家を要望することが切である。本會の組織以來大多數の進步的農村敎師は其の會員となつた、當局者に於ては唯各州各郡より選拔せる二三の指導者を加入せしめんとしたのであるが、入會者の大部分は何れも其の業を完了し敎育局より證書を授與され其の結果は實に見るべき效果があつたのである。

讀書會員は必要なる書藉を購ふ以外に何等の費用を要しない。又地方の圖書館は出來るだけ此等會員に便宜を與へることゝして居る。

書藉は左の分類法に依る。

第一部　一般修養に關するもの

第二部　法制及愛國的讀物

第三部　教育史

第四部　教育原理及教授法

第五部　農村教育

第六部　農村生活問題

期間は二年間であるが勤勉なる教師は其れ以内にも完了する。右の中第一部より四冊、其の他より三冊づゝ合計十九冊を讀了せし證據を提供し得た者には米國文部大臣の署名ある證書を授與せらるゝのである。

この讀書會の施設はさきに石川縣に於て小生が同縣に於て爲した講演が動機となり現に實行せられて居ると云ふことを聞いて甚だ滿足に思つて居るのである。

第三の通信教授では學校が豫め會員に授けんとする事項と之に課すべき質問とを定めて之を會員に通信し會員は之に對する研究並に解答を學校に送付し學校は更に之を訂正して會員に返付するのであつて如斯して會員と學校との間には常に通信によつて研究を進めて行く方法である、之も外國ではかなり廣く實行せ

られて居るのであるがまだ我邦の學校では組織的に此方法を實行して居るものゝあることを聞かないのは甚だ遺憾とする。

第四の巡回學校と言ふのは一週間乃至一ヶ月間繼續して各地を巡回して學校を開くのであつて此方法によれば生徒は其の土地に居ながら恩惠に浴することが出來るのであつてその敎授に當る敎師は其の期間内の日割に應じて順次更代して甲から乙の村へと移り行くのであつてこれが爲に經費及時間の節約が出來て而かも學校敎育の普及の上に多大の效果を收めて居るのである、此種類の學校もまだ我邦では出來て居ないやうであつて學校と言へば一定の場所に定着して而かも其の生徒たるものも種々の制限を加へて居るやうな譯で學校の效果の及ぶ範圍が甚だ狹少であることを感ぜずには居られない。

第五の實地指導と言ふのは例へば農作物の栽培方法であるとか或は又作物の種子に對する價値判斷等の如きことに就て、各農家又は其の所有の畑に於て直接之を行ふが如き敎授の實地指導を農場なり或は工場なり其の他の場所に敎師が出張して之を行ひ學理の應用及之に對する實際的智識を授ける方法であつて學校

が農業と言はず工業と言はず將商業と言はず各方面の事業に對して自己の有する智識並に技術を傳へて之が改良發達に盡力して居るのである、從て或る種類の學校の存在が其の土地の進歩發達に重大な關係を有し其の間有機的の關係を有して居ることは誠に教育機關としての意義を遺憾なく發揮して居るのであつて曩日我が北海道の開拓に對して札幌農學校が有力な機關として大なる貢獻をなしたる如き即ち此の例であつて、英米各地の主なる學校が現に此間の意味を充分に現はして居るのを見て吾人は今後の我邦諸學校に於ても此精神を充分發揮するやうにしたいと思ふ。

第六の各種の研究倶樂部の施設と言ふのは學校が中心となつて其の學校及土地に適應したる各種の研究倶樂部を設立して一般地方民の研究心をそゝり且つ之に便宜を與へる施設であつて殊に青年子女の研究心旺盛の時代を利用して彼等をして各々其の好むところの研究倶樂部員として一定の學業以外に實際生活上必要なる智識技術の習得熟練に便宜を與へ且つ其の趣味を養ふことに盡力して居るのである即ち男子に就て言へば玉蜀黍倶樂部女兒ならば罐詰倶樂部或は家

禽倶樂部等を設けて穀類の種子の選定とか之が栽培に關する實地研究を進め或は食糧保存增收の爲に鑵詰の研究や家禽の飼養等の實地研究をなさしめるのであつて斯して之等の青年子女はいろ／＼の實際問題に就ての智識や技術や並に趣味を養ふやうになつて居るのである、之によつても彼國學校が如何に密接な關係を以て實際社會と聯絡して活動して居るかゞ判るのである。

第二　變則的の教授

之は屢にも述べた通りに學校が社會の各方面に對して或事項に就て顧問となり又意見を提供する方法であつてこれは次の四種類に分つ事が出來る。

一　協議會
二　巡回講義
三　讀物出版
四　展覽施設

第一の協議會と言ふのは各種の實業家の會合協議及各專問の指導員又は敎師等の會合協議に對し學校が直接主催者となり或は顧問となり又は之を後援して其

協議會合の目的を充分に達せしむるに盡力すべきことであつて斯の種の會合には必らず學校が重要なる地位を占めて其勢力を是等實際社會に及ぼし之か指導の任に當つて行くことで卽ち實際の業務と教育とは離るべからざる關係に立つて居るのであつて從て學校が生氣を帶び實業が日新の研究の基礎の上に進行して行くのであつて彼國教育の實際的であると言ふのは卽ち之から來て居るのである。

第二巡回講義は曩に述べた巡回學校とは違ふのであつて、各地の求めに應じて臨時に出張して或事項に關する講義をなし又は指導に任じ更に各地に常在せる、指導員の督勵補助をなす事である、彼國の言葉に『行政と教育』と言ふ句がある、此の意味は常に行政は一面教育でなければならぬと言ふことであつて卽ち地方産業經濟等に對する行政事務には必らず教育が伴つて活動しつゝあるのであつて行政と教育とが離るゝことの出來ない狀況にあるのは其の實際方法としては之等の手段によつて居ることが判る。

第三讀物の出版は各種の方面に關する出版物を公刊することであつて之には記錄小冊子ポスター報告其の他の種々な出版物を出して學校に於ける研究は勿論

のことゝ學校の受けたる各種の報告中地方民の利益となるものは更に之を紹介する方法を取るのであつて實に至れり盡せりの狀況である、我邦諸學校に於ける學事報告の如き無味乾燥のものではないのであつて何等か新しき硏究又は事實を一般社會に周知せしむることに努力して常に活文字を用ふることに心掛けて居ることは吾々の最も學ぶ點であらうと思ふ。

第四の展覽施設は敎壇、實驗場又は現場での示範及實驗とか或は品評會又は展覽會等の方法による施設であつて、場合によつては汽車を利用して巡回展覽會を催す等總て實際事物の觀察實驗竝に示範の方法によつて指導することであつて此方法は他の施設に比較して多大の費用と學力とを要するけれども學校事業の擴張には重要な役前をなして居ることは今更申すまでもないことである元來學校の效果を徹底的に及ぼす爲には常に此種の施設が必要であつて單に年に一度位の形式的の展覽會を催して居るやうな我邦學校の現狀では學校が社會に及ぼす影響の薄く且つ無力であることは當然のことゝ言はねばならぬ。

第三　共同事業

之は社會改良の各種の問題に就て之に興味ある人々或は重要な關係を有する團體等と共同聯合して或は論議討究し或は之と實地に協同努力して問題の解決に貢獻する事業であつて卽ち學校が其の地方竝に廣く其地方學校に對して之が改善發達に必要なる各種の社會事業に協力することであつて例へば農村改良の問題の如き或は一般商業の促進製造業者の改良或は勞働者組合の改善の如き各種の問題に關係して常に之を善導し其の機運促進に盡力するのである。

以上述べた所は主として中等以上の諸學校が地方市民竝に廣く一般社會に對して其の有する智識と技能や設備等を利用して之を解放し擴張して廣く國民をして其恩惠に浴せしむる場合に付て現に外國に於て行はれて居る狀況の一般を示したのであつて更に中等以下の諸學校に於ても夫々其の地方に於ける文化の中心として活動しつゝある事は勿論である現今我邦に於ても斯種の施設は上大學を始めとし下小學校幼稚園に至るまで夫々其分に應じ其宜しきに從て計畫を立て學校の力を學校外に延長し擴充して社會の敎化に當る事が甚だ緊要である事は今更論ずるまでもないのである然るに現今の我邦諸學校の實情は多くは其

狹き障壁內を出づる事なく全く蟄居の狀態にあるのは學校の敎育に對する天分を十分に理解せず時代が彼等に要求して居る大なる分野を認むるに至らないからであつて卽ち敎育者は非生產的非實際的で常に姑息退嬰主義をとつて居ると批評せられても致方がないのである適々學校が以上述べた內の或種類の仕事をして居つても其の規模が至つて小であり其の實際社會との聯絡が不十分であり又其の計畫が一時の思付で組織的でないが爲に效果が至つて少ない狀況である今後は學校は之を敎育する生徒自身の確實なる發達を期すると同時に更に社會に對しても充分に其の勢力を及ぼし一地方一社會進んでは一般國民の文化の上に貢獻するに至つて初めて學校本來の意義を全ふするものである。

此點に付ては文部省に於て旣に一兩年來直轄諸學校に對し社會敎育的施設の端緒を開かしめるがために或は講演會、講習會乃至展覽會等の公開催を奬勵し之を實行しつゝあるのであつて今日までの所では何れも相當の成績を擧げて居る次第である卽ちこの直轄學校に於ける社會敎育施設は一面には其の學校所在地の市民に直接に利益を與へるばかりでなく更に之によつて得たる材料は中央に

於ける適當なる機關によつて全國に利用すべき方法を講じて或は小冊子として刊行し或は社會敎育の宣傳機關たる雜誌に揭載して居る次第であるかくて吾人は可成近き將來に於て我邦諸學校が各自獨立に斯種の事業を經營して各々其の特色を發揮し得る時の來らん事を切望してやまない、殊に最近米國に於て其の國民精神の發揚の上に將一般文化の向上の爲めに地方文化の中心としての學校運動の旺んなる狀況を見ても今後高等專門の學校は申すに及ばず多數の小學校が地方町村の文化の中心としての機能を遺憾なく發揮する事に於て敎育從事者も町村の理事者も一致協力して之に對する費用の如きも一般地方民が喜んで之を支出する樣に努力するが甚だ肝要と思ふ。

二　公開講演に就て

市町村が其區域內に於ける學齡兒童に對して就學に必要なる設備をとゝのひ之を敎育し行く事は法令上各自治體の義務として居るのであるが之と同樣の意味に於て各自治體はその團體を組織する各家庭各市民を敎育して常に之が修養に便宜を與へ向上の途を啓く事の必要であることは今更論ずるまでもないことと

である曩にも述べたやうに常に行政の反面は教育でなければならぬと言ふのが歐米先進國に於ける現代の主張であつて此の主義のもとに彼等は子弟の教養に對して教育機關の完備を期すると同時に一般市民に對してその修養の便宜を圖り之を奬勵して居るのである此の公開講演事業も正に其の施設の一つであつて市民に對する敎化施設として何れの町村に於ても組織的に之を實施して居るのであるる殊に大都市に於ては之に關する事務は其の都市に於ける敎育事務の主要なる部分として多數の吏員を設けて其の事に當らして居るのであるる然もその講演の題目の選定講師の配當等は前年度に於て夫々計畫を立て之に必要なる費用を設けて秩序正しく最も組織的に實施せられて居ることは吾人の大に注意すべきことと思ふ。講演題目の選定に付て之を觀るに其の地方に於ける事情を根據として思想の問題生活上の問題或は職業上の問題乃至は時事問題等に付て適切なるものを選び又講演會の期日の如きも毎月毎週一定の日を選んで豫め之を市民に周知し講演の種類によりては幻燈活動寫眞其他の實物觀察の方法を利用して市民の興味をそゝる事に苦心して居る講演の場所は多くは學校の講堂又は運

動場を利用して而かも此講演の對象となるものは成年以上の市民であるからして現に學校に在學して居る兒童生徒をして聽講することを禁じて居る、それは講演そのものゝ目的は成年者たる市民の相當勞力並に經驗に富めるものを主體とする上に多くは夜間に之を開始して一般市民の職業に妨げなきやうに心掛て居るから兒童生徒の如き夜間外出を不可とするものを之に交ふる事は好ましからぬ事であるから其聽講者に上述の制限を設けて居るのである如斯して充分に講演の目的を達するやうに注意されて居ることは吾人の大に參考とする點である何となれば現今我邦に行はるゝ各種の講演會に於ては一般に聽講者に對する制限は甚だ亂雜で大人も小人も之を一緒に混合して一向顧みない有樣であつて唯大勢の者が集れば講演會が成效したと云ふ雜駁な考を以て居る此の如きことは講師其の人の不便は申までもなく講演其ものの目的を達し得ないこととなる場合が多いと思ふ勿論如何なる場合に於ても如斯嚴密な區別を立てねばならぬと言ふ譯ではないけれど折角の計畫が單に一時限りの盛況を目的とする限りでない以上は原則としてはその聽講者に對して一定の制限を置くことが必要でなく

てはならぬ外國に於ける斯種の施設に於て此間の理論を嚴格に實行して居るのを見て今後の我邦の施設に於てもかやうな點にまで注意をして行かねばならぬ事を痛切に感じたのである殊に講演題目の選定に付ては市民の一般常識を養成する事を主眼として居つて例へば其月々に於て國家的或は歴史的偉人の誕生に關聯して偉人の傳記を選び又一年間に於ける各季節に相當したる題目例へば衞生上に注意すべき事項或は其地方の職業上必要なる事項に付之を選み又臨時に時事問題或は社會問題等をも之に加へて居るが如く細心の注意が拂はれて居るのである而かも講演は多くの場合に於ては數時間の長きに亘る事を避けて單に卅分位を程度とし之が補助として利用せらるゝ幻燈活動等の使用のために更に卅分位を用へて合計一時間以上を出でないやうにして居る且つ吾人の特に注意すべき事は斯種講演會では單に講師の注入的の講演に止めず講師に對して聽講者をして自由に質問を許し場合によつては意見をも述べしむる機會を與へて居る事である卽ち一般聽講者が與へられたる問題に對し豫め之を研究し更に講師の指導によつて之に對する明快なる理解を得せしむる樣に仕組まれて居るので

るといふ設計を天皇に請願した、天皇は卽決で、お許しになつたので、傳敎の抱負は是れから現はれるといふ所に來つて、突然天皇崩御となつた、傳敎の失望落膽は實に察するに餘りがある。桓武天皇の御後楯があつたから、傳敎の計畫は何もかも意の如く進んで來た、所が支那へも行つて來て、愈々これからといふ所に來つて天皇崩御となつたのであるから、實に傳敎に取つてはお氣の毒である。さうなると是れ迄は敵でなかつた者も亦敵になりたがるやうな譯で、奈良の坊さん達は、傳敎は新佛敎——とは言はなかつたけれども、何だか新しい天台宗を興すナンと言つて支那に行つたが、彼奴は支那の片隅に行つて小便の一つもして來たかナンといふやうな惡口をする。或は又筑波山の德一といふ坊さんが非常な學者であるが、書物を書いて傳敎の敎理を辨駁するといふやうな譯で、傳敎は入唐後は隨分悲慘な境遇であつた。併し傳敎は中々勇氣勃々としてそれに屈せず、益々著作を殘し、さうして叡山百年の大計を立てやうといふので、叡山に大乘戒を興すといふことに就て非常に苦心された、それ等に就ての詳しい事は略します。

兎に角さういふ風に桓武天皇と傳敎との間に、平安朝の四百年の基礎が開けた

のであるが、此の時代に於ける政治と宗敎の違つた所を一言いふと、奈良の佛敎は政敎一致であつたが、此の政敎一致の爲めに言ふべからざる弊害が生じたのであるから、平安朝に來つては政敎一致の態度はやめて、政敎各立といふ態度になつた。さうして政敎相資、政治を以て宗敎を資けんければならぬと共に、宗敎を以つて政治を資けんければならぬ、卽ち兩々互に相資けて物を化する、鳥の兩翼、車の兩輪の如しといふ事を傳敎が言はれたのは、桓武天皇の叡慮を奉じて政治と佛敎といふものは兩々相俟つて互ひに資け合はんければならぬものであるといふ、これが奈良の佛敎と平安朝の佛敎との政敎の關係の違ひ目であります。其處で桓武天皇は非常に傳敎をお資けになり、傳敎も亦桓武天皇をお輔け申したけれども、決して奈良の弓削道鏡のやうな事にならず、政治は政治で立つて行く、佛敎は佛敎で立つて行く、さうして互に相ひ資け合ふと云ふのであるから、桓武天皇は傳敎の事業をお資けになると共に、傳敎は國家の爲めに十分盡した。其の傳敎の盡した事業としては弘仁九年天台宗の「學生式」といふものを奉つた、卽ち叡山の天台宗の坊さんを敎育する規則で、今の學校の規則のやうなものである。それはあの時代までは

坊さんにならうと思ふ者は、奈良の東大寺か下野の藥師寺、さもなければ筑紫の觀世音寺、之れを天下の三戒壇と言つて、此の三つの中何處かに行つて戒を受けなければならなかつた。さうして其の戒が濟むと朝廷の治部省から度牒といふものが下つた、それで漸く本當の坊さんになれた、今日でいふ檢定試驗と全く同じ事である。この三箇所の外には戒壇といふものが無いのであるから、叡山の坊さんもどうしても奈良に行かなければならぬ、それを廢めて叡山は叡山で獨立した叡山の戒壇を造つて、其の代りに叡山の坊さんは斯ういふ風に敎育をするといふ事を弘仁九年から四條式(四箇條から成立つて居る規則)六條式(六箇條から成立つて居るもの)、八條式(八箇條から成つて居るもの)と云ふものを三回に朝廷に建白された、之れを學生式と云ひますが、之れを讀んで見ますと、今叡山の山を開いて斯の如く敎育するのは何の爲であるかといふと、國寶を造らんが爲である、何を國寶とするかといふと、傳敎は「國寶とは道心なり」と言つて居る、道心ある者、卽ち國家の爲めに身命を抛つ人間が國寶である、これが大乘佛敎の精神であるといふ。近頃佛敎家が二言目には大乘々々といふ事を言ふが、私は餘り感心せぬ、口ばかり大乘と言つて

己れは極端なる小乘家になつて居る。傳敎の大乘といふのは自分の一身を國家に抛つて、自己といふ者を無くして終ふ、それには此の叡山の十二箇年の修行をさせるといふ。傳敎は奈良の佛敎を宮佛敎と言つて、朝廷に出入して綾羅綿繡を身に纏うて、金襴の袈裟をかけて輿に乘つて朝廷に參內するのを以つて得意として居る坊主共は宮佛敎である、この宮佛敎に對して自分は山佛敎を開くと言つた。今でも山寺の和尙さんと言つたり、寺といふものは山にあるやうに、坊さんといふ者は山に住んで居るやうに思はれるのは傳敎に始つた事である。奈良の七大寺を御覽なさい、あれは皆奈良の都の中にあつた所がそれで色々弊害を生じたから、佛敎の改革をして神聖なる人物を造るには、迚もあゝいふ都會ではいかぬといふので、傳敎は反動的に叡山を開いた、此處で立派な敎導職徒たるべき人物を造る、それが國寶である。國寶といふのは一身を國家の爲めに捨てる人間である、その大乘の菩薩を造るには宮佛敎ではいかんから山佛敎で、叡山の山で十二年以上山を下らずして學問すると共に精神の修養をして、さうして其の者を日本中に派遣する、これが卽ち傳敎の佛敎を以つて國家を資けるものである、宗敎を以つて政治を

貧けるものである、決して佛敎家は政治に關係せぬといふやうなものではない、始めは叡山の山の上に生活をして、愈々修行が出來上つたならばそれを全國に派遣する。だから政治の方からは又その坊さんがさういふ學問の出來るやうに保護をする、斯ういふ意味で傳敎は叡山を開いたのである。學生式の中に

能言不｢能｣行國之師也。能行不｢能｣言國之用也。能行能言國之寶也。

といふ事がある、これは支那の牟子といふ人が言つた言葉でありますけれども、傳敎が建白文の一番冐頭にこれを說いて居る。講釋や說敎は上手であるが、行ひはそれ程でないといふ人は國の師匠として益がある。能く行ふことは出來ても講釋の下手な者は、やはり國の用として必要である。能く言つて能く行ふ者は國の寶である、相當の智識學問があつて、人を敎導する辯舌があつて、さうして品行方正、精神は國家の爲めに犧牲になるといふ人物、斯ういふ人物を叡山で造りたい、その爲めに叡山に大乘の戒壇を設けたいといふのが傳敎の希望であつた。所が奈良の方では皆これに反對した、あの時代には國家の組織上、奈良が反對すると斯ういふ事は行はれなかつた、而かもその時には桓武天皇崩御の後であつて、桓武天皇が

御在世であつたならば直ちに御許しになつたかも知れんけれども、嵯峨天皇の時代であつたから天皇は躊躇遊ばした。所が傳敎は弘仁十三年五十六歳で入滅された、そこで一週間を經て其の一七日の法要の時に、天皇の勅許が下つて傳敎の願を御許しになり、玆に始めて叡山の獨立が出來たのである。兎に角傳敎と桓武天皇とは、一方は君主として政治の實權者、一方は宗敎家の泰斗、この宗敎家と大政治家が各立しながら肝膽相照して、互に資け合はれたのである。

所が傳敎より少し後れて出た人が弘法である、弘法は傳敎より八年遲れて生れて居る。所が此の弘法といふ人は如才のない人で、傳敎が延曆二十三年に支那に行く時には、中々大評判であつたが、弘法が支那に行つたことは誰も知らぬ、それは傳敎が朝廷の使と共に支那に行く時に、傳敎は副使の船に乘つて行つた。所が弘法は第一の大使の船に乘つて先きに行つてしまつた、どうしてそんな事が出來たかといふと、これは私は斯う觀て居る、弘法は御承知の通り文章が上手である、大使が支那に行くに就て、誰か漢文の書ける者はないか、それは奈良の學生の中に空海といふ文章の上手な者がある、それでは連れて行かう、所が弘法は、お伴は致しませ

うが、その代り後で留學をお命じ下されたいと出るのは當然の話である、それは勿論隨意といふ事で、こつそり人の知らぬ間に行つたやうに見える。藝は道を助けるとは能く言つたもので、何事でもやつて置くのは宜いものである。叡山の第二世になつた義眞和尚といふ人は支那語に長じて居つた、傳敎が支那に行く時に、自分は支那語が出來ぬ、誰か話の出來る者は無いかと言つた時に、奈良の學生の中に義眞といふ者がある、其處で傳敎は之れを推薦して通辯に伴れて行つた、そのお蔭で傳敎の滅後叡山の第二世となることが出來た。弘法は支那語も出來たではあらうけれども文章がうまかつた、それで人の知らぬ間にこつそり行つて終つた、豫ねて漢文に長じ漢學に長じ、支那の文物に通じて居つた人であるが、それが支那の本場に行つて文章の稽古もすれば書の稽古もする、筆を造る事から墨を造る事、紙の造り方まで習つて來た。さうして歸つて來た時には平城天皇の時代でありましたから、別に朝廷にお召出しも無かつたが、暫くすると平城天皇が御讓位になつて、嵯峨天皇の御即位になると、早速弘法をお呼出しになつて、嵯峨天皇の御寵遇を蒙むるやうになつた。これは弘法が事業をされる上に於て大變な便宜があつたら

うと思ふ、兎に角傳敎は桓武天皇の御保護に依つて成功したやうに、空海は嵯峨天皇の御援助に依つて成功した。さうして今の京都の東寺は桓武天皇御在世の時に、東寺、西寺と言つて東西に寺をお造りになつた、その先帝の御創立になつた寺を空海に賜はり、それから和氣家の造つた高雄の寺號を和氣家から與へられ、朝廷に高野山の御下附を願つて、之れを自分の隱居所として高野山を開いた。東寺、高雄、高野山を以つて眞言宗弘通の三大道場として、此の三道場を自分の高弟に附與して弘法は六十一歳で入寂した。

此の傳敎、弘法と云ふ人は實に非常な偉人で、平安朝の日本の歷史といふものは傳敎、弘法がなかつたならば、どんな歷史が出來たか分らない。平安朝のみならず日本の歷史といふものに佛敎が無かつたらどうであるか、每年二卷づゝ出る大學の史料編纂所の史料、及び古文書を御覽なさい、佛敎が無かつたならばあの史料に何物があるか。明治八年から國家が莫大の金を費して、全國から蒐集した所のあの史料といふものは、十中七八分は佛敎の歷史である、佛敎を除ると殆ど日本の歷史は零になつてしまふ。又直接關係が無いとしても、間接に考へれば皆佛敎に關

係を有つて居る、殊に平安朝に至ると尚ほそれが甚しい。であるから平安朝の歴史は誰が拵へたかといふと、桓武天皇を中心として傳敎、弘法の二大師が拵へたと言はなければならぬ、政敎一致の態度は離れたけれども、政敎各立の態度で、丁度一家に於ける夫婦のやうな關係を有つて、平安朝四百年の歴史といふものが出來た。

併し物盛なれば弊が生ずる、歴史は過去の事を繰返すといふことは實に動かすべからざる事で、此の平安朝もやはり奈良朝の歴史を繰返して、四百年の前半期は益々榮えたのであるが、その榮える間に何時の間にか言ふべからざる弊風を生じその後半期といふものは甚しき醜體を佛敎中に現じた。併しこれは啻に佛敎の罪ではない、藤原の時代といふものは國家の全體、各方面が腐敗墮落した、その中に佛敎家といふ者は神聖なる精神を維持して、世道人心の腐敗墮落を防がんければならぬ筈であるけれども、それが自ら一緒に腐敗してしまつた。傳敎は宮佛敎に對して山佛敎を起すと云ふに拘らず、その叡山が極端なる宮佛敎になつてしまつて、貴族的に流るること最も甚しかつた、僧侶の本業といふものは唯だ名利の奴隷となり、あの時代には出世をするには坊主になるより外は無い。又貴族の人が出

家をすると、何等の理由が無くとも僧正とか云ふやうな高位高官になることが出來、色々の弊害が百出しました。その弊害の中の最も甚しいのは、叡山に對して三井寺といふものが分れて、この叡山と三井寺の兄弟喧嘩が始つて、殆ど年々の如くこの間に戰爭をやつて居る。又或は高野山金剛峯寺と傳法院の軋轢、それから京都の淸水、奈良の興福寺、多武院といふやうな所に所謂餓鬼坊主が澤山集つて、僧兵と稱して亂暴の極に達し、朝廷にも意の如くならぬといふやうな事になつた、山王權現の譴怒とか、春日明神の何とか言つて、御輿を擔いで我儘亂暴の極に達した(餓鬼坊主とか何々坊主とか言つて、坊主といふことを惡い者のやうに言ひ出したのは、此の時代の祟りが今に及んで居る。坊主といふのは叡山三千坊の主といふ意味で、結構な名前だけれども、今は結構で無い、今日でいふと校長先生と言はねばならぬ、校長といふ事は何も罵倒した言葉ではない、その通りで坊主といふのは坊の主であるから、決して人を輕蔑した言葉では無かつたのが、今日は坊主といふと餘り善く聞えないやうな調子になつて來た、而かもその上に色々な形容詞が付いて來た。）さうして此の時代には平安朝の末になると、武人の流浪者がみな叡山や金剛峯

寺に隱れた、其處に行くと先づ助かつて飯の食ひ途があるといふので、さういふ者が澤山に集つてしまつた。此の時代にも少しは神聖なる學者もあり、道德者もあつたのであるけれども、その方の意見は行はれなかつたものと見える、これも時代の然らしむる所といふより仕方が無い。平安朝もさういふ風に始めは立派であつたが、後は洵に醜態の間にその末路は終つたのであります。

第四期 鎌倉時代

それから第四期となつて鎌倉時代になると、云ふ迄も無く武家の時代となつた卽ち源賴朝といふ空前の英傑が出て、遂に兵馬の大權を握るやうな事になつて、國家の政治が一變動を來した。此の時代に至つて佛教も亦非常に變つて來た、本來宗教の眞精神は安心立命にあるといふけれども、それ迄の佛教といふものは其處までには至らずして、佛教といふものも國家の政治の機關に應用されて居つたやうな傾きが餘程ある。どうも傳教の國寶を造るといふ精神は立派に行はれずして、眞言宗が榮えて唯だ御祈禱流行りになつてしまつた、本當の佛教の眞面目といふ

ものは、漸く鎌倉時代に來つて現はれたやうに思はれる。鎌倉時代に至ると神聖なる佛教家が出て來た、卽ち他力教といふ方では法然上人とか親鸞上人とかそれから一方では榮西禪師、道元禪師、聖一國師、それから一寸後れて日蓮上人、遊行上人といふやうな、實に僧侶としての立派な人が、平安朝佛教の腐敗した反動的の現象として現はれた。

その中で法然上人、親鸞上人、日蓮上人または道元禪師といふやうな人は、殆ど政治には無關係で政治には何等の頓着なくして、唯だ自分の信仰を鼓吹する丈で、實に世外に立つた態度を取られたと言つても宜い。政治の保護ナンといふ事は素より受けない、寧ろ政治の方から壓迫を受けて、自分の信仰を鼓吹した事が罪となつて流し者にされたり、時には死刑にまで處せられた者がある。住蓮安樂といふやうな人は、念佛停止の札を見て「あゝ勿體ない南無阿彌陀佛」と言つた所を、警固の役人に捕まつて、不屆な奴だといつて斬罪に處せられた。今日は山田憲とやらいふ人が、五萬圓の金を着服して、人を殺しても死刑の宣告が下る迄には長い時日があつた。所が南無彌陀佛一言で直ぐ斬罪に處せられる、時勢も變つたものだと思ふ。

さういふ風に政治の保護どころではない、壓迫を受けながら、尙ほ自分の信仰を改めずしてそれに反抗して說敎傳道に從事した人は、法然、親鸞、日蓮みな然りである。

けれどもさういふ人ばかりかと思ふとさうではない、此の時代にも一方には政治と密接に關係して、その政治の力で布敎をした人もある。それは誰かといふとその一番根本は榮西禪師といふ人である、榮西禪師は平安朝の末に備中の國に生れて、十三歲で出家し、叡山に登つた時が傳敎と同じく十九歲であつた。傳敎は十九歲で日本佛敎の改革といふ大責任を脊負つて立つたが、榮西も亦日本佛敎の大改革といふ責任を脊負つて立つた、何方も中々の偉人である。榮西は始め傳敎の遺跡に導かれて叡山に登つたのであるが、さて登つて見ると叡山の墮落に驚いてしまつた。其處で當時日本佛敎の代表となるべきものは叡山である、叡山佛敎の改革は卽ち日本佛敎の改革である、此の改革をやるに就ては非常な大決心を有たなければならぬといふので、支那に行つた。さうして實は榮西の志は支那のみならず印度までも漫遊して、凡ゆる佛敎の弘まつて居る所を自分が直接實地視察をして我が日本の佛敎改革の大事をなさうといふ考へで、支那に二遍までも行つたけれ

ども、不幸にして印度に行く事を支那政府が許さなかつた、あの時分には勝手に旅行が出來なかつたので、意の如く印度漫遊は出來なかつたけれども、二回目に行つた時には五年も支那に居つて、遂に虛庵和尙といふ人から禪を傳へて來た。さうして日本に歸つて禪を弘めやうとした所が、非常な迫害を受けた、奈良を始め舊佛敎徒の迫害を蒙つたので、鎌倉に來て鎌倉幕府の信用を得て、先づ第一に義朝の舊跡となつた所を尼將軍政子から貰ひ受けて、壽福寺といふ寺を造つた今でも殘つて居るが、壽福寺は義朝の舊跡である。それから又幕府の力を以て京都に勢力を及ぼして、源賴家から京都の加茂川の東の一帶の地を貰つて建仁寺を建てた。始め榮西は叡山を根據として日本佛敎の改革をする積りであつたけれども、迚もそれは難かしいといふ事が分つた爲めに、叡山を離れて京都を根據地として特に建仁寺といふ寺を造つて、日本佛敎の改革をやらうといふ態度に出た。其處で私は言ふのである、傳敎は宮佛敎に對して山佛敎を起したが、榮西は山佛敎に對して都佛敎を起した。それで榮西は禪宗を興したといふけれども、唯だの禪宗ではない、始め傳敎が叡山を開いたのは天台宗とはいふけれども、唯だの天台宗では無い、天台を

中心として密教と禪とを含めた宗旨である、丁度日本の神儒佛合同と、いふやうな譯で、天台を中心にして密教(即ち眞言宗)と禪とを合した天台宗を興した。榮西はそれに準じて今度は禪宗を中心として天台と眞言とを含めたものを開いた、即ち台密禪三宗合同の建仁寺といふものを開いたのである。これは平安佛教と鎌倉佛教の間に於ける過渡時代の思想であるからさうなつたのである。其處で榮西といふ人は、色々舊佛教からの迫害があつたものであるから、始終鎌倉の力を借りて鎌倉に住んで居つた、隨つて鎌倉の政治の顧問になつて居つた譯である。さうして榮西は紫衣を許され、僧階は僧正まで任じた、その態度は洵に平安朝の佛教と似寄つて居る。其處で鎌倉の政治と宗教の關係は、榮西に於て最も深かつたのである。

鎌倉の始め、源頼朝は彼の文覺上人を信じて居られる、であるから文覺、榮西は頼朝、頼家の時代の政治の顧問になつて居る。それから北條泰時は彼の京都の明惠上人に大いに歸依して、自分が天下を無事に治めることが出來たのは、偏に明惠上人のお蔭であると喜んだといふ事が明惠上人傳にも出て居るが、その間の關係のあ

つたことは事實である。それから北條時賴は支那から來た兀庵或は建長寺の開山である道隆といふやうな人を信じて居つた。又道元禪師も時賴の招待に依つて態々越前から鎌倉にやつて來たことがある、聖一國師も來て居る。さういふ譯で鎌倉九代の間は榮西を始め禪宗の人が始終關係して居る。續いて彼の圓覺寺の開山祖元は、北條時宗が大いに信じて、祖元の爲めに寺を造つたのが圓覺寺である。

第五期　室町時代

斯くして鎌倉時代を經過して室町時代になるとこれは鎌倉時代と餘り違ひは無いが、此の時代に於て足利尊氏、直義兄弟の最も歸依したのは夢窓國師である。尊氏といふ人に就ては隨分喧しい問題があるので、通俗には尊氏は非常な奸侫な人物のやうに看做されて居る、併し歷史家の今日の研究に依ると中々さうは見ない、あの時代にあゝ云ふ風の點があつたのは、色々の事情があつた爲で、尊氏はさう決して奸侫一方の人ではないやうに見えて居る。兎に角尊氏の歸依すると共にその顧問と

古代から此思想のありしことは文献に徵して明かなる所である。卽ち我が國の古書例へば奈良朝の初めに出來た古事記、日本書紀或は諸國の古風土記などにも屢々記載されて居る。其他平安朝以後の文献にも現はれて居るのである。出雲風土記の一節に「楯縫郡神戸里に石神あり、高一丈周り一丈許、側に小石神百餘計あり。（中略）所謂石神は卽ちこれ多伎都比古の御魂なり。ひでりに雨乞するときは必ず雨降らせ給へり」と記載されて居る。又肥前國風土記にも佐嘉郡佐嘉川上に石神あり、其の名を世田姫といふとある。

又現今尙石棒が神體として崇拜されつゝある地方が少くない。奥州に多くある駒形神社又は金精神など皆最初は石棒が神體であつたと云ふ。東京の附近では南多摩郡新井の石明神社、比企郡下伊草の氷川社、秩父郡柄谷の御前社など皆石劍其他の石器を祀つて居るといふ。石神は古來種々異る名を持つて居る。其名の異るに從つて其屬性も異つて居ると思ふ。卽ちしやぐじん、いしがみ、しやくし、おしやもじ、石尊樣、雁田大明神、羅石金精神、屁之子地蔵、石根樣、男莖形神、天神石、雨𠊳石、福石、子持石、致富石、陰陽石、崇石、神牛石、護法石等其名も實に多いのである。

次に動物崇拜も行はれて居つた。古事記神武天皇の條に三輪の大物主神が丹塗矢に化つて美人勢夜陀多良比賣を娠ませたことが記載されて居るが、此は蛇神崇拜と關係ある說話である。此に類する蛇神崇拜の傳說は尙ほ多く傳へられて居る。常陸風土記行方郡の段に繼體天皇の時の事として傳へられて居る傳說には蛇を夜刀神といひ、耕作を害したので神地を與へ社を設けて恨み祟ることなからしめたと言ふ事が記載されて居る。

植物崇拜の思想もあつた。日本書紀に記載されて居る天地開闢神話に天地定つて然る後神生ると說き、開闢の初め天地の中に一物生る。狀葦牙の如し、卽ち神となる國常立尊と號すとある。さて此神は國狹槌尊及び豐斟渟尊と共に三體一座の形式をなして居る宇宙最初の神であるのである。然しこれは書紀の正傳であつて、此外同書には異傳として宇宙最初の神に關する傳說が多く集錄されて居る。卽ち天地の初めの時虛中に自ら化生の神を國常立尊と言へる傳へが三種ある。天地未だ生れざる時其中に一物生る。葦牙の初めて泥中に生れたる如し。これ卽ち國常立尊なりと云へる傳へもある。此等四種の異傳は其說明に多少の

相違はあるが共に天地最初の神を國常立尊となすもので、此點に於て正傳と同樣である。此等とは少しく異り、天地の初めに生れた神を可美葦牙彦舅尊となし、國常立尊を此神の次に記載して居るものが二種ある。又天地の初めに物あり葦牙の如くにして空中に生れた神がある。天常立尊と號すとありて其の次に可美葦牙彦舅尊を擧げて居るのもある。國常立尊と葦牙彦舅尊は斯の如く如何にも混亂して居るが、要するに皆國常立尊を以て最初の神となすもので正傳に其狀葦牙の如しといへるを他の異傳に於ては國常立尊の本體的性質を直ちに葦牙彦舅尊と呼び、國常立尊とは別神の如くに云へるに過ぎざるものと考へられる。されば國常立尊、國底立尊、可美葦牙彦舅尊、及び天常立尊は結局異名同神といふことになるのである。然るに今一書の異傳は天地最初の神として高天原に生れました天御中主尊を主座とする三體一座の三神を傳へて居る。此三體一座の諸神は古事記に於ては別天神の初めに現はれ給ふ神々で、國常立尊とは其の神格を全く異にするものであるから分離して考ふべきものと思ふ。而して天御中主神に關する傳說は甚だ少いのであるが、此に反して國常立尊のことを傳ふる傳說は遙かに多い。

故に國常立尊は天御中主神よりもより一般的信仰の對象であつたものと考へられる。

斯く論じて來ると國常立尊は葦の泥土から生ずる狀態を觀察してそこに潜在せる一種の神秘的創造力を神格化した神である。故に葦牙彥舅神に對する信仰は原始的植物崇拜に屬すべき思想と見ることが出來るのである。

又古事記神代卷に大國主神が少名昆古那の神のことを尋ねた山田の曾富騰（ソホド）といふ神は足は行かねども天の下の事を盡に知れる神であると言ふやうな事が記載されて居るが、曾富騰といふは平田篤胤の說のやうに祈禱者の憑人の類で一種の魔術的祈願の對象となつた偶像であらうと思ふ。

かくの如く仔細に研究すると一概に我神社を祖先崇拜と言つても吾人が先きに示した宗敎の分類の何れかに該當すべき宗敎思想が古來行はれて居ることが了解されたと思ふ。從つて此方面の神々を祀るといふことも神社の起原をなして居ることが判るのである。

さて天孫降臨以來崇拜の對象となつた神々を其の由來に從つて大別すると天

孫種族の諸神と先住民族の諸神との二に區別することが出來るが、出雲系統の神は恐らくは先住民族の神々のうちで最も有力であつたことゝ思はる。神武天皇が皇國の基礎を造り給ふや先づ皇祖天照大神の祭祀に最も意を注ぎ給ひしと同時に民間の信仰にもよく共鳴し給ふて平定の實を擧げ給ひしことゝ察せられる。

然し天照大神の祭祀は崇神天皇以後に於て益々重大なる意義を加へたのである。卽ち崇神天皇は倭の笠縫邑に磯城（シキ）、神籬（ヒモロギ）を建てゝ天照大神及び天叢雲劍を宮中から遷し奉り給ひ、垂仁天皇は天照大神を永遠に奉祀すべき地を伊勢國五十鈴（イスヾ）の川上に求めて此所に伊勢大神宮を創建されたのである。神功皇后が三韓を征せんとし給ふや又天照大神の荒魂（アラミタマ）に祈り給ふた。神功后皇は又熊襲を平げんとして住吉神卽ち表筒男（ウハツヽノオ）、中男筒及び底筒男の三神へ願をかけて其の冥助を求め給ひしも亦重大な祭祀であつた。

天照大神以下天孫種族の諸神の多くが積極的の場合に祀られて居ることは大いに注意すべきことゝ思ふ。故に天孫種族の諸神の祭祀を建設的祭祀と見ることが出來る。此に反して出雲系統の諸神殊に大物主神が常に消極的の場合に祀

られたことは注意すべきことである。即ち崇神天皇の御世に疫病流行災害頻々として起つた時神龜に卜ひ、大物主神を祭り給ひて漸く其の災害を除き給ひたる如き、又神功皇后が三韓の征服に際し大三輪神の祟りが原因で軍勢が意の如く集らなかつた時此神を祭つて容易に軍卒を聚められたといふが如きは總て注目すべき事件である。要するに國家の大なる災害を通じて大物主神即ち大三輪神の祟が原因であるやうに考へられた事が判るのである。よつて此神に幣(ミテグラ)を奉り和解的の祭祀を擧行されたものと思ふ。故に出雲系統の諸神就中大物主神の祭祀は天照大神の積極的なるに對して消極的の祭祀と呼ぶことが出來る。

然し天神(アマツカミ)と地祇(クニツカミ)に對するかやうな差別的觀念は一方賢明なる大御心によつて各氏族の祖先の祭祀も同樣に重んぜられ又此と同時に民族の同化融合が完成さるゝにつれて天神地祇何れも同じく彼等の祖先であつて分離すべからざる國家の守護神となつたのである。

かくの如く天神地祇の祭祀は併行して行はれたのであるが、天照大神の祭祀は最も重んずべき祭祀として一般國民の信仰の上に建設されるやうになつた。茲

に於て始めて政治的及び國家的祭祀として偉大なる統一力を生ずるやうになつたのである。卽ち此によつて神道の本質が完成されたのである。

第四節　社殿の發達と其の形式

前諸節に於ては神道の成立した所以を直接其の基礎について、或は又其の背景の方面から說明したのであるが、本節に於ては、かくて成立した神道思想が如何なる形式によつて發表されたか卽ち神を祀るべき社殿は如何にして成立したかを研究せんと思ふのである。

神社が社殿を有するやうになつたのは可なり後世のことで、その前は神籬(ヒモロギ)を樹(タ)てゝ神を拜んだのである。神籬といふは、忌(イ)み清めた所に樹(タ)てられた木の枝である。神武天皇が諸虜を征服して大和地方を平定し給ふた時大和の鳥見(トミ)山に神籬を建てゝ皇祖の靈(ミタマ)を御祭りになつたことが古語拾遺に記載されて居る。我が上代に於ては神籬を立てゝ神を拜むことが廣く行はれたものと見え萬葉集などに屢々詠まれて居るのである。

神名火爾(カンナビニ)。紐呂寸(ヒモロギ)立而(タテヽ)。雖忌(イハヘドモ)。人心者(ヒトゴコロハ)。間守不敢物(マモリアヘヌモノ)。（萬葉集卷十）

カンナビは神奈備とも書き神の森といふ意味で神の坐す所といふことである。
五十串立。神酒座奉。神主部之。雲聚玉蔭見者乏文(萬葉集卷十三)
爾波奈加能。阿須波乃可美爾。古志波佐之。阿例波伊波波牟。加倍理久麻侶爾。(萬葉集卷二十)
三諸乃。神奈備山爾。五百枝刺。繁生有。都賀乃樹乃彌繼嗣(同上卷三)
などある。五十串といふのは齋み清めた串のことである。古志波佐之の古志波は木柴又小柴のことで、佐之とは刺しの意である。又五百枝刺といふは澤山の木の枝をかためて刺し建てたことである。要するに清淨なる枝を建てゝ其に神を招じて禮拜したのであつて其の周圍は廣く石などで境を廻らして淨域を作つた。其を磯城或は磐境といつたのである。卽ち崇神天皇の時天照大神を笠縫邑に遷されたときには此磯城を作り、其中に神籬を建てゝ奉祀されたのである。さて神籬は元來神を祭る度每に新らたに建てたものであつたことゝ信ぜられる。それが次第に發達して其所に神殿を營むやうになつて神社建築の樣式も定まるやうになつたのである。現に神社建築史上神籬の遺制として見るべきものは大和の

大神(オホミワ)神社である。即ち此神社は大已貴神(オホナムチノカミ)の和魂(ニギミタマ)の鎭まり坐す三諸(ミムロ)山を神の居ます社として拜殿のみを建てゝ禮拜して居るのである。

此神籬(ヒモロギ)に次いで發達した神社の樣式は出雲大社の建築で世に之を大社造といふが我が原始的住宅の樣式から發達したものである。次は伊勢大神宮の樣式である。此樣式は神明造(シンメイヅクリ)と稱せられるもので大社造は原始的住家其儘といふ風であるに反し餘程儀式的に發達したもので恐らくは皇居の樣式を傳へて居るものであらう。

要するに上古に於ける神社建築の樣式は神籬大社造及神明造りの三種で恐らくは此記載の順序に發達したものゝやうに考へられる。

第二章　上古に於ける神人關係

個人相互の關係、個人と主權者及び政府との關係、或は自然界に對する關係などは吾々人間が社會生活を營むに當て絕ち難い關係であるが此外に尚一の重要な關係がある。それは即ち神と人との關係である。

さて我が上古の社會に於ては神人關係が如何やうに意識されて居つたかといふと先づ發動的に神に對して祈願する場合と、受動的に神から誨へられる場合とが信仰されて居つたのである。祈願のうちにも亦單に福を求め禍を避んとして神に祈るときと又敵意に他人を害せんとする動機からして神力を借りやうとする場合がある。

當時は未だ神の加護に全然信頼するといふ境地に至つて居なかつたから單なる祈願を以て滿足することが出來ず、神意を確めんとして種々の占法が行はれたのである。卽ち太占(フトマニ)、龜卜(キボク)、夢占、神懸(カンガカリ)、探湯(クガタチ)、誓(ウケヒ)などは皆神意を確めんとする方法であつた。然し一般的の神人關係は神靈に對し衣服、飮食、器具等の供物を捧げ音樂歌舞を奏して神意を慰め、祝詞(ノリト)を奏し、或は消極的の場合には神との關係を回復せんとして祓詞(ハラヒコトバ)を奏するのが普通の方法であつた。

第一節　太占、龜卜、夢占、探湯、誓及び祓

我が國で最も古く行はれた占法は太占(フトマニ)であつた。古事記神代卷伊邪那岐、伊邪那美の二神が夫婦となりて子を設け給ひしに其の御子不具にして意に滿ち給は

ず更に天神(アマツカミ)に教を乞ひ求められた。其の時天神は太占によつて神の啓示を得て那岐、那美二尊を教へ給ひしことが傳へられて居る。さて太占は如何にして行はれたのであるか。其の方法を古事記の所傳によると雄鹿の肩骨を波波迦(ハハカ)の木で燒いて占つたと云ふことだけしか判らないが、恐らくは後に行はれた龜卜の樣に骨の割れ目によつて占つたものか、或は爆聲によつて判斷したものであらう。鹿の肩骨を燒くに用ひた波々迦は「カミザクラ」又は「カバザクラ」といひ、俗に犬櫻ともいつて日本特有のものである。

鹿の肩骨を灼いて卜をする事は現今尚蒙古に行はれて居る。我が太占が蒙古の其と同じであつたかどうかはもとより判らないが、類似の風が蒙古に遺つて居ることは大いに興味あることである。

太占の後には龜卜が行はれたやうである。崇神天皇七年二月の詔に「今朕が世に當て屢々災害あり、恐らくは朝に善政なく咎を神祇に取れるか何ぞ神龜に卜合(ウラア)へて災の原因を極めざらむや」とある。又萬葉集卷第十六に

左耳通船布(サニツラフ)。君之三言(キミノミコト)等。玉梓乃(タマヅサノ)(中略)千磐破(チハヤブル)神爾(カミニ)毛莫負(モガナ)。卜部(ウラベ)座(マス)。龜(カメ)毛莫(モナ)燒(ヤキ)

會」云々

とある。此歌は奈良朝の初め頃に詠んだものであらうが龜卜は當時尚盛に行はれたものと考へられる。而して宮中の儀式として今尚行はれて居るのである。其方法は龜甲の裏を削つて二分程の厚さとなし、表は磨いて鏡のやうに平滑ならしめ、裏には五六分四方の窪みを幾箇所にも彫て、其の中に田の如き町方(マチカタ)を墨で書くか又は小刀の端で彫り付け、最後に燧(キリビ)といつて波々迦の木の枝に火を點じて龜甲の裏の町方の所を爇(イブ)ずと割れ目が表へ通つて種々の形が現はれる。此を卜形(ウラカタ)といふ。此卜形を占書に照して判斷するのである。

太占(フトマニ)と卜龜(キボク)とは我が上古に行はれた最も重要な占術であるが民間ではもつと簡單な占法が行はれたことゝ思ふ。萬葉集に夕占(ユフゲ)、路往占(ミチユキウラ)、石卜(イシウラ)、足卜(アシウラ)などのことが詠まれて居るが、此等はもつと古くから行はれて居つた通俗的の占法であつたことゝ思はれる。

事靈(コトタマ)。八十衢(ヤソノチマタ)。夕占問(ユフゲトフ)占正謂(ウラマサニノレ)。妹相依(イモニアハムヨシ)(萬葉集十二卷)

こゝに夕占問(ユフゲトフ)とあるは辻占を問ふことで、辻に出て往來の人の言葉を聞いて其言

語のさまによつて吉凶を判斷するのである。
路往占(ミチユキウラ)は夕占と同じ事である。石卜は石を蹈んで占ふものであらう。又足卜は足にて踏みこゝろみて卜ふものをいふ。さて石卜は吾人が旣に述べた石神崇拜と關係ある占法である。又夕占(ユフゲ)は言語に靈驗の存在を信ずる所謂事靈の思想から起つたものであらう。

人智の未だ開けない時代には神の意思が夢によつて人間に啓示されるといふ事が信ぜられたのである。我が上古にも斯樣な宗敎思想があつたのである。神武天皇軍を進めて熊野の荒坂津に至り給ひしが、皇軍振はず大いに惱み給ひし時其地の高倉下(タカクラジ)といふ者の夢に武甕雷神(タケミカツチノカミ)現はれて宣はく、予が劒の號を師靈(フツノミタマ)といふ。今當に汝の庫に置くべし。汝よろしく取つて之を天皇に獻れ」と即ち翌朝になつて彼高倉下は夢の告に從つて庫を開き見たるに果して劒が庫の底板(シキイタ)の上に立つて居つた。彼は卽ち此劒を取つて天皇に獻上した。すると天皇寤めまして長寢(ナガイ)しつるかもと詔ひ、次いで毒氣にあたれる士卒もまた醒め起きたと言ふことが日本書紀に記載されて居る。又同書崇神天皇九年三月の條に神人、天皇の夢に現は

れて赤盾八枚、赤矛八竿を以て墨坂神を祀り、又黒盾八枚黒矛八竿を以て大坂神を祀るべきことを誨へ率つたことが記載されて居る。又尾張國風土記に品津別皇子七歳になり給ひしも語り給はず、皇后の夢に神の告あり。「吾は多具國之神、名を阿麻乃彌都比女といふ吾れ未だ祝人を得ず若し吾がために祝人を充てば皇子よく言いひ亦壽命長からむ」云々とある如き皆同種の傳へである。

夢中に神告を受けることは神から自づと蒙るもので形式上からは特に神に對して求むるものではないが、其裏面にはやはり夢占の意味が籠つて居る。さて夢の内に託宣を蒙るといふ思想はギリシャの傳説にも、ヘブライ人のうちにも多く見出される思想である。尚又野蠻人の間にも夢に善神が現はれて危險を警告し、又は或事を行はしむるといふやうな思想は往々見る所である。されば斯の如き思想は決して日本特有のものでもなく又神道に限られて居る思想でもない。佛教思想にも多く見出されるのである。

これとは反對に夢に神の誨を得んとして祈るのは卽ち占術の一種で夢卜に屬すべきものである。日本書紀に「神武天皇大和の宇陀に入る。賊虜要害の地に占

據す。天皇之を惡み自ら祈(ウケ)びて寢ねませり。夢に天神の訓あり。天香山(アメノカグヤマ)の社中の土を取りて天平瓮(アメノヒラカ)八十枚及び嚴瓮(イツヘ)を造り、天神地祇を祭り、亦嚴(イツ)の咒詛(カシリ)を爲(ナ)せ此くせば虜(アタ)自から平ぐべし」。又同書崇神天皇七年の條に「天皇沐浴齋戒して殿内を清め祈(ウケ)びて曰く朕神を禮ふこと尙未だ盡さゞるか、何ぞ享け給はざるの甚だしきや冀くは亦夢の裏(ウチ)に敎を垂れ給へ」。又同天皇四十八年の條に春正月天皇嗣を定めんとして曰く、各宜しく夢みるべし。朕夢を以て之を占へむ。是に於て二皇子淨沐(カハアミ)して祈りて寢ね給へり。各夢を得給ふ」云々とある。

さて特に夢中の神託を得んとして祈り求むる場合は、受動的に神の託宣を得たる時とは異つて、或種の儀禮が伴つて居る。即ち上に例示した所によつて明かであるやうに夢に神誨を受けんとする時には必ず沐浴齋戒をするのである。これ神に祈願を捧ぐる時にふさはしい精神狀態を誘致すべき方法で神に交る時の儀禮である。

我が上古に於てクガタチと云ふ一種の裁判法が行はれたが、此も要するに神の意思を試みんとするものである。探湯、盟神探湯、又は誓湯と書いて皆クガタチと

訓むのであるが誓湯は又ウケビユとも訓むのである。其方法は神に誓を立てゝ手を熱湯の中に漬して探るのである。罪ある者は傷き、罪なき者は害せられない。卽ち害を受けると受けざるとによつて罪の有無を判斷するのである。これ神は罪なき者を保護して害を受けしめぬと言ふ信仰から起るのである。

日本書紀には探湯に關して次の記載がある。應神天皇武內宿禰と甘美內宿禰を推問し給ふ。二人各堅く執て爭ひ、是非決し難し。天皇勅して神祇に誓つて探湯せしむ。是に於て武內宿禰、甘美內宿禰と共に磯城川濱に出て探湯を爲す。（應神紀四年）

允恭天皇宣はく諸々氏姓の人等沐浴齋戒して各盟探せよと。卽ち味橿丘の辭禍戶岬に探湯瓮を坐えて諸人を引て赴かしめて曰く。實を得れば卽ち全し、僞れる者は必ず害れむ。（允恭紀九年）

繼體天皇二十四年日本人任那人と頻に兒息を以て諍訟決し難く。元より能く判ること無し。毛野臣樂て誓湯を置て曰く。實ならむ者は爛れず、虛者必ず爛れむ。（繼體紀二十四年）

外に於て粗密の相違がある。歷史を同ふし、習慣を同ふし、法規を共にし、利害を共にせる國內に於ては、各經濟單位間の連絡統一が一層緻密であり、且つ特種の色彩を持つてをる。斯くの如く、國々によつて色彩を異にしてをる其經濟を指して、國民經濟と稱するのである。國民經濟は幾多の經濟單位が、互に自由競爭を演じて居るから、經濟主體がない。社會主義や共產主義の理想とする如き指揮者がない。司令部がない。只だ分業と交易とによりて、自然的に統一せられてをる。國民の間に存する相互保助の國家觀と、最小の勞費を以て最大の效果を收めんとする經濟主義とにより、秩序が保たれてをる。約言すれば、國民經濟とは、幾多の經濟單位が統一せる一國民の基礎の上に、分業と交易とによりて、綜合連結せる一大經濟組織に付したる名稱である。

第七、國民經濟學。國民經濟學は國民經濟を研究の對象とする學問であるが、今之を分析して解釋すれば

一、國民經濟上の諸現象に關する智識（經濟現狀の說明）

二、此等諸現象相互の關係、及び之を支配する法則に關する智識（經濟原論）

三、此等諸現象發生の原因、沿革、及び結果に關する智識(經濟史)の秩序的綜合である。故に我國の國民經濟學を研究せんとせば、先づ國內現在の經濟事情に通曉するのみならず、各經濟事情の歷史的變遷を究明したる上、各經濟事情相互の關係、及び之を支配する法則を理論的に攻究せなければならぬ。然るに我が經濟學者の多くは、外國で研究されたる經濟の理論に、何等の斟酌をも加へず、其儘輸入して直ちに我國の經濟學としやうとしてをる。是れ宛も西洋人の衣服を本邦人に着せやうとするのと同樣で、正確に合ふ筈がない。我國の經濟史と經濟現狀とを調査せずに、西洋から理論丈け輸入するのは、病氣を診察せずに、藥を投ずるのと等しい。こんな手段で、好結果を收めやうとしても、それは一寸覺束ない次第である。

一體西洋は個人主義が發達して競爭が激しい丈け、それ丈け社會が一般に動的積極的であるが、我國は家族制度と服從性の結果として、萬事が靜的、消極的である。隨うて彼は創造的であるが、我は諳記的である。そは、成丈け、古人の糟粕を嘗めずに、新な事物を工夫しやうと云ふのと、奴隷根性で古人の作品だけを請賣しやうと

云ふ性質上の差異の反映と、開國以來日がまだ淺いが爲であらう。併し苟も世界の五大强國の内に列した以上、何時迄も請賣しては居られない。西洋の眞似ばかりしてをれば、始終十年や二十年は後れて進まねばならぬ。學問の獨立もなしに、一等國と云ふて、大きな顏は出來ぬから、我國の經濟學者も亦、獨創的研究の路を辿らねばならぬ。

第二講　國民經濟發達の條件

緖論と第一講の總論に於て、國民經濟及び國民經濟學の何たるやを大要說明し了つた。本講にては、國民經濟の盛衰消長に關する環境を發達の條件として攻究してみやうと思ふ。總て國民經濟は何れも皆各特殊の環境内に在て淘汰せられて、現狀まで進化し來つたものに外ならぬ。環境には種々あるが、就中其重要なるものは「天然」「人口」「國家」「社會」、及び「國民性」の五つである。

第一　天然

千差萬別變化極りなき天然の環境に取卷かれ、境遇良ければ榮え、惡ければ衰ふ

るは、生物界の成行であるが、生物の一たる人類より成れる社會の大勢も亦、其境遇によつて左右せられる中にも、吾々が目下攻究せんとする國民經濟は、其影響を受くることが殊に著しい。偖國民經濟上に大關係を有する天然の狀態を大別すれば「氣候」「地勢」「地質」「位置」及び「面積」の五つとなる。以下順次之が說明を試みやう。

(一)氣候。氣候とは地球を包む大氣中に起る諸種の現象の總稱であつて、其主なる因子は「日光」「温度」「風」「濕氣」「雨」等である。

(い)日光と温度。赤道より南北に進むに隨うて、次第に日光は弱くなり、氣温は低くなるのが普通である。現下地球上に存在する約百萬種の動物と、約四五拾萬種の植物は、皆悉く此力によりて生存して居る。若し地球の氣温が今より僅に華氏の四十度程上下することがあれば、人類は絕滅せずとも、少くとも文明丈は滅亡するであらうとはベーシル、トムソン氏の說である。極地には、半ケ年間も太陽を見ない長夜があつて、何を爲すにも不便である。我が領土內で云へば、樺太海流と稱する寒流が、オホーツク海に起り、樺太の東岸に沿ふて南下し、宗谷海峽附近で、南より北上せる對馬海流と云ふ暖流と衝突してをる。寒暖兩流が接觸してをる爲霧

が深い。それで樺太の南部は晴天の日が極く少い。こんな處は、撮影、染物、張物業等には不適當である。又南西の琉球は、非常に暑いが、普通なれば朝蔭と夕蔭の凉しい時に耕耘に從事し、日中は晝寢でもして居ればよいのであるが、日中に働いて凉しい朝夕は休んでをる。日中は暑いから、つい惰氣が出る。沖繩人の懶る習慣は、こゝから起つてをるさうである。なぜ朝夕田畑に出ぬかと云へば、光線が不充分な爲に、蔭がさし見誤つて飯匙倩から咬れる恐があるからだと云ふ。我國の周圍には寒流と暖流とが流れてをるが、是は唯氣候に影響するのみでなく、各特殊の水族を產出する。暖流は鰹、鮪を伴ひ、寒流は鱒、鱈、鰊、昆布、海獸に富んでをる。總て寒流の魚族は密集してをるのが常で、我が北海に漁業の盛なのは是が爲である。

植物の生育に一定の温度を要することは、冬季植物の生長休み、甚しきは枯死する物あるを見ても明かであるが、暑熱が强過ぎても其生長が妨げられる。植物の凍死點は區々であるが、熱帶植物の如きは、攝氏零度以上五度乃至十度にて既に枯死するものがあり、零度以下の寒氣に遭ふも猶凍死せざる物も少くない。而して顯花植物は一般に四十度が燒死の點である。樹木の生長に最適したる温度は、夏

季二十度乃至二十五度の間であつて、夏季五度以下の土地では生長することができぬ。我國に於て南亞熱帶(九州の南部、琉球、小笠原島を含む)は鳳尾松、椰子、芭蕉、臭橙、甘蔗、煙草、山藍等に適し、北亞熱帶(九州の北部、四國、本土の南部を含む)は栗、柿、桐、茶、稻、麥、粟、豆類、綿、甘藷等に適し、溫帶(本土の中央部より山陰、北陸、奧羽、北海道の本土に亘る)は、山毛欅、樺、七葉樹、桑、馬鈴薯等に適してをる。肥後米は一石約三十八貫五百匁あるのに、秋田米は一石約三十四貫五百匁しきやない。此差異の生じたのは、北日本より南日本の方が地質が古く、米作に適してをるのも一の原因であらうが、氣候の相違が確に主因をなしてをる。熱帶のバナヽ畑は、溫帶に於ける同面積の小麥畑に比ぶれば、二十五倍乃至百三十三倍の人口を養ふに足り、又メキシコの或る地方にては、僅々家父が天然果實の收穫期に二日間働いて置けば、優に一家一年間の食料を得ることができると云ふ。溫度の植物上に及ぼす作用は大略上のやうであるが、其外商工業上に及ぼす影響も亦少くない。積雪地を被ひ堅氷川を閉す處には、交通が不便であるから、商業が發達せぬ。炎熱蒸すが如き地方は火力を用ゐる工業に不便である。殊に養蠶業の如きは溫度に大なる關係を持つてをる。

米國の發明家エヂソン氏は、七十馬力の光線發動機をアリゾナ州に設けてみたが、成績が良好であるとのことであるから、將來は諸方面に光線發動機が利用せられるやうになるであらう。

(ろ)風。遠洋航路に於て、汽船が帆船よりも經濟になつたのは、千八百六十年以後である。其以前は帆船の方が有利であつた。北支那地方にては荷車にさへ帆を掛けて風力を利用し、和蘭陀にては、風車を工業や唧筒の原動力に使つてをる。我國でも風力を其儘利用したり、電氣に變へて使用したらよからうと思ふ。沖繩の甘蔗は風が强いから竹の樣に堅くなつて糖分が少い。木曾山中の風の觸れない杉で漁船を造れば、九年間持つのみであるが、風吹に育つた九州の地杉で造れば十二年間は大丈夫使へるとの事である。夏季は南東氣候風、冬季は北西氣候風が多い。此兩氣候風の交代期は陰曆の二月と八月で、春雨と時雨が降る。農家の最恐るゝのは三厄日で二百十日と八朔(陰曆)と二百二十日である。

(は)濕氣。空氣中には相當の濕氣を含んでゐなければ植物は生育せぬ。マイエル氏の說によれば五、六、七、八月の發生期中、五割(空氣の含有し得る全濕氣を一として)以下の濕氣にて

は、土地が如何程肥沃であつても、樹木は生長せぬ。唯繁茂し得るものは雜草のみであると。其他綿毛の紡績及び織物業には空中に濕氣のある處が最適してをるから、英國に此事業が發達せる次第である。

(に)雨。草木は相當の雨量がなければ生育せぬ。南カリフオルニアの海岸は、七割二分の濕氣があるけれども、猶僅に十二ミリメートル(一年中の降雨の高さを云ふ。而して一ミリメートルは我が三厘三毛に當る)の雨量があるばかりであるから土地が不毛である。發生期に五十ミリメートルの雨量のない土地では、樹木は生長せぬ。元來本邦には雨量多く、瑞穗の國と稱する程水田も開け、雨の多きは喜ぶべきことであるが、山嶽險峻にして勾配の急なる上、維新後山林を亂伐したるが爲、土地の水持ち惡しくなり、霖雨ある毎に、損害を蒙ることが少くない。殊に水力電氣を起し水車を仕掛けるには流水に間斷なく、水量の調和を保つ必要があるから、水源の涵養所たる山林の經營を忽にしてはならぬ。

(ほ)氣候の及ぼす一般的影響。氣候は國民性の上に大なる關係をもつてをる。近く境を接する獨佛が、其學問上に於て、宗敎上に於て、將た工藝美術の上に於て、著

るしき相違のあるのは、氣候の差異に基因するところが多い。佛蘭西の氣候が春なれば、獨逸の氣候は秋である。隨うて學問の研究上より云へば、前者は氷上を滑走するが如き演繹的に、後者は縫取細工の如き歸納的に傾くは當然である。宗敎上に於ても亦、佛國に行はるゝ花見騷の加特力敎が、霜柱の立てる獨逸に行はるゝ氣遣はない。ルーテルの一擊と共に哲學的の色彩を帶ぶるに至つたのは怪むに足らぬ。前者の奢者なる美術品を產するに反し、後者の堅牢なる實用品を、出すも亦氣候の關係が多い。溫暖にして氣候の變化に富める佛國は何としても歐洲流行の中心とならざるを得ぬ。此點に於て我國はよく佛國に似てをる。地勢南北に長くして熱帶より寒帶に入り、沿岸は寒暖兩流の洗ふところとなり、山嶽丘陵は魚網の如く相連亘して氣候の變化を生ずるには、此上もなき條件を備へてをる。隨うて樹木の種類の多きこと世界に比なく、其數實に百十七族、二百三十餘種に上つてをる。氣候は單に樹木の上に影響を及ぼすのみでなく、人心の上にも亦、無限の變化を與へつゝあるのである。熱し易く冷め易き我國民性を、火山や地震の陶冶に歸する學者あれども、余は寧ろ氣候の影響の多きを認むるものである。嚴冬

の候に袷さへ堪へざる暖氣を覺ゆる日ありと思へば、三伏の大暑に綿入の重着をなすことがある。吾人は氣候の變化の爲に絶えず感情の變化を起し、如何にしても、同一感情を長く續ける譯には行かぬ。爲に纔か十七文字か三十一文字にて感想を表す習慣となつたのである。我國が長編の詩歌を持たぬのも無理はない。隨うて衣服の模樣の如きも種々雜多にして、飛白あり、縞あり、友禪あり、中形あり、千差萬別、殆ど數へ切れぬ程あれど、大陸的氣候の支那朝鮮にては單調なる無地物が比較的に多い。氣候は常に感情に抑揚變化を生じ、感情の變化は、流行の風潮をして益急激ならしむるのである。儒敎來れ、佛敎來れ、耶蘇敎來れ何でも信仰する。牛酪來れ、麥酒來れ、燕窩來れ何でも飲食する。其舊を去て新に就くこと掌を飜すよりも速かである。其結果猿智惠には富めども、獨創の見が更にない。始終流行を追ひ變化して行くから、變化の度每に莫大なる損害を受ける。國民の流行性は長を取り短を補ふには都合はよいが、獨創の見を立て、着實に進む上には邪魔になる。流行性偏癖に富む我が島國民には、獨創不動の大陸的氣風を注入する必要がある。氣候は社會進化の上に至大なる關係を持てをる。僅に泳いで渡れる位な

狹い海峽を距てたる英國と佛國とが、社會の全般に亘つて、其色彩を異にしてをるのも、主として氣候の影響である。 秋から冬にかけた樣な英國の氣候には、人々の心も自から締まり、地味になるから、木綿であるとか、毛織物であるとか、鐵器類であるとか、實用を旨とした丈夫一方の品物が出來るけれども、佛國にては氣候が春から夏にかけた樣な狀態であるから、人氣が一般に浮いてをる。 だから絹織物だとか、シャンペンだとか、贅澤品が出來るのみでなく、製作物が皆華奢である。 宗教を見ても、英國には靜かに考込んで居ると云ふ風な理窟の多い新教が流行するけれども、佛國にては儀式勝なる加特力教が盛に行はれる。 政治上の色彩も亦之と同樣である。 英國は何時變化したか分らぬ樣に、何時とはなしに、恰も障子の破れた部分丈を切貼するやうに、弗々改良して行く。 彼の不文法、異彩を放てる立憲君主政體の發達等は、法政上に於ける英國の眞相を充分に發揮してをるのに、佛國にては、些少たりとも惡い處があれば、根本から毀して造り變へると云ふ風がある。 彼の革命戰爭と云ひ、共和政體と云ひ、皆其發現に過ぎぬ。 ワーテルローで雌雄を決した兩雄の性質がよく兩國の眞相を闡明してをる。 ウエリントンは何時偉くな

つたか、殆ど分らぬのに、ナポレオンは恰も閃電の如く、一足飛に皇帝となつたり、流浪の身となつたりしてをる。前者が碓氷峠の鐵道なれば、後者は其車窓から眺めた妙義の山々である。鐵道はだら〳〵登であるが、山は火山性を帶びてをるから鋸狀をなしてをる。

同じ佛國にても、南北に於ける犯罪は餘程其趣を異にしてをる。北方は氣候が冷かで、衣食住の費用が餘計にかゝるから、暮向が困難である。隨うて詐欺取罪だとか竊盜だとか、財產に關する罪が多いが、南方は氣候が温暖なので、生計が富裕であるから、財產に關する罪は少いが、着物を薄着してをるので、少し打てば傷くのみでなく、暖いので激し易い爲に、毆るとか殺すとか云ふ身體に關する罪が多い。支那の南北に於ても亦思想上に大相違がある。北方には孔子とか孟子とか、現世的の實行家が多い。衣食に追はれてをるから沈思默考に耽る暇がない。然るに南方には老子の如き深い思想家が現はれてをる。

(二)地勢。地勢は山嶽、平野、河流、湖沼、及び海岸線の模樣によりて其外貌が一樣でない。此等の種々多樣なる地勢によりて、人類移轉の方向、交通の範圍及び線路も

制限せられ、産業の種類も決定せらるゝ次第である。山嶽には林業榮え平野に下るに隨うて牧畜行はれ、次に耕地開け、海岸の民は漁業に從事し、海洋を渡り、河流に沿ふて交通し、山嶽を避け、平地を縫ふて往來し、移轉することは、よく人の知るところである。由來我國は亞細亞の東岸山系が陷落して山の背丈が殘つた島國であるから平地が少い。古來瑞穗の國と稱し農本位でやつて來たが、それ程發達の餘裕がない。最近の調査によれば、田畑合せて約六百萬町歩、耕地擴張見込地約二百萬町歩であつて既耕地を全國農家に割當つれば、一家平均僅に約一町歩に過ぎない。こんな小農では到底列國と競爭は出來ぬから、工と商とを發達せしむるより外途はない。工業をやるには石炭が必要であるが、年産額僅に三千萬噸位で、英國の約十分の一、是では迚ても仕方がない。それで石炭の代りに水力電氣を使用するがよい。現下許可になつてをる水利權丈でも、三百萬馬力足らずあるから、河流や湖水を充分に利用すれば、五百萬馬力位は得られるであらうから、大に水電利用の途を講ぜねばならぬ。英國でも地下深き處から石炭を掘出す爲に、生産費が高くつくから水力を利用しやうと云ふので、水力調査會を設けて研究してをる。

米國は水力が豐富である。五大湖には世界の淡水の三分の一程溜つて居ると云ふが、彼のナイヤガラ瀑布を利用すれば、約六百萬馬力の水電が起るから、全國に電燈と工業の動力とを供給して猶餘りありと云ふ、如何にも羨ましき次第である。會て獨逸人の發明に係る、海水干滿の差を利用して電氣を起す法を我國でもやつてみやうとしたが、不結果に終つた。海水干滿の差の多い處は朝鮮西岸の三十五尺有明瀉の十八尺を最大とし、表日本の方は何處も可なり多く普通七八尺位はあるから、皆利用が出來ると思ふ。

鐵道の敷設なき以前、河は內地交通の大道であつて、古來繁華なる商業都市は大抵其畔に起つてをる。地球上に於て水利の最も多きは南北亞米利加と露國であつて、最少きは亞弗利加と濠洲である。同じ舟楫の通ずる河にても、赤道に並行した河は、直角をなした河よりも、交通の途が開けない。何となれば赤道に直角を爲した河は、其北方と南方との氣候が違ふ。隨うて出來る產物が異なる。其異なつた產物を交易する爲に、船に載せて上下するから、其爲に交易の途が開ける。併しながら赤道に並行した河だと、河上の產物と河下の產物とが等しいから、交易する

必要がない。交易する必要がないから、折角河があつても、それを用ゐない。故に楊子江の如きは、產業の開發と云ふ上から見れば、效能が甚だ少なかつた。然るにミスシッピー河の如き、ニール河の如き、チグリス、エウフラット河の如き、ライン、ドノウ河の如きは、古來非常に重寶な公道となつて、其地方の開發を助けた事は實に夥しい。偖南北に通じた河が、產業の開發上に必要なことは、彼の隋の煬帝が、抗州より天津に至る大運河を、非常な勞力と費用とをかけて開鑿したのを見ても分かる。一體此運河は海上風波の難に遭ふことなく、無事に楊子江沿岸の米を北方に送る爲に掘つたものである。

(三)地質。地質中にて經濟上に關係のあるものは、土壤と礦產物の二つである。

(い)土壤。土壤には色々あつて、甘蔗に適するもの米に適するもの、桑に適するもの各其性質が違ふ。又同じ地質の土地であつても、其肥瘠の度合が異なる等の事情があつて、產物の種類と分量と品質との上に著しき差異を生ずるものである。我國の地味は、一般に燐酸と炭酸石灰とに乏しく、鹽酸可溶性加里に富んで居るが、概して言へば、南日本の地質は古くして農業に適するけれども、北日本の地質は新

らしく耕作には比較的不向である。

(ろ)礦産物。英國の工業が斯く迄發達した原因は、豐富なる鐵と石炭が相接近して出づるが爲である。南阿が近年長足の進歩をなしたのは、主として金と金剛石の産額が多いのに歸する。我國には鐵も石炭も石油も少い。石炭の代りに水電を用ゐるとしたところで、鐵と石油は如何にして補充するか、是は國民が眞重に研究すべき大問題である。

(四)位置。新嘉坡には東西南の三方面より約五十條の定期航路が相會し、交通の要衝に當つてをるから繁昌する次第である。上海は中部支那出入の門戸に位し香港は東西南と珠江上下の貨物を呑吐するから盛況を保つてをる。位置は經濟の發達に大關係がある。スエズ運河が開通して歐亞間の航路が地中海を通過しシンプロンとサンゴッタルトの兩隧道が歐羅巴の中原と連絡を保つやうになつてから、久しく衰運に向ひたる伊太利が再び活氣を帶びて來た。古代から盛大であつた堺浦の商人を移して、豐太閤が大阪を開いてから、堺の繁昌は大阪に奪はれた。爾來大阪は内國商業の中心として、桓武天皇以來の大消費地であつた帝都に

天台宗の安心

—法華經と念佛—

天台大學學長　末廣照啓

（一）

此の答案を作るに當り、先づ恩師櫻木谷（さきや）裸堂國師の御説を掲げて置いて、次に聊か序を遂ふて愚考を述べやうと思ふ。

安心立命の文字は古書にも散見すれども維新已前は人の喧傳すること鮮なかりしが、明治以來は、件の四字を連呼して、敎家の常言となれり。然れども未た其の義意を詳説せしものあらざれば、世人、其の名稱の趣味ありて面白きことを覺知するもの稀なるが如し。今や諸君子の請ふに任せて其の大要を申し演べんに、先づ安心は文字の如く、心を道理のままに安んじ落着かすることにて、是は佛典の中に常に言ふ所の語なり。其の安心の仕方は、各宗各派、義門を建立するの

體にはそれ〴〵の教理の上より種々まち〳〵なるべし。然るに我が宗の安心は、摩訶止觀十乘の中、安心止觀の章に、
若し三諦を離れては所安の處なく、若し三觀を離れては能安の方なし。
と垂示し給ふ如く。一宗の落着き場處は、一切の修行は勿論、行住坐臥、此處に精神を用ふるが肝要なるべし。併しながら三諦三觀と申しては、學識に乏しき人は、何となく六づかしく聞へて、高く上人に讓るの恐れなきこと能はず。依て之を平易に申さば、
因果報應の眞理に心を据えつけ、諸惡莫作衆善奉行と進みゆくの外なし。
さすれば我宗三諦三觀の妙處に契會して自行化他世間出世間に於て廣大の利益を成就することを得るなり。抑、佛教廣大なりと雖、四諦を以て收め盡す。謂ゆる共集二諦は世間の因果にして迷の方なり、道滅の二諦は出世間の因果にして悟の方なり。之を迷情に附して淺近に說く時は小乘となり、直ちに道理に順じて深遠に說く時は大乘となる。小乘には六道の昇沈、二乘の權果を說き、大乘には十界の苦樂、菩薩の妙證を明す。故に上は王公大人より下は禽獸蟲魚に至

るまで、迷悟因果の範圍を超えたるものは一類も無きなり。此迷悟因果は、法性縁起の影像にして、佛天人修羅の造作して爾るに非ず。故に龍樹大士は、因縁所生法、卽空、卽假、卽中と判じ。天台大師は、四諦は卽ち一實諦なりと釋せられたり。されば因果報應の眞理に心を落着くるが、取りもなほさず一心三觀なりといふことを解了すべきなり。元の翰林學士虞集は、當時護法の良士なり、其言に曰く、佛、因果の二法を以て天下人心を制服し得たりと、知言と謂つべきなり。

扨て又立命とは云云、

卽ち立命の語の儒敎の精髓の結晶せる語なることを說き、其の終りに附記として、左記の樣に三諦三觀の說明が出て居る。

三諦三觀　諦は審實不虛の義にして、天然自爾動かすべからざるの理にして、能く行者の眞智を啓發するものが諦なり。觀は觀照明了の義にして、能く本有の諦理を照了するものが觀なり。諦は燈火の如く、觀は燈光の如し。故に諦と觀とは其の名義は異なれども、其の法體は同じものなり。光と火とは、其體本と同じきを以て知るべし。三は空假中なり、十界迷悟の諸法は、本來定まりし自性な

ければ、此方の分別情量は皆當らぬ處が空諦なり。分別情量は皆當らねども、緣のまに〳〵諸法の現前する處が假諦なり。分別を離れて現前するものは、空とも假とも偏よることなく、すべて能所の對待を絕する處が中諦なり。故に一微塵の小なるも、十方世界の大なるも、有情も非情も、本來法爾として三諦ならぬものなければ、之を天然の性德ともいふなり。然るに唯一の性德に於て、破（空諦）立（假諦）絕待（中諦）の義用を建立すれば、三諦は秖これ一實諦にして、永く三一の定量を存するものにあらず。此の諦理が、人の智識の上に活動して觸向對面、三諦ならぬ法なしと覺了して、一切時一切處に於て、念佛誦經六度萬行、理の如く慥かに進み行くが、天臺一家安心立命の大體と意得るなり。

（二）

宗祖傳敎大師、諱は最澄、幼名は曠野、神護景雲元年八月十八日を以て、呱々の聲を、山紫水明の仙鄕江州志賀の里にあげ給ふたが、宿緣に催されて出家を遂げ、奈良の都にあつて硏學修道に努めてゐたが、當時の社會の狀況に憤激し、救濟の實をあげむが爲に、敢然として都を後に、遙に日枝の御山に分け登られたのであつた。

入山の後、天台の敎籍を熟讀するに及びて、法華經の諸法實相、十界皆成佛の妙法門が、天台大師の妙釋を透ふして宗祖の胸底深く染み込んだ。卽ち法華の敎理が宗祖の愛國の熱情と共鳴したのであつた。と同時に從來の佛敎が啻に僧侶の墮落のみならず、敎義の根底に一大缺陷あることを感ぜざるを得なかつた。換言すれば從來の佛敎では猶ほ解決の出來なんだ問題に向つて、快き斷案を下し得るものは、卽ち天台大師の味はれたる法華經の信仰にあることを知つたのである。それより宗祖は日枝山上にありて天台の信仰に立脚したる法華中心の研究に沒頭せられた。此の法華經を中心とし宗骨とすることは、宗祖が終始一貫の態度であつて、入唐以前も以後も少しも變りはなかつた。

延暦十七年十一月比叡山に十大德を請して法華十講（法華八卷と無量義經と普賢觀經との十卷を講賛する法要）の法會を創始した時、十大德を延請する書面に、

……最澄、法華を傳へ奉るの深心大願を發起す云云。

とあるのを見ただけでも、粗ぼ宗祖の態度を推すことが出來やう。而して但だ法華經といふても、天台大師の御釋を透して見たる法華經であつたことは、前にチョ

ット述べたが延暦二十一年の秋の頃、高雄山神護寺に於て天台大師の三大部(法華經を解釋したもの)の大講演會を開き、頗る盛會であつて、これが近因となつて入唐求法せらるゝに至つたことの始終を考へると凡その見當はつくであらう。

かくて延暦二十三年の秋、正しく九州を發航して五十有餘日を費して纔かに明州鄮(ぼう)縣(寧波)に着岸し、それから台州と越州とを往來して名師に參して法門を相承された。

- 台州
  - 行滿座主—五時八教々判—圓
  - 道邃和尚
    - 一心三觀—圓
    - 圓頓菩薩戒—戒
  - 翛然禪師—牛頭禪要—禪
- 越州
  - 順曉阿闍梨—眞言密教—密

圓・戒・禪・密 → 最澄

斯くて延暦二十四年七月に京師に歸着して復命した。而して此の圓、戒、禪、密の四宗を打して一丸とした天台法華宗の法幢を比叡山頂高く飜へしたのが謂ゆる日本天台宗である。而して特に日本天台と稱して支那天台に簡ぶ所以は、教外別傳の禪要と眞言密教を加へた所にあるのだが、其教學の中樞を成してゐるものは、

何といつても天台大師の敎觀二門である。圓頓戒にした所で、やはり天台、荊溪の本意を傳へて更に之を擴張したので、決して台、荊の埒外に出たものではない。猶ほ進んで考へると、禪といふても止觀の一心三觀といふても畢竟は左右の差のみである。古人が、

達磨大師の心印を直指し給へるはクジラ尺の裏を差出して此の一尺を見よといへるが如し、判敎の寸尺を論せず驀直に單提す。天台大師の心印を指示し給ふは、クジラ尺の表を差出して此の一尺を見よと宣給ふが如し、敎に卽して禪を示し、寸尺を分ち給へども、其の示さるる體は彼れ此れ一印にして原より別なし。

と云はれたのは蓋し至言である。

また弘仁七年に宗祖が四天王寺に聖德太子の廟に謁して詩を奉られた。その詩に引が有る。

今我が法華聖德太子は、これ南岳慧思大師の後身なり。厩戸に託生して四國を汲引し、持經を大唐に請し、妙法を日域に興し、木鐸を天台に振ひ、その法味を相承し給へり。日本の玄孫、興福寺沙門最澄、愚なりと雖、願くは我師の敎を弘めむこ

とを。渇仰の心に任へず、謹で一首を奉る。

海内に縁力を求め、
心を聖徳宮に歸す。
われ今、妙法を弘め、
師の教をして無窮ならしめむ。
兩樹、春に隨つて別れ、
三卉、節に應じて同じ。
願くは唯圓教をして、
加護して興隆せしめ給はむことを。

宗祖は入唐して法門の相承はしたが、唯移植したのではなく、悉くそれに日本の生命を吹き込まれた。而してこれは宗祖の獨創ではあつたけれど、元來日本人として佛教を信奉し、殊に法華經を活用された先輩を燈明臺と仕やうといふことを考へ、而して遂う〳〵聖徳太子に辿りつひたのであつた。要之、太子の思召に稱ふた法華經を弘めて國家鎮護の實をあげたいといふ意味は、此の詩の上に躍如とし

てゐる。併しその法華は、繰り返していふが天台大師を透して見たものである。このことは宗祖が自ら一宗を公稱する場合に、

天台法華宗

と唱へられた一事で結着することゝ思ふ。

以上を更に約言すれば、宗祖は圓、密、禪、戒の四宗を融合した新宗を弘められたが、其の中樞は天台大師の教觀二門に依つて闡明せられた法華經なのである。

更に進んで考へると、宗祖は天台大師の再誕だと信せられた、宗祖自身でも、少くも天台大師とは因緣淺からざるものだと思ふてゐられたらう。それは天台山の行滿座主から傳へられた天台大師の豫言がある、別傳に、

昔聞く、智者大師弟子等に告げ給ひき。吾が滅後二百餘歳にして、始めて東國に於て我が法を興隆せむと聖語朽ずして今この人に遇ふ。我が披閲せる所の法門を、日本闍梨に捨與す、海東に將ち去つて傳燈を紹ぐべし云云。

とある。異域の大德から此のことを聞いた宗祖は、必ずや天台大師と己れとの因緣の並々ならぬこと、また己れの使命の重大なることに感激されたことだらうと

思はれる。

歸朝後まづ將來の經疏を上る表文に、

……然れば則ち圓敎は說き難し、その義を演るものは天台なり。

とあるなど、宗祖が天台大師及其の敎理を景仰してゐたことの甚深かつたことを思はしむるものである。

斯く考へて來ると、宗祖の思召を明了にするには、まづ高祖と仰がるゝ天台大師の事跡の要點だけは考へて見ねばならぬ、今極要點を摘んでみやう。

（三）

高祖天台大師、諱は智顗、字は德安。梁武帝の大同四年を以て荊州華容縣に生れ敬帝紹泰元年（わが欽明帝十六年）湘州果願寺の法緒師に就いて出家せられ、陳武帝の永定元年に具足戒を受けられた。これより先き慧曠律師に從つて律を學び兼て經論を硏究され、また衡州の大賢山に詣で法華、無量義、普賢觀を精讀し、進で方等懺法を修して勝相が現前した。旣に律藏に精通し、また廣く經論を硏鑽し、且つ三昧を勤修して禪悅を樂しむ身となつたが、更に向上進趣の指導を仰ぐべき善知識

に値ふことを得ぬのを嘆いてゐた。と偶、光州大蘇山に慧思禪師の留錫して居らるゝことを聞き、文帝の天嘉元年(わが欽明帝二十一年)二十三歳で備さに路次の艱難を經て光州大蘇山に登つて慧思禪師に見えた。思師は大師を見て喜んで曰はるゝには、昔日靈鷲山にて同じく法華を聽たが、宿緣空しからずして今また此所に見るを得たと。大師はそこに留つて敎を受けることになつたので、思師は道場を嚴飾して大師を引入して三昧を修せしめた、それは法華經の普賢菩薩勸發品普賢觀經等の説に基いて普賢菩薩を當會の本尊とした道場であつて、而して修した所の三昧は半行半坐の法華三昧であつたのである。大師は敎に從つて道場に入りて晝夜に精勤した、第二七日の夜、法華經を讀で藥王品の──藥品菩薩が過去に日月淨明德如來の許に於て法華經を聞いた力に依て現一切色身三昧を得た故、佛及び法華經を供養せむと欲し、諸の華香油を飮み、香油を身に塗り、而して自ら身を燃して供養した。その時に諸佛、これを見て同時に讃めて──これ眞の精進なり、これを眞の法をもつて如來を供養すと名づく、と宣給ふた。此の「これ眞の精進なり云云」の文に至つて大師は豁然として入定し、深く法華經の源底を悟られた。乃で

直ちに思師に呈露して印可を受け、猶ほいろ〳〵教を受けたこと四夜に亘つたが其の功は常人の百年にも越へてゐた。終つて思師これを歎じて、

汝にあらずむば證らず、我にあらずむば識ることなけむ、入る所の定は法華三昧の前方便なり、發する所の持は初旋陀羅尼なり。

と印可された。要するに法華の諸法實相、本地甚深の奥藏を證悟されたのであつた。

斯くて思師の囑命に順ひ光大元年三十歳で金陵の都に出て布教すること數年、大建七年三十八歳の時徒衆を謝遣して天台山に入つて勤修精進されたが、陳主の請招懇切を極めた所から復た金陵に出講經に努め、禎明元年五十歳、金陵の光宅寺にて法華文句を説かれた。然るに禎明三年に陳は隋の爲に亡ぼされ、卽ち惰開皇九年となつた樣な始末であるから金陵の都は一朝にして破壞されて了ひ、都は遙に長安に遷された。大師は此の亂を避け旁、生れ故郷の荆州に還つて生地の恩に酬ゐんが爲に功德を修さうと思つて出立したが、路次に兵亂起りて通過することが出來ない爲、廬山に入つて危難を避けられた。斯くて廬山に在ること前後三年

に亘つた。その後、荊州に歸りて玉泉寺を建て、開皇十三年五十六歳、玉泉寺で法華玄義を説き、翌十四年同寺にて摩訶止觀を説かれた、弟子章安筆錄して十卷の書物がある。

此の摩訶止觀は、大師が法華經を體驗した上に咲きでた花であつて、法華の異名ともいふべきものであるが、その中に四種三昧なるものが説かれてある。これは止觀を實修する仕方であつて、常坐三昧と常行三昧と半行半坐三昧と非行非坐三昧との四種である。而して一切の行法は悉く此の四の中に收まるのである。その中、常行三昧は、般舟三昧經の説に基いて、九十日を一期とし、晝夜六時に道場に入りて、身は常に旋繞行道して暫くも停まらず、口には常に阿彌陀佛の御名を唱へて息まず、意には常に阿彌陀佛を念じて休まず。文に

歩々、唱々、念々、唯、彌陀にあり。

といふてある。他の三昧も皆阿彌陀佛を離れてはゐない。最後の非行非坐三昧といふのは、上の三の三昧に收まらざるものを總て收める。例せば常行三昧は餘事を捨てて九十日を一期として道場に入て晝夜六時に勤行するのでなくてはな

らぬ。さらば十分間ほど佛前で念佛し、或は歩みながら、或は食事中に念佛を唱ふるのは何れに收まるか。それぞ非行非坐三昧の攝なのである。その他も例して知るべきである。

かくて大師は開皇十七年御年六十で天台山に遷化し給ふたが、その臨終の樣子を尋ぬる必要がある。

天台山の西麓石城寺に於て、病篤くしてまた起つ能はざるを知り、最後の用心を爲し、頭北面西に臥して自ら靜かに彌陀(佛)般若(法)觀音(僧)の寶號を唱へ給ふのであつたが、また弟子等に對して懇に遺言教誡し給ふ等あり、その後、弟子に命して法華經と無量壽經を唱へしめ、之を聽て最後の聞思とし給ふのであつた。無量壽經を聽き竟て自ら讃して。

四十八願をもて淨土を莊嚴し給ふ。

華池寶樹、往き易きに人なし。

火車の相現ずるすら、

能く改悔する者は尙また往生す。

況や戒慧熏修、
行動力の故に實に唐損ならず、
梵音聲の相、實に人を誑さず。
と宣給ふた。　また弟子智朗の問に答へて、
吾が師友、觀音に侍從し、皆來つて我れを迎ふ。云云
とまた懇に致誠し訖て、結加趺坐して靜かに彌陀、般若、觀音の御名を唱へ、三昧に入る如くして遂に入滅し給ふたのであつた。　時に隋開皇十七年十一月二十四日、御年六十歲。　我が推古天皇五年に當る。
以上、天台大師の態度を綜合すると、大蘇山にて法華經の源底を得、而して臨終には彌陀の名號を唱へ、觀音の來迎によりて淨土に往生された。　最後の聞思にも、法華と無量壽との二經を唱へしめて之を聞き之を讃して法悅に充ちた境界を逍遙されたのであつた。

(四)

宗祖は比叡山——一宗を含む——學僧の法式を定めた中に、

止観業には四種三昧を修習せしむ云云。

と云ひ、また

深山(比叡山を指す)の四種三昧院に住せしむ云云。

と宣給ふた。而して其の四種三昧とは、天台大師が摩訶止観に於て説き給ふたそれであることは顕戒論に、

四種三昧院とは、圓觀を學する者の住する所の院なり。文殊般若に依て常坐一行三昧院を建立す云云具に止觀に說くが如し。

とあるを以て知るべきである。

要するに宗祖は、叡山にて兩業の弟子をして四種三昧を修練せしめ、自らも之を修練された。然して四種三昧は概して阿彌陀佛を背景とし、殊に常行三昧は全然阿彌陀佛を唱念するのであることは上にもチヨツト述べた通り。

また宗祖が歸朝の時、將來の經疏數多ある中、經文の現品――他は目錄――を献上したのは左の十卷であつた。

金字妙法蓮華經七卷

金字金剛般若經一卷
金字菩薩戒經　一卷
金字觀無量壽經一卷

此の中、般若經は、龍樹の大論を重んずる南岳、天台相沿つて深重の因緣がある。殊に天台の臨終に專ら彌陀、般若、觀音を唱へたのであつたことも考へねばならぬ。他の三部は微妙の因緣があるのではあるまいかと思はれる。惟ふに我が圓頓大戒は、法華を宗骨とし、梵網菩薩戒經を其の戒相とし、而して此の行持を凡て安養淨土へ回向するのが宗祖の行はれた所である。されば宗祖が用ゐられた授戒儀に、

願くは懺悔受戒發心所生の功德を法界の衆生に廻施し……。又此の功德を以て願くは諸の衆生と共に、等しく此身を捨て已らは、極樂界阿彌陀佛の前に生れ、正法を聽聞して無生忍を悟り、大神通を具して十方に遊歷し、自行化他一切の佛法速に圓滿することを得む云云。

とあるが如き、また長講法華願文の中に、長講法、華、の功德に依て淨、土、に、往、生、せむことを願ひて阿彌陀佛を唱へられたが如き、抑また宗祖手づから釋迦、彌陀、藥師の三

佛を刻みて三塔の本尊と爲し給ふたことなど思ふて知るべきである。

（五）

口に念佛を唱へ、意に彌陀を思ひ、身に行道禮讃或は瞑目合掌して彌陀佛の光明の中に鎔け込んで了ふ、この三業一致の念佛、卽ち四宗一致の行法なのである。觀經の像觀の文に、

諸佛如來法界身、一切衆生の心想の中に入る。この故に汝等心に佛を想ふ時、この心卽ちこれ三十二相八十隨形好なり。是の心、佛と作り、是の心これ佛なり。

とあるが、この文の意味を約めていふたなら「この心」とは各吾等が西方の彌陀佛を想ふ心であつて、其の心が彌陀佛を見出し奉り、而して其の心が直ちに是れ彌陀佛だ、といふのである。

要するに我が心が周遍法界の體であるのだから、十萬、百萬億土の末の極樂國土も我が心を離れず、彌陀、觀音、勢至、淸淨大海衆も我が心を離れたものでないと知つて、往生の願を起して念佛を唱ふるのが我が家の念佛なのである。

三諦だの三觀だのといふことが解らぬでも、とにかく自分の心といふものは自

分の身體の中に限つて居のでなく、ずつと法界に遍滿してゐるのだから彌陀は我が心の中の彌陀であると同時に、我れは彌陀の心の中の我れであると思ふて念佛すれば、おのづから三諦の理も明らかになる、卽ち自己本具の彌陀如來に救濟さるゝのである。

また往生といふても籠の鳥が脫け出して飛んで去つて了ふ樣なことではない。遠く隱居所へでも逃げ込んで了ふ樣にでも心得るならば幵は甚しい誤りで、全くの二乘根性といはねばならぬ。直前に引いた宗祖の授戒儀の文に、

……無生忍を悟り、大神通を具して十方に遊歷し……

とあるのを熟讀されたい。殊にまた宗祖は弘仁十三年に弟子等に遺言された中に、

我が同法等、四種三昧を修して懈怠せず、佛法を紹隆して以て國の恩に答へよ。但、我れ鄭重に此の間に託生して三學を習學し一乘を弘通せむ。心を同ぶする者は、道を守り道を修め相思て相待て。

と誡約された。實に森嚴にして慈悲の溢れてゐる聖語ではないか。吾等は宗祖

の此の最後聖訓を定木にして往生といふことを考へねばならぬのである。

（六）

若し念佛をのみ執して持戒、座禪等を排斥するが如きは、少くとも吾宗念佛行者の採るべき態度ではない、上にも述べた通り天台大師は、臨終に觀經を讀して、

……況や戒慧熏修、行道力の故に功唐損ならず。

と云はれ。また宗祖は極力圓頓戒を主張せられ、而して其の功德を安養に回向すべきことを敎へられてある、其の條理蓋し明了である。故人は、

凡そ世間の藝能には手前といふ事を本にするなり。また能をし舞をまふ人、煙草きざみ、籠かきまでも腰を据ゆるが本なり。然れば念佛の行者も手前を能くし腰を据ゆるを本とすべし。腰の据へやうは、佛道修行は、六道の中にては人間が最上なれば、人間の心になり、人間の心を失はぬが念佛申しの手前、腰の据へやうなり。ビカリとすれば能く見、ガタリといへば能く聞くは不思議に明かなる心なれども、此心は犬猫にも有り、牛にも馬にも持ちたる心なれば人の心とは云はれず。人の心とは仁義禮智の心なりその體が不生不滅なるものなり。孟子

に惻隱の心なきは人にあらず、羞惡の心なきは人にあらず、辭讓の心なきは人にあらず、是非の心なきは人にあらざるなり。儒家には四端といひ、佛家には不殺、不盜、不邪婬、不妄語の四戒の意なり。此心を推し立て推ひろめ、此念を失はずそだて守るが念佛申しの手前腰の据へやうなり。念佛さへ申さば心はきたなくても惡を作しても苦しからずと云樣なることはなきことなり云々。

と、また故人は、

極樂に往生するは、菩薩の行を具足して佛に成る爲なれば、此世にて聽教、習禪、布施、持戒、讀經、誦咒、禮拜、懺悔修されるだけの行は修すべし。今日所修の功德、淨土にて顯はるれば、速に菩薩の行を成就するなり。念佛を先務とするを執して餘行を廢するは、菩薩の行を顯はす邊を知らざるなり。餘行を貴んで念佛を斥ふは、往生の要なるを知らざるなり。返す〳〵も淨土に往生して菩薩の行を成就すべしと心を用ゐなば、平生の萬行、皆菩薩淨佛國土の妙因となるべし。

と云はれた。是等を能く玩味したなら天台宗としての特殊の妙味が漲つてゐると思ふ。斯くて最初に揭げた櫻木谷師の說を參照されたい。

以上は甚粗雜の記述で、猶ほ記すべきことも多々であらうが、全く豫定の紙數が一杯になつて了つたから、茲に筆を擱きます。

課外講義

我國青年團體の概要（上）

内務省囑託　今井兼寛

一　沿革

我國に於ける青年團は古き歷史を有し、隨分昔より存在せしものゝ如く、往古は之を尋ぬるに由なしと雖も藤原氏の末葉源平二氏の諸豪志を中央に得る能はさるや子孫、緣者、次第に地方に分散して各形勝の地を占め、嵎を負ふ虎の如く、威風あたりを拂ひ、只風雲の起るを待てり從て之に附隨する鄕士野武士の輩この周圍を繞り到る處に居宅を構へ、其の土地の若者を驅り集めて家の子、郎黨の如きものとなし何地の山村水廓にありても鎭守の森の祭りには、定紋打ちたる幕の裡より陣鐘陣太皷の音轟き渡り朝風に吹き靡く、其の紋所の旗の手に雲集せし勇ましき若

者の一群ありしことは、想像し得らるゝ處なり。鎌倉時代に於て既に氏神を中心として形作られたる集團の認むべきものあり。元弘建武の時代にありても其の形影の存せしものありしが如し、左れど正確にして詳細なる文献の徴すべきもの無きは洵に遺憾のこととなりとす。降て慶長元和より徳川幕府の時代に及び世の太平に赴くと共に漸次團體の形式を具ふるに至り、武士階級にありては、薩摩の健兒社の如き、勇氣横溢艱苦に耐へ缺乏に甘じ武を練り膽を養ひ節義を重ずることは山岳の如く夙に嶄然として異彩を放ちたるものあり。町人百姓の階級にありては部落毎に若衆組又は若連中等と稱へ殆んと神社を中心として之れに集り、氏神祭禮の行事には一廉の用を勤め神輿の奉舁は一手にて之れを仕り、年中行事中最も興味深き娯樂の隨一たりし盆踊には必す若連中の主催の下に行はれ、春の日永には宮の境内にて宮角力を取り秋の夜は又庄倉の前にて力持ちに月の傾くを忘れ、娯樂の間に身神の鍛錬をなし不文律の下に一種の堅き申合せ實行せられて傳統的の風儀相續せられ延ひて村落町内の風紀の取締より夜警消防等の仕事まで引受くるものもあり、大體に於て孰れも年齢を尙び長幼の序列を正し秩序の維持

に努め相當の制裁力を有して團體としての存在を認められ地方の一勢力として重視せらるゝもの尠からざるに至れり。

維新以降、時勢の激變に逢ひ百事改廢の間に立ちて次第に其の組織其の性質内容等に變化を來し明治二十四年の頃より誰か名くともなく青年會と稱するものあるに至れり。次で日淸戰役の起るに及び未曾有の國難なれば老若共に國を憂ふる精神旺盛を極め從て靑年團の組織も漸く改良の緒を得年を追ふて形體次第に整ひ戰後國民敎育の發達と共に靑年の體力の增進愛鄕心の涵養、學藝の奬勵等の忽にすへからざるを覺るもの其の數を增し特に三十七八年の戰役の起り擧國一致してこの大國難に處するや所在大小幾多の靑年團は期せずして活動を開始し或は出征軍人をして後顧の憂なからしむる爲め留守中の家業の手傳をなし或は戰病死者の遺家族を慰藉し或は夏の炎天に馬糧に充つべき秣草を苅り集め、或は雪夜毛布や慰問袋を集めて戰地に送り戰場の勞苦を憶ふて勤儉節約身を持し協同一致相賴り相扶けて恤兵報國の奉仕の實を現はしたること枚擧に遑あらす戰後國運の進步に伴ひ地方產業の改良を圖り、民風の作興を企て自治の振興を促

さむとするには悉く青年の修養を基礎とせざるへからさることに心附き、内務省主として之れか指導啓發の任にあたりしが時勢は益々補習教育の忽緒に付すへからさるを告くると共に文部省も亦之れに關與するに至り終に兩省の主管事務として大正四年九月十五日を以て、青年團は健全なる國民善良なる公民たるの素養を得せしむる修養機關たることを明示し、忠孝の本義を體し品性の向上を圖り。體力を增進し。實際生活に適切なる知能を研き。剛健、勤勉克く國家の進運を扶持する精神素質を養成するにあることを指示せり。

二 青年團體に對する訓令通牒

卽ち兩大臣の訓令の綱領左の如し。

第一次　青年團體訓令ノ綱領

- 設置――漸ク全國ニ洽ク
- 其ノ振否ハ{國運ノ伸暢 地方ノ開發}ニ影響スル所殊ニ大ナルモノアリ
- 此ノ際{指導ニ努メ 完全ナル發達ヲ遂ケ}シムルハ内外現時ノ情勢ニ照シ最モ喫緊ノ要務タルヘキヲ信ス

青年團體

- 青年修養機關——其ノ本旨トスル所ハ青年ヲシテ｛健全ナル國民／善良ナル公民｝タルノ素養ヲ得シムルニ在リ
- 團體員ヲシテ｛忠孝ノ本義ヲ體シ／品性ノ向上ヲ圖リ／體力ヲ增進シ／實際生活ニ適切ナル知能ヲ研キ／剛健／勤勉｝克ク
  - 國家ノ進運ヲ扶持スルノ｛精神／素質｝ヲ養成セシムルハ刻下最モ緊切ノ事ニ屬ス
- 其ノ之ヲシテ｛事業ニ當リ／實務ニ從ヒ｝以テ練習ヲ積マシムルモノ——亦固ヨリ修養ニ資セシムル所以ニ外ナラス
- 夫レ
- 若シ其ノ｛嚮フ所ヲ誤リ／施設其ノ宜シキヲ得サルコトアランカ｝——｛啻ニ所期ノ成績ヲ擧ケ得サルノミナラス／其ノ弊ノ及フ所測リ知ルヘカラサルモノアラム｝
- 地方當局者ハ須ク此ニ留意シ｛地方實際ノ情況ニ應シ／最モ適切ナル指導ヲ與ヘ｝——健全ナル發達ヲ遂ケシメムコトヲ期スヘシ

大正四年九月十五日

內務大臣　法學博士　一木喜德郎
文部大臣　法學博士　高田早苗

猶この訓令に加ふるに團體の組織設置區域其の他に關して標準を示し其の指導に便する爲め内務文部兩次官より通牒を發せり。

内務文部兩次官通牒

青年團體に關する通牒（其の一）

青年團體に關し今般内務文部兩大臣より訓令の次第も有之候處右團體の組織設置區域其の他に關しては大體左記標準に依り指導相成候樣致度尤も此の際强て遽に該標準に據らしめむとする儀には無之候に付其の邊に就ては十分御留意の上深く地方實際の情況に鑑み其の宜しきを制せしむる樣御指導相成度此段及通牒候也

大正四年九月十五日

青年團體の設置に關する標準

一 青年團體の組織

青年團體は市町村内に於ける義務敎育を了へたる若者は之と同年齡以上の者を以て組織し其の最高年齡は二十年を常例とすること

二　青年團體の置設區域

青年團體は市村町を區域として組織す但し土地の狀況に依り部落又は小學校通學區域等を區域として組織し若は支部を置くことを得ること

三　青年團體の指導者援助者

青年團體の指導者には小學校長又は市町村長其の他名望ある者の中に就き最も適當と認めたる者をして互に當らしめ市町村吏員、學校職員、警察官、在鄕軍人、神職、僧侶、其の他篤志者中適當と認むる者をして協力指導の任に當らしむること團體員にして團體員たるの年齡を過ぎたる者は團體の援助者として其の力を竭さしむること。

四　青年團體の維持

青年團體に要する經費は努めて團體員の勤勞に依る收入を以て之を支辨すること。

以上の如く訓令を以て青年團の本義を明にし通牒によりて組織上に關する標準を示したれば全國一時に之れに準じて其の組織は全國に洽く行き渡りたりと

雖も其の内容に至りては其の進歩遲々として振はざる憾ありしを以て大正七年五月に於て更に第二次の訓令をなして(一)補習教育の施設法(二)公共精神の涵養(三)讀書の選擇方(四)體力の增進法(五)自覺の修養(六)指導方法等に關し形體の正整と實質の鍛成方につき其の方途を指示すること親切叮嚀を極めたり。

第二次内務省文部省訓令　北海道府縣

青年團體は青年修養の機關たり曩に其の本旨の存する所を訓令し更に其の依遵すべき所を通牒せしめたり爾來時勢の進展は益之か振興の機運を促進し經營並指導亦漸く眞摯を加へたりと雖組織の井然たるものあるに比し内容往々にして之に伴はず其の多くは尙點睛を缺くの憾なしとせず。

今や世界戰亂の衝動は汎く精神上並經濟上の各方面を撼盪し殊に國民思想上の刺戟に至りては一層深甚なるものあらむとす顧ふに此の曠古の變局に處して嚮ふ所を誤らす更に戰後激甚ならむとする國際の競爭に應じて帝國の基礎を堅實にし毅然として其の重きを中外に爲さしむるもの國家活力の源泉たる青年の努力に待つ所多し之をして益國體の精華を尊重し心身を研磨して將來

更に規模の大を加ふべき實務の負擔に堪ふるの力を涵養せしむるは刻下最要の先務たり青年團體の指導を以て任と爲す者は宜しく立國の本義と世界の大勢とに徵して其の適順する所を闡明し能く青年の心理を諒解して理之を誨へ情之を掖け身を以て範を示し苟も其歸趨を誤らしめさらむことを期すべし若し夫れ經濟の變調に伴ひて華靡頽唐漸く其の風を成すが如きに至りては國家の健全なる進運を荼毒すること尠しとせす青年の敎養亦宜しく此に留意して其の操守を堅うせしめ益篤實剛健の氣風を興さしむるに務むべし。

今青年團體の現狀に顧み之が健全なる發達に資すべき當今の要項を左に條擧し以て地方の實況に照し參酌其の宜しきを制せしめむことを期す。

一　青年をして實地活用の智德を進めしむるは補習敎育に待つもの多し之が施設に勉め相率ゐて學に就かしめ以て其の普及と徹底とを圖らむことを要す。

一　公共の精神を養ひ公民たるの性格を陶冶するは青年の敎養に於て闕くべからざる要綱たり補習敎育の施設其の他適切なる方法を講じ以て其の目的

を達成せむことを要す。

一　方今圖書の刊行せらるゝもの多く互に伴ふて青年の讀書趣味を增進するもの尠しとせす能く其の選擇を愼み青年をして健全なる識見を廣くせしむることを要す。

一　青年の身體を鍛錬して其の體力を增進するは國家の活力を養ふの要素たり心身共に堅實なる素質を大成せしめ平時竝有事の秋に處し其の本分を盡すに於て遺憾なからしめんことを要す。

一　青年の修養は各自の自覺を以て本とす而も之が指導の任に當る者竝其の中心たる者の力に待つ所殊に大なるものあるを以て適切なる方法に依り之が善導と養成とに勉めむことを要す。

一　青年團體の指導方法に關し先進者の所見時に牴牾矛盾に涉り之が實行爲に阻碍を見ることなきにあらず能く其の間の連絡を圖り其の果を成し實を收むるに於て遺憾なからむことを要す。

方今内外の情勢を稽ふるに根抵あり活力ある青年團體は帝國の殊に要求して

已まさる所なり地方當局者は深く此に顧み今後一段の精采を加へて之が啓發策進に努力し各團體をして其の目標を齊くし其の歩調を一にし相互に督勵して能く其の形體實質共に一貫せる鍛成の美を濟さしむべし。

大正七年五月三日

内務大臣　法學博士　水野錬太郎

文部大臣　岡田良平

斯くて各地到る處の青年團體は一齊に順調の進歩を辿り團長としては町村長又は小學校長之に當り只管指導に力を致したれば其の成績年を逐ふて觀るべきものあるに至りしと雖も一面世界の大勢は須臾も偸安を許さず大戰終りを告げ平和茲に克復し　大詔煥發せられて國家正に重要の時期となり國民の奮勵を要するもの彌緊切なるものあるに至りて獨り青年團のみは舊の如く他人の力に頼りて漸く生存するが如き姑息の態度に安する能はず内容を充實して時勢に後れさる健全なる發達を遂けむには自主自立以て全能力を發揮し重大なる使命に堪ふるの用意なかるべからざるに至りたれば大正九年一月十六日を以て兩大臣は

右に關し訓令を發し團員の最高年齡を二十五歲まで延長することゝし自治的組織を勸め公民たるの訓練に一層の力を用ふべきことを示せり。

其の訓令竝通牒左の如し。

第三次内務省文部省訓令　北海道府縣

青年團體の實績近來漸く見るべきものあるは邦家の爲洵に喜ぶべき所なり然れども益々其の内容を整理し實質を改善して健全なる發達を遂げしむるには今後尙施設すべき事項尠しとせず特に自主自立以て大に其の力を展へしむるは團體の本旨に顧みて頗る緊要の事に屬す隨て其の組織は之を自治的ならしむるに努め團體の事を統ふる者は之を團體員の中より推擧せしむるを本則とすべく其の官公署學校との關係に至りては互に氣脈を通し連絡を圖り相提携して之が發達を助成せむことを要す今や平和克復して　大詔煥發せらる國家正に重要の時期なり此時に際して國民の奮勵努力を要する殊に切なるものあり青年團體は思を茲に致し益々堅實の俗を興し剛健の風を養ひ其の使命の重きに副はむことを期すべし各位能く此の趣旨を體し地方の實情に鑑みて策勵

宜しきを制し以て其の貫徹を期せむことを望む。

大正九年一月十六日

内務大臣　床次竹二郎
文部大臣　中橋德五郎

青年團體に關する通牒（其の二）

青年團體の件に關し今回内務文部兩大臣訓令の次第も有之候處右は現時の情勢益々著實剛健の風を作興するの要あるのみならず此の際自主自奮の風を奬めて自治的經營の下に其の力を展へしむるは特に最も緊切のことゝ被認候に付團體の首腦として直接其の衝に當る者は成るべく適材を團體員の裡に求めしむることゝし小學校長市町村長其の他官公の職司に在る者並地方鄕黨の間に重望を有する篤志者有力家等は今後は顧問等の地位に在りて專ら之が指導に竭くし若は外に在りて之が援助に勉むる等内外力を戮せて其健全なる發達を促進する樣致度尤も地方の事情に依り急激なる變更の爲却て團體に動搖を來すが如きことは勉めて之を避くるを要すべきに附其の邊に就ては團體の事

惰等に鑑み可然御措置相成度尚團體員最高年齢に附て從來二十歳を以て常例とせるも之を二十五歳に進むるは別に妨無之候に付地方實情に依り宜しきに從はしめ候樣致度

大正九年一月十六日

三　全國各府縣青年團體數並團員數

青年團體數並團員數調（大正十年四月調）

	團體數			團員數			備考
	大正八年一月調	大正九年十月調	増減	大正八年十二月調	大正九年十月調	増減	
北海道	一、三三二	一、三五七	○二五	八六、六四七	八七、五八七	○九四〇	
東京	一七〇	一七九	○九	四七、一四八	八五、三〇四	○三八、一五六	
京都	四〇五	四一三	○八	六〇、五六六	三五、七三九	△二四、八二七	
大阪	五七〇	五八八	○一八	一一二、五五五	一四〇、〇二〇	○二七、四六五	
神奈川	二三九	二二六	△一三	六一、五一八	五五、〇六六	△六、四五二	
兵庫	一、一一四	五七四	△五四〇	一一七、〇六八	一〇八、二七〇	△八、七九八	× ＋
長崎	五六〇	三八二	△一七八	五四、二一三	三一、一七三	△二三、〇四〇	×

新潟	埼玉	群馬	千葉	茨城	栃木	奈良	三重	愛知	靜岡	山梨	滋賀	岐阜	長野
八四六	二八五	二一三	三八六	三八一	二二〇	一四三	二五二	三六三	三八	二三三	二六三	三七	一〇二
七〇六	二五七	二一三	三六〇	三一六	二二一	一八八	三四五	二六〇	三一五	二三一	二〇五	三六五	一一〇
△	△		△	○	△	○	○	△	△	○	○	△	△
一四二	四	一	三五	一	三	三五	四	三三	五	八	二	二	一三
三、九六八	七一、二六三	五六、三九五	七九、九六五	七一、二三五	四六、三〇〇	三五、六九三	六四、一六五	七四、九〇三	八八、三三〇	三七、六〇九	三四、七〇八	四七、一四	一三六、一三〇
一八七、六六二	七六、九五一	三七、三三六	六三、二一三	三七、八八一	四五、七四三	三一、四六八	六三、六〇〇	七三、三七七	七五、七六	三一、五九七	三四、七九六	四六、三六四	一〇八、六三〇
○	○	△	△	△	△	○	△	△	△	△	○	△	△
一八三、五九三	五、三八九	一九、〇六九	一七、七三	一三、三八五	三三八	七六六	二六	一、三九六	三、七四一	三、〇一三	八〇	八五五	一六、三三一
× +		+	+	+					+				+

宮城	二三二	二三七	○	五	三六、四七三	三五、九三九	△	五三三	
福島	四六九	四六六	△	三	七七、〇三四	五八、〇九八	△	一八、九三六	＋
岩手	三〇四	二八九	△	一五	五四、〇四一	四九、九〇七	△	四、一三四	
青森	二三四	一八六	△	四八	五四、一六七	三九、五五四	△	一四、六一三	＋
山形	二三〇	二三〇		—	五七、七九九	五七、六八一	△	一一八	
秋田	三三三	三一〇	△	二三	六〇、四二八	四四、一一八	△	一六、三一〇	＋
福井	一八八	一八八		—	三〇、七六一	二五、九七六	△	四、七八五	
石川	二四一	二三一	△	一〇	三八、五九一	二九、六八七	△	八、九〇四	
富山	三四四	三一五	△	二九	五四、二〇三	五〇、六一一	△	三、五九二	
鳥取	一八八	一八七	△	一	二四、三五三	二〇、七六五	△	三、五九二	
島根	二八八	二九〇	○	二	三八、七五六	三九、三四四	○	五八八	
岡山	五九二	五四三	△	四	九四、五九三	七一、七七〇	△	二二、八二三	＋
廣島	四六四	四六三	△	一	七五、〇四九	六九、七六七	△	五、二八二	
山口	二三八	二二八	△	一〇	三七、一七八	三二、四六一	△	四、七一七	

和歌山	二四三	二三九	△ [illegible]	二七、九〇八	三〇、八二五	○ 二、九一七	
徳島	一四三	一四六	○ [illegible]	三六、八六五	二九、六三八	△ 七、二二七	
香川	一八〇	一九三	○ [illegible]	三六、五四八	二八、八四〇	△ 七、七〇八	
愛媛	三一二	三一六	○ [illegible]	五六、七一四	五九、三六四	○ 二、六五〇	
高知	二〇六	二〇六	[illegible]	三三、九七八	三一、五七七	△ 二、四〇一	
福岡	九九七	四四九	△ 五四八	八一、二〇八	八四、五〇八	○ 三、三〇〇	×
大分	三三六	三四九	○ [illegible]	八一、四〇八	五四、九三七	△ 二六、四七一	＋
佐賀	一三八	一四八	○ [illegible]	二七、九二八	二七、五〇四	△ 四二五	
熊本	三六八	三八二	○ [illegible]	八二、一〇〇	五八、六七〇	△ 二三、四三〇	＋
宮崎	一三六	二一四	○ [illegible]	三一、九三三	三〇、〇四三	△ 一、八八九	
鹿兒島	六三六	六一四	○ [illegible]	九〇、七〇[illegible]	八九、七三[illegible]	△ 一、四三三	
沖繩	二六四	※ 六四七	―	五九、五一八	※ 五九、五一八	―	
合計	一八、一五六	一六、六九四	○ 二、七[illegible]〇 △ 三三[illegible]	二、七四六、四三二	二、六九六、〇五五	○ 二七五、八五一 △ 三二六、二二七	
備考	○ハ増、△ハ減ヲ示ス ×ハ團體數ニ著シキ相違、十ハ團員數ニ著シキ相違アリ要照會府縣 ※ハ九年度報告未着ニ付前年度ノ數ヲ見込メリ		△ 一、四六二			△ 五〇、三七六	

附記本表ハ大正九年十月一日現在ノ府縣回答ニ依リ作製セルモノナリ

教化資料

○師たるの道

細井平洲いふ「總て人を教育するの方は、菊好きの菊を作る如くするは宜しからず、百姓の菜大根を作る如くすべし、菊好きの菊を作るは花形見事に揃ひ、花ばかりを開かせたく思ふ故、枝をもぎり取り、數多の蕾を摘み棄て、伸る勢ひを縮め、我が好む通りに開かざる花は、花壇の中に一本も立たせぬものなり、百姓の菜大根を作るは一本一株も大切にいたし、一畠の中には上出來もあり、へぼもあり、大小揃はず、それぞれに育て、よきもあしきも食用に立るなり、人才は一樣になきものにて一概に我が持方の通りにのみ導く片氣にて教育すれば、教を受くる人堪へ兼ぬるものなり、才不才相應に教育し、畢竟善人にさへなれば用に立つものなり」と。師道の要諦殆ど之に盡く、先輩の後進を遇する此の如くにして驥足を伸ばさしむべきか。（浮世百[illegible]觀）

○動物の壽命

人の壽命を百年とすると、各種動物の壽命は次の樣な比較となる。

動物	壽命	動物	壽命
象	百五十歳	鷹	百二十歳
龜	百二十歳	鷲	九十歳
鸚鵡	八十歳	梟	六十五歳
[illegible]	六十歳	鳩	四十五歳
馬	四十五歳	熊	四十歳
[illegible]	四十歳	杜鵑	四十歳
獅子	二十五歳	虎	二十五歳
牛	二十五歳	羊	十二歳
山羊	十二歳	犬	十二歳
狐	十歳	猫	十歳
鼠	五歳		

○生兒男女の割合

戰爭に依り初生兒男女の何れが分娩せらるゝ事

多きや、俗間戰後には男子の生れる事多きを述べ、是れ自然の調節に依るものであると言つてゐる、今之等に關する報告を集めて見るに、平時にあつては女子出產數一〇〇に對して男子一〇六の比である。然してルーグ氏は伯林大學にあつて、女子一〇〇に對して男子の分娩せらるゝ事一一六であつて、戰時男子の出生數女子のそれに比して增加せる事を證してゐる。ジーグル氏は更に其比を一〇〇對一二二若しくは一一七なるを發見したと言つてゐる。

○人の生存する割合

齡七十古來稀なりと云はれて居るが、試に七十歲に達する迄の死亡を年齡別に見るのに、一千人の初生兒が三百六十五日を經過して滿一歲に達する迄に男は百六十一人、女は百四十五人死亡して居るから、最初の一年間に約六分の一の兒童が失はれる、次に六歲の學齡期に達する迄の死亡は一千人中男は二百三十六人、女は二百二十二人で、次に十四歲の學齡を終つて靑春始期迄の死亡は、一千人中男は二百六十四人、女は二百五十六人であるが、卽ち此の年齡期迄に旣に四分の一を失ふ、そして是より以上の年齡者に就て見れば

	男千人中死亡	女千人中死亡
二十歲迄	二百八十六人	二百八十七人
三十歲迄	三百四十五人	三百五十八人
四十歲迄	三百九十六人	四百二十人
五十歲迄	四百六十二人	四百八十人
六十歲迄	五百六十五人	五百五十九人
七十歲迄	七百二十二人	六百九十六人
八十歲迄	八百九十五人	八百五十九人

八十歲以上に達する男は百五人、女は百四十一人である。又男女各一千人中男は五十三歲、女は五十一歲で五百人卽ち半數が落伍し、半數だけが現存して行く譯である。

○一夜も生涯

人の世にあること舟に乘り合ひて泊りし折を思ひ出づれば、いかほど不自由なりとも、忍ぶに堪えざることなかるべし。たとひ疊一枚の家に住むとも、乘合舟には優るべし。夜泊のせつなき膝を折りて足を縮め人の足を枕として押し合ひ、睡らんとすればゆり起され、少しまどろむと思へば、鼾に目ざめて起き伏しともに心に任せざるは、たとひ一夜といへども生涯も猶ほひとしかるべし。（柳里恭）

○生兒の齒と親の飮酒

酒を用ゐる親と酒を用ゐない親との間には、兒の齒の發育に差がある、生後八ヶ月目に齒の生へた兒の調べをしたのを見るに、絶對禁酒の親の兒は百人につき七十二人、ビール一杯飮む親の子は、百人につき六十六人、それ以上飮む親の子は百人につき五十七人の割合である。そして八ヶ月目に生へた齒の數は右の順序に二本五、二本一、一本五であつて、飮酒者の兒は酒を飮まない人の子より發育が遲い事が明かだ。

○米の浪費

一日に米を五十粒宛溝へ流すと、日本全國で三萬九千百七石四斗八升七合で、之を時價に換算すると實に十七萬三千二百廿四圓六十一錢に相當するが、此の零された米はペストの傳播者たる鼠を肥やすこと何億か知れない。

○質素の道歌

安くとも無駄な物をばもとむなよいつゝ買はるゝ金の世の中

飯と汁木綿着物ぞ身を助くその餘はわれをせむるなりけり

着るものは人にかわるは無用なりたゞ世の常の裝束をせよ

身をつとめ分をおの〳〵讓りなば本かたまりて國

の安さよ（尊徳翁）

上見んと兎角おもふな大黒もうへ見ぬ頭巾かぶる世の中

上かうへ限りもあらじわれよりも下のしたなる人を見るべく（伊藤仁齋）

入る足と出る足とをふみ合せ身のほと／＼に世を渡るべし

○學問す可らざる事

人を欺くために學問す可らざる事
人と爭ふために學問す可らざる事
人を譏るために學問す可らざる事
名を賣るために學問す可らざる事
利を貪るために學問す可らざる事
（足代弘訓の自警）

○一年中の雨量

我國一年中の雨量で、一番多量なのは長崎の一九〇三粍、次ぎが東京の一五六一粍、大阪の一三七〇粍、長野の一〇一八粍、札幌の一〇一五粍といふ順序である。

○メーナンドロスと那先比丘との問答

希臘のメーナンドロス印度にありて那先比丘に問ふた。

「佛教では小罪を犯しても地獄に墮つると云ふが果して然るか」

「小石も水に沈むではないか」

と那先は答へた。メーナンドロス又問ふた。

「百年の大罪を犯しても念佛によつて極樂に行けると云ふが信か」と問ふた。

「百乘の大石も舟に載せなば浮むではないか」

と答へた。（佛教の趣味と智識）

○佛教の三大節

二月十五日は釋尊涅槃會、四月八日は釋尊降誕會、近頃花祭を行ふ、十二月八日は釋尊成道の日なりと云ふ、徹夜修道する者もある。

○怠惰の格言

怠惰は猶銹の刀に於けるが如く其人を腐敗せしむる事甚し（フランクリン）

懶惰の諸敵中最も恐るべきは缺乏なり（ジョンソン）

一たび奢侈に耽れば永久人を汚す（バイロン）

一日の快樂は一年の苦痛となる（希臘俚諺）

快樂飛來れり明日は我を咬むべし（英國俚諺）

晝眠る者は夜飢ゆべし（デツロイト、フリーブレツス）

○東京市民の使用水量

東京市水道使用量の統計によると、昨大正九年度中の給水總量は四億五千七百八十二萬六千八百七十一石で、最小量が一月三日の七十八萬三千三百卅六石で最多量が七月十五日の百六十六萬七千二百五十六石である。平均百卅五萬二千六百卅石に相當し、月から云ふと二月が最小量で漸次增加し、七月が最高度に達し、又漸次減少する。

○棄兒原因の惡化

內務省社會局最近の調査によれば、全國棄兒の總數は百六十四名（男八十餘女七十餘）にて、尙日露戰役後十六年間の數字は左の如しといふ。

年	數	年	數
明治卅八年	二八一	大正二年	二七四
同　卅九年	三五四	同　三年	二四四
同　四十年	二九一	同　四年	一八八
同四十一年	三〇八	同　五年	三〇三
同四十二年	二二九	同　六年	二八七
同四十三年	二六三	同　七年	一六一
同四十四年	二四〇	同　八年	二二八
大正元年	二二五		

大體に於て生活問題の難易に比例し、一般的に

漸次遞減しつゝあるが、其の原因に至つては、前には窮乏の極止むなく愛兒を棄つる者最多かりしも、近來は寧ろ不自然なる性慾生活の一面を暴露して居るといふ。

○寺院の拜領した石高

文治年間に於ける重なる寺院の拜領した石高は次の如くであつた。

○金剛峰寺　二萬一千七百石を領した
嵯峨天皇の勅を奉じて弘法大師之を建立し、二萬一千七百の精舍を有した。

○興福寺　一萬五千四百二十九石を領した
藤原不比等之を建立した。

○延曆寺　五千石を領した
桓武天皇の勅願所にして、傳教大師之を創始した。

○三井寺　四千八百石を領した
大石皇子の建立に係る。

○東大寺　二千二百十一石を領した
聖武天皇の建立に係る。

○東福寺　一千七百十四石を領した
九條道家之を建立した。

○天王寺　一千一百七十七石を領した
推古天皇の勅を奉じて、聖德太子之を建立した。

○大覺寺　一千〇十六石を領した
嵯峨天皇の故宮を一寺とせられしもの。

○仁和寺　一千〇五石を領した
光格天皇の建立せしもの。

○法隆寺　一千石を領した
推古天皇の勅を奉じて聖德太子の建立せるもの。

地方資料

編者との協議の上、収録しないことになりました。
(不二出版)

質疑

社會の分類に關する質義

京城 不學生

赤神文學士の「社會問題と思想問題」第一章第四節中の社會學を分類して、純理社會學、應用社會學、社會誌學、實際社會學の四を示され居り、

就中純理、應用の分類は一目瞭然の感あるも

一、純理社會學の理法理論の研究なるものは之を何より割り出すものにや。

一、應用社會學が實際の社會生活に對して理法の應用を攻究するものならば。

1 對象たる社會の實狀實勢卽見在相を究めずして應用を論ずるは應用の名に悖るべく、

2 見在相を明にして實施實現の方策を論究する所に應用社會學なるものの使命を有するものには無之か。

さすれば、社會誌學乃至實際社會學なるものは、共に實用社會學なるものの一部門と見るを至當と感ぜらる、果して如何にや、その敢て純理社會學及應用社會學と對立並立せられたる所以が何れに存すべきか、冀くば特に再示せられんことを。

解答

一、は多分「純理社會學に於いては如何なる基礎資料(Stoff)より理法を求むるか、」の意味であるか、さもなければ「純理社會學に於いて求められる理法は如何なる研究法(Methodology)に由るものなりや」の意味であらう。甲の意味であるとすれば簡單に社會現象よりと答ふるか、或は一々社會現象の種類を擧げて純理社會學を詳細に説明せねばならぬ。これは此種の質問として、紙面の許す所でない、のみならず「社會學」と銘を打つた著書を一讀すれば瞭然たる事であるから玆に長々し

く書いて紙面を塞ぐ必要もなからう。

乙の意味であるとすれば簡單ながら、社會學の研究法を述べなければならぬ。研究法には合理法と經驗法があり、合理法には直覺法と推理法とがある。然しこの理法の科學的考究に最も有力なるものは經驗法であり、經驗法には統計法と記述法とがある。更に記述法には視察法(觀察法及旅行視察法)史觀法及比較法がある。この諸法によつて合理的及經驗的事實を蒐集して分折し、綜合し、歸納し、演繹して社會現象に現はれる一定の理法を求めるのである。

二、は著者が表示したのは、例へば消化器官系を表に分けて胃、十二指腸、小腸、大腸、盲腸、直腸、肛門としても胃と肛門、或は小腸と盲腸がその價値の上に於いて必ず對立並立を意味しないと同じである。又應用を論ずるには見在相を明にする必要があるから社會誌學は應用社會學の一部門であるとすれば、應用を論ずるには理論を明にする必要があるから、純理社會學は應用社會學の一部門でなければならず、應用を論ずるには人の心理を明にする必要があるから心理學も亦應用社會學の一部門とせねばならぬ。斯く論ずる時は社會に多少の關係を有する學は總て應用社會學の一部門とならねばならぬ。質問者も「見在相を究めずして應用を論ずるは應用の名に悖る」と云ふ、その見在相を究むるのが社會誌學(Sociography)である。例へば豆腐屋が豆で豆腐を作るからとて、豆腐屋は必ず豆をも生產せねばならぬと云ふことなく、藥の製造には病理學を知らねばならぬからとて病理學は藥學の一部門であると云へないと同理である。

實際社會學は先輩學者がこれをPractical Sociology と云ふて、應用社會學(Applied Sociology)と區別し、學の名を附してゐるのであるが、或る意味では寧ろ學でなく、技術であると著者は考へてゐる。卽ち社會事業がその主要部門を占めてゐて、

これを應用社會學の一部門としやうと云ふのは外科の切つたり、縫つたりする方法や手段までも病理學に入れ、丸藥にしたり、散藥にしたり、瓶につめたり、袋を張つたりするまでを藥物學に入れなければならぬと云ふ論であつて、著者は斯論を採ることは出來ぬ。（以上擔任講師）

雜　錄

□課外講義　內務省託社今井兼寛氏の「我國青年團體の概要」は全編を

一　沿　革
二　青年團體に對する訓令通牒
三　全國各府縣青年團體數並團員數
四　青年團の事業梗概
五　明治神宮造營工事青年團體の奉仕
六　皇太子殿下令旨下賜
七　全國青年團明治神宮代參者大會概況
八　日本青年館建設事業

に分ち其一より三迄は本卷收錄の如くなるが其四以下は次卷に掲載する。

□質疑要項　講習上の質問は、用紙半紙又は罫紙、原稿用紙の何れかを用ゐ、質問の要點を成るべく簡明にし、明瞭なる書體にて記し、用紙の見易き個所に、質問者の住所氏名を必ず附記し、質問券及返信料郵券を同封の上左記編輯所宛送付せらるゝこと

東京市神田區三崎町三丁目一番地新三崎橋通
新修養社編輯所（電話九段一四三番）

□講習申込　は必ず奥附記載の發行所宛にし、編輯所と混同せざること。

□會費切　本講習錄は前金切の場合斷じて送本せざるにより本卷を以て前納會費切の講習員諸氏は此際至急引續第四卷以下の會費を納付されて講習の目的を達せられんことを希望す。

□中途脫退　本講習加入者にして中途脫退せらるゝは夫々事由の存することとなる可しとは云へ講習錄は申す迄もなく單行本或は雜誌等とは異り、一

冊二冊だけにては殆ど何等の研究にも修養にもならざるは勿論、失ふのみにて得る處無きものなれば、一度加入の士は講習中道にして初志を挫折することなく、萬難を排しても講習を完了せられ、新智識を涵養して夫々社會の各方面に活用せらるゝ樣一段の奮勵を以て繼續講習せらるゝを切にお勸めする。

□遲刊謝告　第一卷に於て以後は發行定日を誤らざる樣豫告して置いたが講師の、多數と、直接講師の執筆を煩はすとに於て遲刊の餘儀なきものあるも漸次定日發行を誤らざる樣心懸け居る故多少の遲刊は或はあらんも決して發刊せざる等の事は斷じてなければ乞ふ安心して之を諒せられよ。

□第二卷正誤　本講習錄前卷(第二卷)講義中左の通り正誤す。

『經濟學說と實際問題』正誤

頁	行	誤	正
3頁	2行	研究されたろ綴り	研究された綴り
6頁	6行	心理學哲學等	心理學等
7頁	3行	庭を造る	庭園を造る

13頁　財の表中括弧の範圍を左の如く訂正

經濟財
- 不自由財
  - 有形財
    - 享樂財
    - 生産財
  - 無形財
    - 自然力(電氣、牛馬の勞力等)
    - 權利財
    - 人の勞力

頁	行	誤	正
16頁	10行	幾多の經濟行爲と	幾多の經濟行爲者と

『社會問題と思想問題』正誤

頁	行	誤	正
18頁	2行	知らずして	知らず
18頁	2行	取締らず	取締らざるのみならず
20頁	1行	最大要求	最大條件
21頁	9行	食が糧	食糧が
22頁	6行	Yuture	Nature
25頁	3行	亦亦	亦
31頁	6行	制度の	制度を

『我國の政治と佛敎』正語

頁	行	誤	正
25頁	10行	加藤誠實	佐藤誠實

敎化講習錄概要

□課目並に講師□

課目	講師
歐洲近代文藝思潮	文學博士 金子馬治先生
大戰後の世界現勢	ドクトル、オフ フイロソフイー 長瀨鳳輔先生
社會問題と思想問題	文學士 赤神良讓先生
社會敎育	文部省社會敎育課長 乘杉嘉壽先生
思想の變遷と流行語の研究	文學博士 藤岡勝二先生
兒童心理の應用	東洋大學敎授 高島平三郎先生
經濟學說と實際問題	慶應義塾敎授 清水静文先生
實用論理	東洋大學學長 境野黄洋先生
佛敎文化の特徵	文學博士 椎尾辨匡先生
我國の政治と佛敎	文學博士 村上專精先生
現代思想と佛敎	ドクトル、オフ フイロソフイー 渡邊海旭先生
思想の表現と聽衆の心理	加藤咄堂先生
社會事業概說	內務事務官 齋藤樹先生
自治民政と佛敎	帝室博物館 加藤咄堂先生
我國の文化と神道	祭祀神祇部主任 津田敬武先生
佛敎各宗の安心	各宗諸大家

其他隨時課外講義として最近科學の進步幷に敎化に適切なる講演を揭げ且つ每卷敎化資料を添ゆ

□會員特典

特典　會費三ヶ月分以上前納者に對しては質問券を送附し、講義科目に就き隨時質問の便を得せしむ

□期間並に紙數

每月一回(一日發行)、紙數二百頁內外、各科講義に長短ありと雖、全部十二冊を以て完結す

□本講習錄の五大特色

一、專門知識を通俗化し平易なる說述を以て民衆敎化に好資料を提供するは本講習錄の特色なり。
一、敎化傳道に從事する宗敎家諸君に斷えず新なる敎材話材を供給するは本講習錄の特色なり。
一、社會を敎化し民衆を指導する人々に常に思潮の推移を知らしむるは本講習錄の特色なり。
一、各方面に於ける現代大家の執筆を請ひ讀者をして親しく其敎を受くるの感あらしむるは本講習錄の特色なり。
一、質疑應答の欄を置き讀者をして其難解の個所に對して隨意に質問せしむるも亦本講習錄の特色なり。

本講習錄購讀上の注意

△會費御送付の節は「新規」若くは「繼續」と御記入ありたし

△會員住所氏名は間違を生じ易きが故に最も明瞭に記載されたし

會費	
一ヶ月分	金壹圓
三ヶ月分	金貳圓九十錢
六ヶ月分	金五圓五拾錢
一ヶ年分	金拾圓五拾錢

△會費は前金のこと、送金は振替にて新修養社へ御拂込を乞ふ、集金郵便を差出す時は手數料金拾錢を加ふ

△中途加入者にも第一卷より送付す

大正十年七月廿八日印刷
大正十年八月一日發行

東京府豊多摩郡代々幡村代々木百八番地
編輯兼發行人　加藤熊一郎

東京市神田區三崎町三丁目一番地
印刷人　百目木智璉

東京市神田區三崎町三丁目一番地
印刷所　株式會社共榮舍

東京市麻布區飯倉町五丁目四拾四番地
發行所　新修養社
電話芝一二七四番
振替東京八二六四番

この部分は、原本の状態により収録できませんでした。（不二出版）

主筆加藤

毎月一回

新修養

一日發行

○郵送料共一冊金卅一錢六冊金一圓八十錢十二冊三圓六十錢○

心頭涼味（八月一日）號　一讀腋下涼風生ず

溷濁せる一世の風潮に卓立し、高く宇宙の大道を提唱して時代の趨勢を示し、深く人心の機微を察して、國民精神の根抵を培ひ、進んで世界の文化開展に資する我國家存立の意義と責任とを悟了せしめんとする、是れ本誌の使命也。創刊茲に十二年其の主張を渝えざる一日の如し。頃者一愛讀生書を寄せて曰く

「新修養」の特長は教權に囚はれざる自由主義に在り。萬般の思想を包擁して獨斷孤執の弊なきに在り、常に清新の泉を藏して萬事に根本的解決を與へ、實理と通俗とに偏倚せざるにあり。

と、以て本誌の世評を知るに足らん。乞ふ大方の諸賢先づ本誌を机上にせよ。

發行所　東京市麻布區飯倉町五ノ四四　新修養社　振替東京八二六四番　電話芝一二七四番

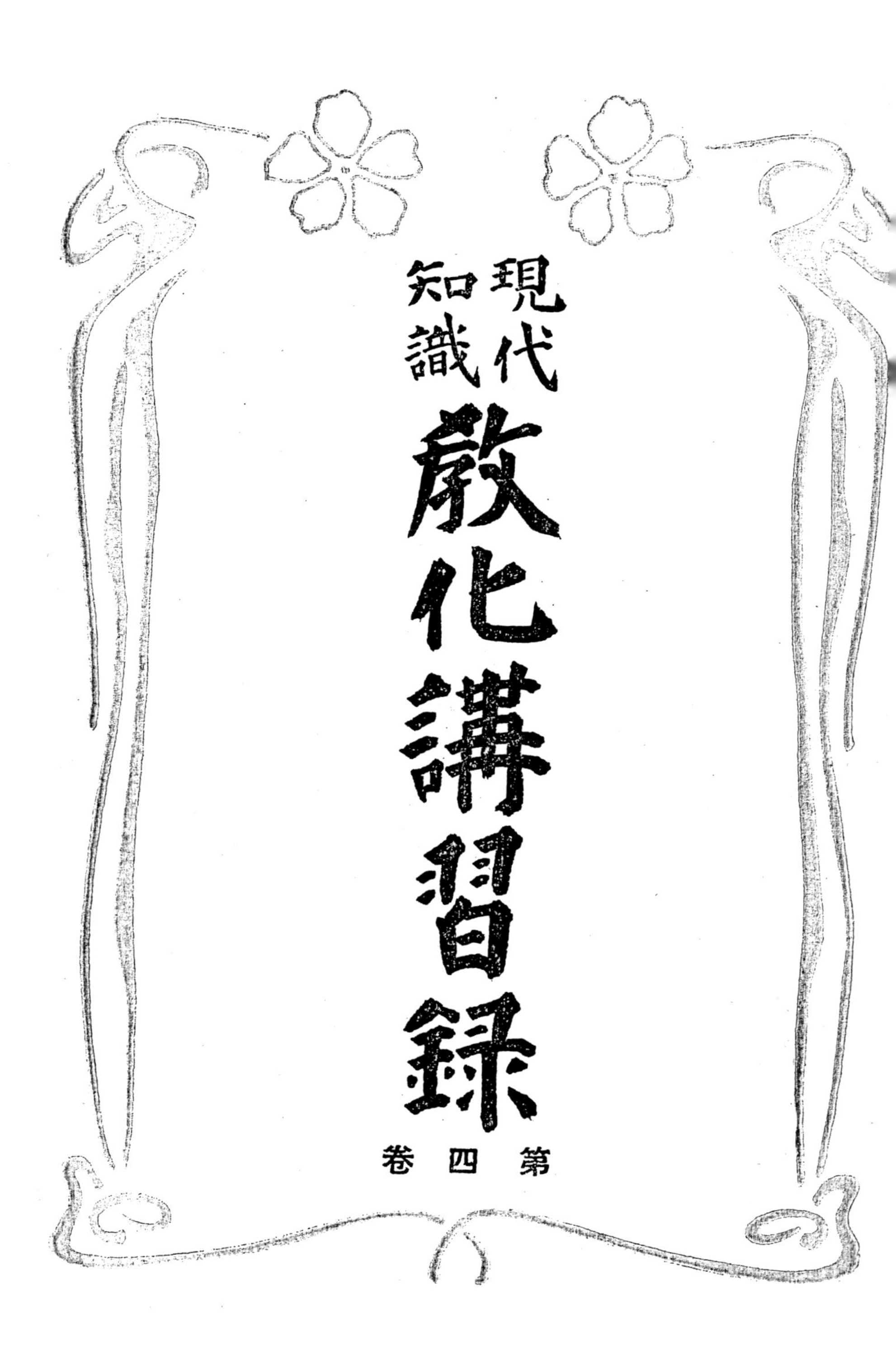

現代知識

敎化講習錄

第四卷

現代智識 教化講習錄（第四卷目次）

我國の政治と佛教……（四九―六〇）……文學博士　村上専精
社會事業概説……（三三―四八）……内務事務官　齋藤　樹
歐洲近代文藝思潮……（四九―五二）……文學博士　金子馬治
社會教育……（四九―六四）……文部省社會教育課長文學士　乘杉嘉壽
大戰後の世界現勢……（六五―六八）……ドクトル・オブフイロソフイー　長瀨鳳輔
經濟學說と實際問題……（三三―四八）……慶應義塾大學教授　淸水靜文
社會問題と思想問題……（四九―五二）……帝國大學助手文學士　赤神良讓
自治民政と佛教……（三三―四八）……加藤咄堂
思想の變遷と流行語の研究……（一七―二〇）……文學博士　藤岡勝二
日本の文化と神道……（四九―六四）……帝室博物館祭祀神祇部主任　津田敬武
思想の表現と聽衆の心理……（三三―四八）……加藤咄堂
淨土宗の安心……（一―四二）……宗教大學學長　望月信亨

教化資料……（一―一二）……地方資料（一二―一八）……雜錄……（一八）

なつた人は夢窓國師であつて、山城の天龍寺といふ非常に大きな寺を尊氏が造つて居るが、あれは後醍醐天皇の崩御について、追弔の爲めに造つたのであるが、それが取りも直さず夢窓國師を開山として、夢窓國師の爲めに造つたといふても宜しい。それから足利義滿は妙葩和尙に大變歸依して、京都に相國寺を造つた。又此の時代に妙心寺の開山關山和尙といふ人があつたが、此の人はさういふ政治の方の相談などは餘りせられなかつたやうであるが、夢窓國師、妙葩和尙は確かに足利氏の顧問となつた。要するに北條九代、足利十三代の政治顧問役となつて居つた者は、佛教各宗の中で臨濟宗である、此の北條幷に足利時代に於ける臨濟宗は丁度平安朝の始めに於ける天台又は寺門見たやうな態度であつた。或は政治佛教、民間佛教と言ふ事が出來るならば、臨濟宗は政治佛教とでも云ふべきものである。それだからその時代に臨濟は最も榮えて、京の五山、鎌倉の五山、京の十刹、鎌倉の十刹といふやうな大伽藍を控へて、非常な勢力を有つて居つた。同じ禪宗でもその時分に曹洞宗といふ方は、越前の邊鄙な所に本山を有つて、徐々として榮えんとして子弟敎育には骨折つたけれども、天下の勢力は迚も臨濟宗に疋敵すべくもなか

つた。であるから丁度鎌倉幕府時代にも民間の布教に熱心な淨土宗、幷に日蓮宗又民間で僧侶養成に苦心して居る曹洞宗もあつたが、同時に政治と密着して勢力を張つて居る臨濟宗もあつた。その他依然として平安朝の舊弊を有つて跋扈して居る叡山のやうなものもあつた。色々あつたがやはり時の幕府は佛教と離るべからざる關係があつたやうに見える。

第六期　德川時代

それが濟んで今度は德川時代となるのであるが、その間に戰國時代、卽ち織田信長豊臣秀吉の時代といふものがある。信長は一向に佛教は用ひなかつたので、信長に近いた坊さんは殆ど無い、寧ろ基督敎のバテレンといふやうな者と近づいて南蠻寺といふものを造つたりして居る。さうして叡山を最も慘酷な目に遭はせ本願寺とは十一箇年も戰ひを交へた、もう少し信長が生きて居つたならば、高野山もやつけて終ふ所であつた、もつと〳〵烈しい佛教破壞をやつたやうであらうけれども、圖らずも明智光秀の爲めに弑逆された。佛教家からいふとこれは佛罰が

當つたといふさういふ譯でもあるまいけれども、兎に角あれ程の英雄が親子諸共に、自分の幕下の爲めに弑せられたといふ最後は、實に憫れなものであつた。それを眼前に見た秀吉は、總て信長の態度を倣つたけれども、佛敎に對する態度だけはスッカリ變へてしまつた、それは秀吉の怜悧な所であつた。天下の經營は總て信長の理想計畫通りやつたけれども、佛敎に對する態度だけはその反對に出て、信長の潰した叡山も秀吉が再興した、信長が十一年間干戈を交へて根絶しやうとした本願寺も、秀吉が京都堀河の地を與へて今の西本願寺となつた。總て秀吉は萬事信長の相續人であつた、大概の事は信長の意志を繼いで居る、獨り佛敎に對する事のみ相續人でない相反して居る。信長を以て破壞者とすれば、秀吉は其の建設者であると言つてよい。

その後に出た所の德川家康は、祖先傳來淨土宗の人である、三河が元來さうである。それから岡崎の側の大樹寺といふ一向宗の寺は、家康が岡崎に居る時分から菩提所である。それが小田原の合戰で、關八州を支配して江戸城を開くやうになつたから、自分の家卽ち德川家累代の宗旨であるといふところよりして先づ芝に

増上寺を再興し貝塚の觀智和尚(存應)を住職とした。増上寺を以て德川家の菩提所として、大々的に之を取り立てた、卽ち六町四方の地を一の増上寺の敷地として大いに之を經營した、その時分では今の増上寺の敷地は東京一の景色の佳い所であつたさうである、海が近くて増上寺の側まで波が打つて居つたといふことである、江戸中の土地を選擇した所が、あそこが一番風景が佳いといふので、あの地に増上寺を造つた。所が此所に天台宗の南光坊天海といふ英傑が出て來て、抑々關ヶ原の合戰頃から天海は家康と親懇を結ぶやうになり、家康は素と念佛主義であつたが、最後には寧ろ天海の天台宗の方にその精神が傾いて居つた。其處で遂に上野の寛永寺といふものを造るに至つて、德川家は増上寺と寛永寺、淨土宗と天台宗と兩持になつてしまつた。あれは増上寺の住職が油斷つて居つたので、こつちは大丈夫だと思うて居つた所が、知らぬ間に家康を横取りされた象である。それは色々入り組んだ事情もあらうけれども、宗旨は宗旨として、家康は政治家としては宗教には關係せぬといふ公平な態度であつた、家康は家の宗旨は淨土宗であるけれども、天下の宗旨としては淨土宗にも何宗にも偏よらぬ。其處だけは信長は豪

傑であつたけれども素人であつたが、秀吉でも家康でも、宗敎には極く公平であつた。家康は始終各宗の學者を呼んで講釋を聽いて居るやうな譯で、公平な態度を取つて居つた。けれども此の時代の政治の顧問となつた人間があつた、それは崇傳和尙である、世人は能く天海僧正を以つて黑衣の宰相ナンと言つて、坊主が政治に關係したといふ、天海といふ人は成る程家康に親近して、多少顧問になつたことがあるかも知れんけれども、主として天海は信長にひどく打擊を蒙つた天台宗を、家康の力に依つて恢復するといふ事が目的であつたので、その目的は確かに達して居る、卽ちその恢復の計畫として上野を興し、日光を興して、その力で叡山も榮えさしたのである。家康の方から言つても政治の顧問といふよりも宗敎家として之れを尊敬して居つたやうに見える。であるから天海は家康、秀忠、家光三代の信用を得て居る、此の中に政治の顧問として、帷幄の顧問としてあつた人は崇傳である。これは非常な關係があつたので、德川の政治には本多正信と崇傳の二人が家康の祐筆(秘書官)と言つても宜しい、文筆は外交上に至る迄みな崇傳の筆に成つたと言はれて居る、帷幄の內に參して宗敎の事は殊に崇傳の計畫から起つて居る。

兎に角二百五十年の政治の基は天海、崇傳を傳敎、弘法に比較しても宜しいけれども、就中崇傳が能く政治上の顧問になつたものである。さういふ譯で德川時代にも中々宗敎は政治に關係して居るが、就中德川時代に「寺送り狀」ナンといふものは政治に非常に關係したものである、天下の人間を皆僧侶に附與して、餘處に嫁に行くと言つても、是れが無ければ行けない、丁度今の戸籍である。それを寺送り狀と言つて、それが行かなければ籍を移す譯に行かなかつた。又死人檢めはすべて坊さんがやらなければならぬ事になつて居つた、さういふ譯で德川時代には非常に政治に關係したが、それが又形式に流れて活氣を失つてしまつたといふやうな傾向は大分ある、新思想を沈滯せしめるといふ弊は大分ある。けれども兎に角よく保護もしたのである、さうして又その間に宗敎の統一が破れて終つた。德川は宗敎に對しては公平な態度を取つて、儒敎、神道の學問を勉强さしたが、それと共に儒敎が獨立し、神道が獨立することになつた。さうすると多年の間佛敎が勢力を得て居るので、(德川時代でも實權はやはり佛敎が得て居つた、天下の人間の戸籍を有つて居る位であるから)神儒二道は佛敎に對すると忌々しくて堪らない、さういふ所

から段々宗教の統一が破れて來て、神道者も儒者も口を極めて佛教を惡し樣に言ふやうになり、又一面段々僧侶の德が無くなつて、書物を讀む者は坊主の言ふ事を肯かなくなつた、又佛教の書物といふものは坊主が見る物で、吾々は見る價値がないといふやうな考へになつた。それは全體戰國時代、足利の末から文學といふものは皆な坊主の手に移つてしまつたのであるが、今度はその坊主のやつて居つた文學の中の佛教だけが坊主の手に殘つて、神儒二道は獨立してしまつた、さうして文學者が佛教も取入れゝば宜かつたけれども——少くとも佛教を研究すれば宜かつたけれども、佛教の本はテンデ讀まない、讀むといへば儒教か神道の書物であつて、食はず嫌ひで佛教を嫌つて居つた。松苗が『國史略』を書いたのを始めとして、歷史の研究といへば佛教は除いて之れを見ないといふ不公平極まつたことになつた。

第七期　明治時代

さういふ間に德川幕府が破壞して王政維新になつたのであるが、此の維新の明

治四五年の政治は何人が執つたかといふと、徳川時代の神道、儒者の廢佛の本を讀んで、それで知識を作つた人間が維新の政治をやつたのであるから、佛敎なるものには寸毫の知識も無ければ、信仰も無い人がやつて居る。　それであるから歷史上の佛敎の弊風のある所ばかり見て、佛敎といふものは惡いものである、之れを打潰すにはどうすれば宜からうかといふので、それには先づ「復古」といふが宜い、神武天皇の古に復するといへば、その時には佛敎は無かつた、神道ばかりであつたといふので神祇省といふものが出來た。　此の復古といふ事の一つの意味は、詰り佛敎を無くしてしまふといふ意味であつた。　所がそれをやりかけて見た所が、中々思ふやうに行かん、全體昔から復古論を唱へた人に、本當の復古が出來た人が無い、復古といふ事は或る意味に於て新しくすると云ふ事でなかつたら値打の無いものである。時代の進歩といふものは如何にもする事は出來ない、宗敎でも何でも改革をして復古するといふのは、或る意味に於ては進歩である、だから復古維新になつたといふが、復古よりは維新の方が多くなつて、是れ迄見ない事ばかりが現はれるやうになつた、政治、文物、社會の事情みなその通り、總べて新しい事だらけになつた。

兎に角王政維新は神儒佛三教の中で、佛教家に偉大なる人物が無かつた影響でもあるけれどもあの時に仕事をした士族といふ者は何かといふと、神道か儒者より他にはない、中井竹山の書いた『草茅危言』或は平田篤胤の書いた『出定笑話』さういふやうな本を讀んだ人ばかりがやつたのであるから、全く宗教無用論で、宗教は要らぬものだといふ事を信じて居つた。其の時分に淺草の觀音樣に火をつけた奴がある、捕へて調べた所があんな無用な物は燒いてしまつて、茶園畑にしたら宜からうと考へたといふ實利主義である。今の上野の公園でも一時潰す筈であつたのを山縣公爵が洋行に行つて、その出先から電報を打つてよこして、あれは潰す積りであつたが、外國に行つて見ると中々さうでない、あゝいふものは公園と言つて人の遊ぶ所が、澤山ある、無闇に茶園畑ばかりにしてはいかぬと云つて注意をした。さういふ風に實利主義で全く佛教ナンといふものは無用の長物であるといふ考へが維新の初代にあつた爲めに、神道の爲めに神祇省を開いて唯一神道をやつた。所がどうもそれではいかぬといふので、忽ち神祇省を改めて教部省となつた、これは神道ばかりではない佛教各宗の事も扱つたが、坊主も普通のお經を讀んではい

かん三箇條の敎憲といふものを定めて、說敎をすると言つても此の敎憲を基礎として說敎をせよといふ事になつて起つたのが、明治の始めの政治であつた。これは實に佛敎といふ方面には全くの素人で、のみならず世界の大勢といふものが分らなかつた、世の中といふものは宗敎が無くても濟むものだと見て居つたので、西洋の事情も少しも知らなかつたやり方である。所が段々西洋に行つて調べて見ると、日本以上に宗敎熱が盛んである、のみならず色々研究して見ると、これは無くしやうとしても無くす事は出來ないものであるといふ事情が段々分つて來て、その中に一方また佛敎に對する研究といふやうな事も開けて、今日は明治初年に比べて見ると、日本全體の思想が實に變化をして居る、私共のやうな老人が見ると實に何とも言へぬ變化である。又多年の因襲で德川時代に國家の人間を佛敎家に與へられながら、坊主の眠つて居つた事も亦甚しい、その影響で維新の時代は、政治上から明々の裡に排斥されるやうな象になつた。その最も甚しかつたのは明治五年神祇省の開設された年であるが、それが段々に改まつて明治二十年頃から色々國粹保存などといふ議論が段々起り、國家の美術といふやうな事も捨てられぬ

ものだといふ考へが起りかけて隨つて佛教といふものゝ眞價が次第に認められ、佛教の研究も段々起るといふ譯で、今日に至つた譯である。

以上甚だ雜駁なお話でありましたが要するに今日の佛教の狀態は決して此の儘で滿足することは出來ない、どうしても此處に日蓮とか法然とか親鸞といふやうな非常な英傑が出て、佛教の一大改革を行はなければならぬと思ふが、英傑が中々出て來ない。歷史を顧れば政治の大改革のある度每に必ず佛教の大改革をして、新生命を社會に鼓吹した英傑が現はれて居る、所が明治維新は空前の大改革であつたにも拘らず、佛教界には英傑が出て來なかつた、今日も僅かに古人の糟粕を嘗め、古人の說を祖述して得意として居る位の景況であることは、我が佛教の爲めに寧ろ私は悲觀すべき事だと思うて居る。諸君は後れたりと雖も大正の今日今でも宜しいから諸君の如き新進氣鋭の人々の中から、どうぞさういふ英傑が出でられん事を深く希望する次第であります。

我國の政治と佛教 終

(四)社會事業は各人の生活内容を精神的にも物質的にも標準生活に向上せしめんが爲の施設である。國家社會に於ける總ての制度は標準生活者を標準として樹てられてある。司法制度、經濟制度から、敎育産業交通財務保安衞生等の行政制度何れも然らざるはない。若しも精神的又は物質的の能力の欠缺に因つて標準下の國民である場合には、是等各人の福利を增進し國家社會の發達を目的とする諸制度の惠澤に浴し得ないことゝなる。貧困兒童の例は前にも述べたが、私生兒の如きも亦其の適例たり得やう。正當の男女の間に生れた兒童が偶々父母の法律上の無識といふことに依つて戶籍上の手續が履まれず、從つて私生兒となる場合がある。又吾々の日常生活に於て消費される必需品は生産者の手から直接來るのでなく中間幾多の仲介者の手數料を添加された價格に於て吾々の手に入るのである。國民の義務として吾々は團體の財政に分擔を有し納稅をせなければならないけれども、時に其の納期に於て偶々之に充つべき貨幣を持たないこともあらう。之等の者に對し或は人事相談、委員制度等の作用に依つて法律上の手續を敎へ、公設市場の作用に依つて中間手數料を減少し、又或は納稅組合、貯金組合其

の他各種の互助組織、或は庶民銀行、公設質屋等の作用に依つて融通の途を得しむる樣なことは、卽ち標準下の生活者を社會諸制度に適應せしむる所以である。斯くして社會に於ける政治宗敎道德法律風俗習慣等は其の價値を保全し、社會共榮の動因たり得べき力となるのである。此の諸制度の標準に適應せしむる手段として各人の生活內容を充實向上せしめ、依つて以て精神力經濟力の欠缺を補ひ、更に進んで之等欠缺の發生を豫防せんとする施設、それが卽ち社會事業である。

又社會事業は生活向上の精神的方面を含んで居る。往時の救濟事業も此の點に於ては同一であつて、本能の滿足の爲にする臨機の施與から旣に事業と稱し得る時代に進んだ時は、精神生活の扶掖誘導が同時に考慮せられるに至つたのである。物的救濟の施設のみで精神方面の閑却される時は、卽ち被救濟者の獨立心を奪い、物質生活の安定の代りに精神生活の空虛を齎すに至るものである。又敎化的施設に專らであつて物的保護を伴はない時は飢人に道を説くと一般、勞して效なきに終るものである。精神的能力の向上扶掖と、經濟的能力の保護救濟と、相互に經緯となつて並び行はれるに至つたのは、固より然るべき趨向であつて、斯くし

て初めて生活の最の充實があり、事業本來の使命も完うせられるのである。救濟事業の沿革は固より窮民救助の事業から豫防的施設に進んだのであるが、宗敎的理想に依つて一轉機を劃した時は既に救濟事業は所謂觀音の靈肉共濟の方針に進んだのであつた。各人の完成は勿論兩面の生活充實に俟たなければならないが、社會事情の如何に依つて、其の何れが主として作用するかは時代の特質に依つて自ら異るのである。我國古代物質的方面の施設が主として機能を發揮したに對し、德川時代の社會的施設が敎化中心であつたのは共に時代を反映するものであつて、社會史上興味ある現象と謂ふことが出來やう。而して今日の社會事業に就ては、社會思想の現狀から推して、敎化的施設の切要愈々其の度を加へたと見られる。今日社會敎化事業に屬する各般の施設が益々擴充完備されやうとしつゝあるのは、此の時代の要求に應ずるものに外ならないのである。

(五)社會事業には之に依つて各人の生活の安定向上を圖る作用の直接なるものと間接なるものとがある。窮民に對する救助に在つて其の生活保護の作用は直接である。公設市場の利用に依つて表はれる直接の效果は消費の節約であつて

生活の安定向上の改良事業は其の間接の作用である。又社會教化事業の直接の作用は精神生活に關するものであるが、其の間接の作用として經濟生活の安定といふことも考慮されるのである。更に兒童保護の事業は將來生活の自由を獲、精神的並に經濟的能力に於て標準國民たるの準備を與ふるのが事業本來の作用であつて、兒童をして直ちに標準生活者たらしむる機能でないのは固より兒童其のものゝ性質の然らしむる所である。又社會事業職員の養成が標準下の生活者の扶掖保護に就て間接の作用を爲すのは勿論のことである。要するに社會事業は其の機能に依つて各人の生活内容を標準生活に向上せしむる作用の直接であると間接であるとは問はないのである。

以上は極めて一般抽象的に社會事業の意義及範圍を概括した所である。事業執行の形式又は手段に就ても自ら社會事業の範圍を規定することゝなるが、それは後章社會事業の組織を論ずるに當つて明となるであらう。又斯くの如き觀念を以て果して何々が社會事業の範圍に屬することになるかといふことは社會事業の分類の章で觸れる機會もあらうし、又各論を通觀する曉に於て自ら明なるに

至らうと考へる。

第二章　社會事業の基礎觀念

社會事業の觀念は其の事業の系統的組織を知ることに依つて明にせられる。而して之が爲には社會事業の內容と其の形式との研究を以て足れりとすることは出來ない。事業存立の根本思想を明かにし、更に又之を他の事業から區別すべき標準を定むることに依つて、初めて觀念の正確が期し得られるのである。據つて以て社會事業の存立する根本思想は卽ち此處に謂ふ社會事業の基礎觀念であつて、謂はゞ社會思想と社會事業との交涉に關する問題である。換言すれば社會事業に對する「何」「如何」にの問題でなくして「何故に」の問題である。卽ち本章は社會事業の基礎たる思想が如何に在るか又如何に在るべきかの講究に外ならない。

近世科學の進步は社會の獨立固有なる實在を認めて之を尊重すると同時に、其の組成分子たる個人の存在を尊重し、總ての社會制度をして社會と個人とを調和するを以て本旨とするに至らしめた。個人は共同生活中に於て其の完成を遂げ

總ての個人の充實に依つて初めて社會の進化がある。個人は自己完成の責任を有するの外、更に相互に完成の爲に協力すべき連帶の責任がある。他の個人に對する保護は單なる個人の爲の保護なると同時に社會進化の爲の保護なりと考へられるに至つたのである。今日社會事業が生活內容の向上に關して一般共同の福利を增進する事業であり、隨つて社會全體の事業であるといふ思想は何人にも肯定されるに至つて居る。社會事業の目的又は其の內容が、單に弱者對する保護救濟に止まらず、更に積極的に社會的疾患の發生を豫防し禍源たる社會の缺陷其の物の除却に迄擴充されたに伴つて、此の思想上の進化も現はれたのである。斯くして社會事業は一私人の經營に屬するものでも、其の背景を爲すものは社會連帶の思想であり、其の社會制度中に占むる位置は社會の團體作用其のものを表現するものと考へられるに至つて居る。近世社會事業の基礎觀念を說く者は往々にして目的主義、科學主義の名稱を用ゆる。是れ社會事業が社會進化の目的の爲に存する手段たることを示すものであり、又科學的に社會の本質を明にし而して其の進化の前提たる各個人の生活向上が各人共同の連帶責任に屬する所以を論

ずるものである。

元來社會事業の基礎觀念の奈何は社會事業其のもの丶規範たるべき幾多の原則の基礎となる。隨つて社會事業の將來が如何に在るべきかの問題に至大の關係を有つのである。卽ち社會組織の特質乃至社會生活の要求は主として內容の方面に於て社會事業の範圍を規定するのであるが、基礎觀念の奈何は主として形式的方面から社會事業の全般を規定するものである。例へば貧民に非ざる一般勞働者に對して其の勞働機會を保護し、實質的に職業の自由を得しめ依つて生活の自由を味うに至らしめんとする施設は、近世社會に於ける生活上思想上の要求に由つて初めて生れた社會事業である。併しながら之が爲に整へられる職業紹介の制度が如何なる原則の下に如何なる組織を以て準備せらるべきであるかといふ問題は近世に於ける社會事業の基礎觀念から演繹せらるゝのである。又例へば二十世紀を以て兒童の世界なりとして兒童保護事業の切要が叫ばれて居るが、是れ固より人口問題就中質に關する問題の喧傳せらるゝ二十世紀の要求である。併しながら之を以て單なる弱者に對する保護と見ずして將來の標準國民た

る準備に對する施設なりとするのは即ち二十世紀に於ける社會事業の基礎觀念が然らしむるのである。斯くの如くして社會事業の基礎觀念は社會事業全般に亘つて其の理想を定むる根本となる。社會事業の研究に當つて特に基礎觀念を明確ならしむるの必要は實に之が爲である。

社會事業の沿革的研究は各時代に於ける社會生活の要求に基づく事業の幅員並に中心點の推移と各時代に於ける斯業基礎觀念の變遷とに關する研究に歸着する。社會事業に對する「何」「如何に」の問題が其の沿革的研究に依つて明確を加ふると同樣に、基礎觀念も先づ其の如何に在りしかを知るを以て順序とする。而して近世に於ける社會本質論の進化は近世社會事業の基礎觀念の前提となつたものである。自分が以下先づ救濟理論の進化の跡を尋ね、次で近世に於ける社會に關する觀念を述べ、然る後社會事業の基礎觀念を論ぜんとするのは此の見地よりするに外ならない。

第一節　救濟理論の進化

一、第一期

原始時代に於ける救濟の關係は之を家族內又は氏族內に於て現はれた外敵に當る協力を起源として見ることが出來る。世界最古の文献も乞食に關する記錄を止め、隨つて之に對する慈善施與の存在を認めしめるのであるが、更に其の以前苟も人類の群棲する所自ら一種の弱者保護の作用は行はれたのである。無智朦昧の蠻族の間に尙ほ且つ弱者保護の作用の存することは以て救濟の起源を思はしむるに足りやう。所謂同類意識に基づく同情憐憫の情は人類社會の發生以來既に普遍的に存在した感情である。此の感情は氏族、部族等の存續の爲に必要であるが故に生じた本能であつて、之に基づく弱者の保護は謂はゞ本態の發露に過ぎない。原始時代に於て人は固より其の共同生活に對して「何故に」の考を起すことはない。未だ人に眼覺めず、個人に眼覺めず、況んや社會國家に眼覺むることなき時代、既に此の弱者保護は外界の刺戟に對する自然的反動として現はれたのである。固より事業と稱すべき性質のものではない。座視するに忍びざる狀態に面した時初めて臨機一時の救濟的處置が講ぜられるに過ぎない。眼前の事實に刺戟された時初めて孟子の所謂惻隱の本能が働くのである。柱に頭を打ちつけ

た幼兒が其の杜を打ち返へすことに依つて復讐の滿足を感ずると同樣、初期の社會組織に在つて現はるゝ救濟の作用は反射的である。此の外界の刺戟に對する反動的無自覺の救濟は以て救濟の第一期と見るべく、之が後の救濟事業發生の端を爲すものである。或は之を本能救濟と呼ぶことが出來やう。

二、第二期

社會組織の稍々進み共同生活の秩序少しく立てらるゝに及んでは社會の體制亦稍々初代國家の形體を備うる樣になる。人は漸く過去の經驗より推して自然並に外敵に對する防禦に關し將來に備へるの必要を感ずるに至る。玆に初めて救濟事業と稱し得べき經常的施設が準備されることゝなるのである。弱者と稱し窮民と稱するも固より自然的原因に因る弱者窮民の以外に出でない當時の事業であるから、第一期の本能を發露するに就て豫じめ一般的に備うると謂ふ以外に一歩も出でないのは勿論である。社會夫れ自體を背景とする救濟の作用と觀ることの出來ないは勿論、何故に其の保護救濟を行ふかの自覺はない。救濟組織と認むべきものも固より反射的制度に過ぎない。かの禁厭の法の定められ、又は

凶饉に備うる各種の制度は當時に於ける救濟事業の著しいものである。而も其の觀念の基礎たるものは惻隱の本能以外に出でゝは居らない。單に臨機の保護救濟が秩序立てられて事業と稱し得るに至り、其の本能の發露が組織化されやうとする傾向を生じ、經常的の努力に進んだと謂ひ得るに過ぎないのである。唯だ本能救濟に事業と稱し得べき程度の組織の與へられた點を特色とするのみである。之を本能主義救濟事業と謂ふことが出來やう。

三、第三期

凡そ社會の進化は制度をして反射的から轉じて自覺的ならしめる。小兒稍ゝ長ずれば痛みを感ずることに對する復讐として直ちに柱を打ち返へすことをせずして、其の原因となつた力を考へると同樣である。制度が目的觀に立脚せりや社會の活動が社會共存の必要から打算した反省的行動なりや、然り而して其の目的觀の內容如何は卽ち社會進化の尺度となるものである。救濟事業の基礎が本能に基づく反射的から目的觀に立脚する反省的に移る時は、卽ち救濟事業の一大進轉の機であつて、救濟事業に對する「何」の問題が考へられ、何の爲の慈善、何の目的

に因る弱者保護といふ反省が伴はれるに至るのである。固より「何故に」の問題は社會思想の或る程度の進化を前提とする。「如何に」の問題は智識の指導ある事業たることを示すものである。救濟事業の此の轉機は社會組織の進歩に伴ひ、人智發達の條件に係つて居る。本能主義救濟事業に對して、之を目的主義救濟事業と謂ひ得るであらう。人或は救濟は目的にして手段に非ず、或る目的を達する手段として之を認むる如きことあるべからずと論ずる。其の意蓋し不純の目的の爲に救濟事業の美名を利用せんとする者を警しむるに在るのであらう。固より救濟の名に隱れて不純の目的を達せんとするは之を排すべきであるが、而も救濟は救濟自體を目的とするものではない。獨り救濟事業に限らず、社會に於ける制度は夫れ自體を目的とするものはない。刑罰組織は反社會者の絶滅を目的とし、敎育制度は無智の根絶を目的とする。刑罰其のもの、敎育其のものは手段であつて目的でない。

救濟事業の基調が本能主義より目的主義に移つたのは固より退歩にあらずして進化である。併しながら目的觀の内容は之を一律に觀ることは出來ない。或

る時期に於て望ましからざる目的觀に立脚する救濟事業の存在したことも事實である。而して現時の社會事業が社會的理想に基づく科學的の目的觀に立脚するに至つたことも事實として認めなければなるまい。要は目的觀其のものに就て更に之を分析的に觀察することが必要である。而して自分は其の目的觀念に個人的報償を求むるの分子、卽ち求償的思想の存するや否やに依つて之を個人的目的主義と社會的目的主義とに分つて考へて見るのが相當であると信じて居る。

第一、個人的地的主義

慈善救濟の名は本能主義救濟事業の思想に出でゝ居る。一轉して目的觀に基礎づけられるに至つても、所謂近代的社會觀に據る事業目的の觀念せらるゝ迄は事業の經營に科學の指導を取り込むこともなかつた。事業の根底は結局人の惻隱の本能に求むる思想を存して居つた。而も所謂國家的社會的施設として觀念せらるゝことはないが、救濟事業の局に當る者の思想としては目的觀念は隱然として働いて居つたのであつた。唯だ其の目的觀念が個人本位の利己的動機に歸着するが故に、故らに之を避けて人の本性を以て之を說明したのである。此の思

想に立てば慈善救濟の事業は個人篤志の活動である。事業が社會に於ける團體作用の表現たる背景を有たないのは勿論、保護救濟の對象たる人も單なる個人としての觀念であつて、決して其の保護救濟は社會國家の爲の保護救濟ではない。殊に強く觀得せられる點は其の慈善を爲し、救濟を營む人に報償を受けやうとする目的觀の働く點である。其の著しいものは宗教的思想に基づく報捨主義と及政治的思想に基づく仁政主義とである。簡單に兩者の思想を尋ねて見ることにする。

(一)報捨主義

罪障消滅善果應報の宗教思想の普及に依り施與救濟の事業が奬められたのは東西其の軌を一にする所であつて、此の思想に基く慈善救濟は自己の善報を獲んが爲の方便に過ぎない。猶太の聖典に「慈善の事業が罪障を滅するは水の火を消すが如し」と謂ひ、波斯の聖典に「上天無量の寶財は貧者を救ふの人に降るべし」と在るが如きは慈善救濟の振興に與つて力のあつたことを疑はないけれども、其の思想は施與者が報酬を受けんとする動機より出づる救濟事業の基礎を爲すもので

慈善は卽ち個人本位の利己的慈善である。印度の宗典亦「途に餓莩に遭うて之に食を與へ敢て惜まざるものは無量の善報を得べし」と說き、又かの八福田の說法中に貧民の救濟が說かれ之に依つて後世の安樂あるべしと謂はれてあるのも等しく同一の思想である。基督敎の博愛主義に基づき羅馬の寺院が貧院孤兒院養老院施療院等を經營し、中古基督敎の盛時諸國の寺院收入の四分の一は之を救貧の資に供するの常則となり、寺院奉財を人の義務とするに至るや多く救貧の名義を以て之を徵收した等の事は以て當時の報捨主義救濟事業の根底を示して居る。印度に於ても釋尊の在世旣に給孤獨園の設があり、我國佛敎の渡來の後救濟事業大に起り佛敎に依つて初めて施藥院、療病院、悲田院、敬田院の如き公的施設の講ぜられた事など亦等しく此の報捨思想が基礎を爲したものである。救濟事業の興隆が宗敎思想の普及に負う所の大なるは東西殆んど其の軌を一にして居るが、其の根本思想が後世を求むる報捨主義に存したことも同一である。固より其の弊職業的貧民を發生せしむるに終り、其の作用アリストテレスの所謂篩に水を注ぐの慈善事業となり、ボザンクエーの所謂撒水的救濟となつて、社會的の福利增進の

結果を齎さなかつたのは理智の指導なくして濫施に流れた爲であるが、其の源は實に基礎觀念が報捨主義の思想に在つたに因ると謂はなければならない。

(二)仁政主義

國家の成形稍〻其の歩を進むるに至つて本能救濟の作用は漸時個人から國家に移り、君主の個人的目的觀に基づく政略主義の救濟事業となる。蓋し國家は其の存立が未だ固まらず、社會に於ける結合力は獨り君主の威望に係るといふ狀態であるからである。君主は固より國民各個の生活を顧みるの遑はない。併し社會の秩序を壞る行爲に對しては峻刑を科して社會を威嚇し、以て君主の威を示すと同時に、窮民に對する保護救濟の事業に依つて民心を收め、兩々以て自己の保全を計らうとするに至つたのである。君主は固より救濟の本義を社會的國家的に考へるのでない。賑給を受くる人の如何になるかを顧みやうとするのでもない。只だ自己の政權維持の爲に恩威を布かうとする思想に出でるのみである。個人本位の利己的救濟であり、目前の應報を求むる政略の爲の慈惠である。慈善は却つて專制君主の宮殿から出づると謂ふのは卽ち此の意味の仁政主義救濟事業を

外ならなかつたのである。

第二節　フランスの唯理思想

デカルト（René Descartes 一五九六――一六五〇）によつて建設され且代表されたフランスの唯理思潮には、フランス獨得の色彩が著しかつたことを記憶しなければならぬ。フランス民族は由來特殊な意味に於て理智的な唯理的な傾向を備へてゐたが、特に十七世紀に於て、此の特殊な傾向は俄に異常な發達を遂げたのであつた。デカルトが「我れは考へる、故に我れは存在する」（Cogito ergo sum）の原理は、普通にはたゞ哲學研究の一方法としてのみ考へられるが、實は此の原理は最もよくフランスの唯理的傾向を代表したものであつた。即ちすべての思想の出發點並びに其の開發をば、最も明確にして一點疑ふべからざる自我の存在に基づかせたことは、一切を最も確實に明瞭に自明的に秋毫の疑をも殘さゞるさまに理解し知盡しせんとする所以で、一點疑ふべからざる明確な知識が實にデカルト哲學の根本精神であつたのである。何等の證明をも要せないほど自明にして明確な知識に到達せんとする希望は、ひとりデカルト哲學の精神であつたばかりでなく、それは直にフランス民族の根本的傾向であつたと觀

られる。すべてをはつきりと明確に摑まなければ已まないといふがフランスの唯理的傾向であつた。斯くて數學的知識は、一切の知識中の最高に位するものと考へられた。蓋し數學上の知識は最も明瞭にして確實と考へられたからである。フランス思想と數學――これは二十世紀の今日に至るまで、極めて親密な關係を持つてゐると言はれる。すべてを數學的に明確に系統的に理解し組織しようとしたが、實にデカルト哲學の根本精神であつた。

啻に數學的に明確にと力めた心ばかりでなく、同時に人間の知識を絕對的可能性を備へたものと確信したがデカルト哲學の特徵であつた。人間の知識は尊い神性を帶びてゐる。如何なる深秘も不可思議も、苟も人智を以て思議し得られないものは無い。萬有の本質も、神の實相さへも、すべて人智によつて之れを明らかにすることが出來る。人智は卽ち絕對であつて、如何なるものと雖も、人智の前に立つては、其の本然の姿を現はさゞるを得ないと。斯やうな單純な樂天的な理性に對する絕對確信が、ひとりデカルト哲學のみならず、廣く十七八世紀に共通な信念であつたのである。理性萬能――これが唯理主義の本質であつた。

デカルトと聯關して更にまたフランスがプラトーンと呼ばれた哲人マールブランシュ(Malebranche 一六三八——一七一五)が記憶されなければならぬ。彼れは一面に於てフランス流の透徹した知識を備へたと同時に、他面に於てまた最も深遠な又最も深秘な思想を懷いた哲人として知られた。即ち彼れは當時のフランス深秘主義者の代表であつた。吾人は此の點に於て、先づ次のやうな主要事に注意しなければならぬ。フランスの唯理思想は單に純理一邊の唯理主義ではなくして、其の根本には、理智とは殆ど反對とも見える宗教的深秘主義の潛んでゐたこと是れである。一面に於ては、飽くまで明瞭確實な智見が尊まれ、他面に於ては殆ど其の反對とも見える不可思議な深秘主義が、常に唯理思想の根柢に存したのである。普通の場合に於ては、此の兩傾向は、互に相爭つて一方が他方を征服するか、若くは互に相殺し合ふかであるが、フランスに於ては、此の兩傾向は、譬へば事物に明暗の二面が存する如く、常に相對立して而も一全體を成してゐた觀が有る。こゝにフランス唯理思想の本領が存したとも觀られる。どこまでも哲學的に又は宗教的に又は深秘的であつたが、フランス唯理思想の特徵であつた。

マールブランシュは最もよく此の傾向を代表してゐた。彼れは絶對的に神の前に平伏した。神は文字どほり全知全能であつて、吾々人類の一擧手一投足に至るまで、一として全能の神の力に頼らざるは無い。人間は絶對的に弱く小い者であり、神は絶對的に深秘不可思議な存在である。吾人はたゞ神の前に平伏して、其全能の力に歸依するより外に途が無いと。斯やうな絶對的な統一的な調和的な深秘觀は實に十七世紀のフランスに於て最も顯著な事實の一であつたのである。

此の同じ深秘主義は、マールブランシュとは違つて、フランス懷疑哲學者の代表として數へられるピエール、ベール(Pierre Bayle 一六四七――一七〇六)に於ても明白である。彼れは一面に於て最も透徹した理智を備へてゐた。而して彼れの觀る所によれば、理性と宗教上の信仰とは、如何に之れを調和しようとしても、結局全然無益である。理性の眼から觀れば宗教上の信仰――就中古來確信された奇蹟や其の他のバイブルの記事の如きは、迷盲非理の甚しいものであつて、到底之れを眞實と認めることが出來ない。理智と信仰とは、どこまで行つても相矛盾し相衝突するもので、之れを調和しようとすることが最初から誤つてゐる。然らば、理性に

ある之卽ち斯種の講演會を市民講座とも名付くる所以であつて市民は多大の興味を以て研究的態度に出しめ更に深く彼等自らが其研究を續け行くやうに之を仕向て居るのである、我邦に於ても如斯制度速に生れ出で且つ現今の各種の講演會の如きとりとめなき一場の浪花節を聽くやうな態度と同じやうな講演會は可成速に改めたいものである。

以上述べた講演の方法は卽ち之をオープンフォーラン式といふのである。

元來我邦の敎育法やさては一般學風は大體の色彩としてツメ込主義であつて自發的能動的に被敎育者を働かする工夫が足りない、從て一般の學風が創造的獨創的でないのは誠に遺憾のとである、之は可成速に此の退嬰的模倣的學風をやめて國民の硏究心を盛にし進取的創造的の國民を養成することが何よりも大切である、此の講演會といふものも只聽きぱなし聽すてにする樣な現狀をやめて一般聽者の興味を喚起し彼等の硏究心を高め何等かの働きとなつて現われる樣に仕組まれねはならぬ、之に於ては是非從來の樣な講師の一人舞臺とせず聽講者をして質問を質し講師と聽衆とが合同して硏究する樣な方法を講ずる樣にしたいと

思ふ、勿論之は或る場合の講演會では實行し得ないこともあるけれども大體に於て此の方法を採用することに工夫することは現代の講演會改良の急務と信ずる。

三　圖書館及巡回文庫

第一　圖書館と自主的學風

其次は圖書館及び巡回文庫である。圖書館及び巡回文庫は申す迄もなく社會教育の重要な機關であつて、是は所謂相手方は別に決つた仕事ではない、來る者は拒まず如何なる者でも之に應ずるやうに設備すると云ふことは當然なことである が、最近十年間に於ける我邦圖書館の發達は甚だ著しい、けれども歐米諸國に比較すると迚も及ばない。大體日本の學問の學風と云ふものが歐米の學風と違つて居る。簡單に一口で申さば我邦の學風は本當はどうも進んで求めやうと云ふ精神を鼓吹すべき學風ではない。或熱心な人は別であるが、一般國民の研究の途を抑へ付けて行くと云ふやうな教育の仕方である。此の點に就て英吉利の名文相フィッシャーと云ふ人が申した點は非常な參考となる、フィッシャー氏はロイドジョージ氏の下に文部大臣をした、千九百十八年の八月に新教育法案と云ふもの

を作り出した、世界の各國に於ける教育事業に一大刺戟を與へた、此法案の内容は社會教育に直接の關係がないから止すことにする、フイッシャー氏はセイフィールドの大學の副總長であつた。それが拔擢せられてロイドジョージ氏の下に文部大臣となつた。彼は千九百十六年から千九百十八年の八月迄滿二ヶ年かゝつて新教育法案を作り上げたのである。今では法案ではなく現に施行されつゝある法律である。此新教育法を作つた所のフィッシャーと云ふ人は私は何時でも感心して居る。此人の法案が出來する前後に於てハックスレーと云ふ英吉利の學者の言葉を用ひて英吉利の近來の學風に對して一大警告を與へて居る。其の言葉の意味は極く簡單に申せば英吉利人は長い間學問をする、その目的は本當に物を知らうと云ふ爲ではない、只單に通過(パッス)して行く卽ち學年をパッスする、學校をパッスする、試驗をパッスする、さうして紳士に成つて仕舞ふ。眞に物を知ると云ふとは唯澤山の本の中に書いてあることを知つて居ると云ふことでなく活きたる智識、實際に動く所の能力智力をいふのである、然るに英國人は多くはさう云ふ活智活能を得て居ない、詰りパッスすることが學問の目的となつて居る、それ

だから獨逸人に敗けて居つた、獨逸人は各種の方面に於て段々盛んになつて來て獨逸に一大打撃を加へないと英吉利人は過去數百年の繁榮と云ふものを持續することは出來ない樣になつて來た、茲に於て戰爭を起して國を賭して戰はねばならぬ次第と相成つた。 斯う云ふのが今回の戰爭の本當の原因である。 斯の如きことではたとひ戰爭に勝利を得ても又た將來英吉利人は迚も今日の繁榮を持續することが出來ない樣になる、自から實際に物事を知らんとする衷心よりの希望と努力とが國民の間に生じなければ到底英吉利は長く繁榮することは出來ない乃ち新敎育法の樣な立派な敎育の制度組織が出來上つても此の學風の根本が立たなければ何等得る所はない。 卽ち根本に於て求めんとする誠意ある國民が振ひ立て大いに學ばんとする學風を作ると云ふことが新敎育法案の成立と共に敎育の革新上に根本的な必要條件であると云ふことを言つたのである。 是は直に日本の現在の學風に當はめることが出來る。 日本の學校敎育の狀況を見るとバッス主義で日本では俗にトコロテン主義と言つて居る。 乃ちパッス主義で或學校を通過する、それで內容空虛な金看板をかけて安心してしまう。 此國家社會は

所謂自分で自分自から造り上げると云ふやうな斯の如き自主的自立的な人が澤山出て來なければ國家は繁榮しない。世界的競爭の上に立つて我々は强い人として立つ、――戰爭にのみ强いと云ふのまではなくして總ての方面に役立つと云ふ人にならなければ世界の舞臺に立ち他に打勝つて行くことは出來ない。此パッス主義所謂心太主義が日本の敎育界を支配して居る。斯の如き敎育に依て養はれて居ると云ふことは國家有用の才として對外的にも對內的にもつよき人として立つて行くことは出來ない。アングロサクソン民族たる英吉利人亞米利加人の信條になつてゐる自主の人（セルフメードマン）の精神と云ふことが學校敎養の上に明に現はれて居る。彼と反對に敎師の言ふことを一から十まで漏さず書留めてそれ以上一步も出ないと云ふ斯の如き學風が日本にありとすれば此學風ほど無意義なものはない、是は大改革を要する點である。斯ふ云ふ樣に學問をする出發點が違つて居る、之がやがて圖書館事業の發達の上に現はれて來て居る樣に見える。

第二　米國圖書館の發達と同國民の意氣込

世界で一番圖書館の組織の完全な所は何處かと云ふと是は矢張り亞米利加で

ある、亞米利加は現在に於ては圖書館の數は約貳萬で、その藏書は實に七千五百萬冊ある、之に對して日本では圖書館の數が千六百で圖書の冊數が五百冊である、我國民の數は約六千萬向ふは一億萬先づ半分以上あるのである。然るに圖書館の數は貳萬日本は千四百餘である、其圖書館を一々較べて見ると物にならぬ、日本の圖書館は文部省でやつて居る調査表と云ふものに圖書購入費は年に八圓や十圓と云ふのもある、向ふではさう云ふものは一つもない、非常に進んで居る。毎年土地の人文の進歩の程度を調べ見るのに、其土地に於ける圖書館の利用の程度に依つて之を表はす樣になつて居る、又圖書館の有つて居る本の數は無論の話で、それ等の圖書館が如何に地方に於ける住民に利用せられて居るか其利用の程度に依つて土地の文化の程度を發表して居る餘程進んだものである。先般開戰の時分に佛蘭西の戰場に亞米利加の兵隊が二百萬居つた。其二百萬の兵隊に向つて本を四百萬送つて居る、迚も仕掛が大きい、西伯利に約六七千の兵隊が來た、先づ一萬近くの兵隊それに對して十四萬の本を送つて居る、日本の兵隊に對して殆んどかゝる設備がせられなかつた、かゝる次第で實に文化的の施設が行屆いて居る、非常

に讀書の力讀書の趣味が發達して居る、隨て彼我圖書館事業の働きを見ると迚も釣鐘に對して燈灯で非常な違ひである。それで亞米利加に行くと學校の中に尋常小學の一年に圖書館科と云ふものがある、どんなことをするかと云ふと本を讀む所の態度方法を敎ゆる、人の積んだ經驗、人の知つて居る經驗其ものを唯注入するのではない。彼等は自分で智識を開發して行く樣な傾向態度と云ふものを造れば學校の任務が終つたとする。子供に無暗につめ込んでやる乃ち是から生延びやうとする奴を押付けて學校を卒へるとやれ〳〵もう再び本を讀まないと意氣を挫いて仕舞ふと云ふのと非常な反對で澤山の事實を敎へると云ふのではない、寧ろそれに對して趣味を感せしむれば宜い、彼等が學校を出た上で益々本を讀む樣な習慣と趣味とを養はしむる爲に圖書館科と云ふやうなものが出來て居る。自分から讀書の力、讀書を好むと云ふ斯う云ふやうな方面に於て敎育して行く、敎育と云ふものは他人の經驗を繰返すのでない、彼は眞に新しい經驗を自分で得るやうに仕向ければ學校敎育の任務は終つて居る。どうも敎育に囚へられて實際の敎育の本義に觸れないと云ふのが從來の弊である。それであるから此圖書館

と云ふものはよく發達して居ない。日本の圖書館は門前雀羅を張つて居る。圖書と云ふと日本では裝飾時代を離れぬ、所謂澤山の圖書を飾つて居る、彼方は寧ろ讀んだら捨てる、要るものは捨てる必要はないが、兎に角眞に實用的の時代である向ふでは日本の樣に自分の後ろに圖書を澤山積んで飾つて居るものはない、盛んに圖書館を利用する。それには圖書館の設備を完全にすると云ふことは申す迄もない、學校の子供などが學校よりの歸途に圖書館に立寄り紙に自分で名前を書くだけで、書いた紙を筒の中に入れる、暫くすると本が出て來る、するとそれを持つて歸るといふ始末でかくして圖書館は非常に繁昌して居る。

四　文部省の圖書館奬勵

又圖書館の學校が出來て居る、乃ち之は圖書館員を養成する學校で、それは非常に需要が多い、專門の學科として圖書館學士と云ふものがある。學位が出來て居る。專門學校程度のものが十二程あるが、學校でも向ふでは大概日本の中學校のやうなのは尠なくて大抵何か職業を教へる。圖書館學校では從業員になる人達が修める學科が多いのである、日本では本年の六月一日から文部省で圖書館員教

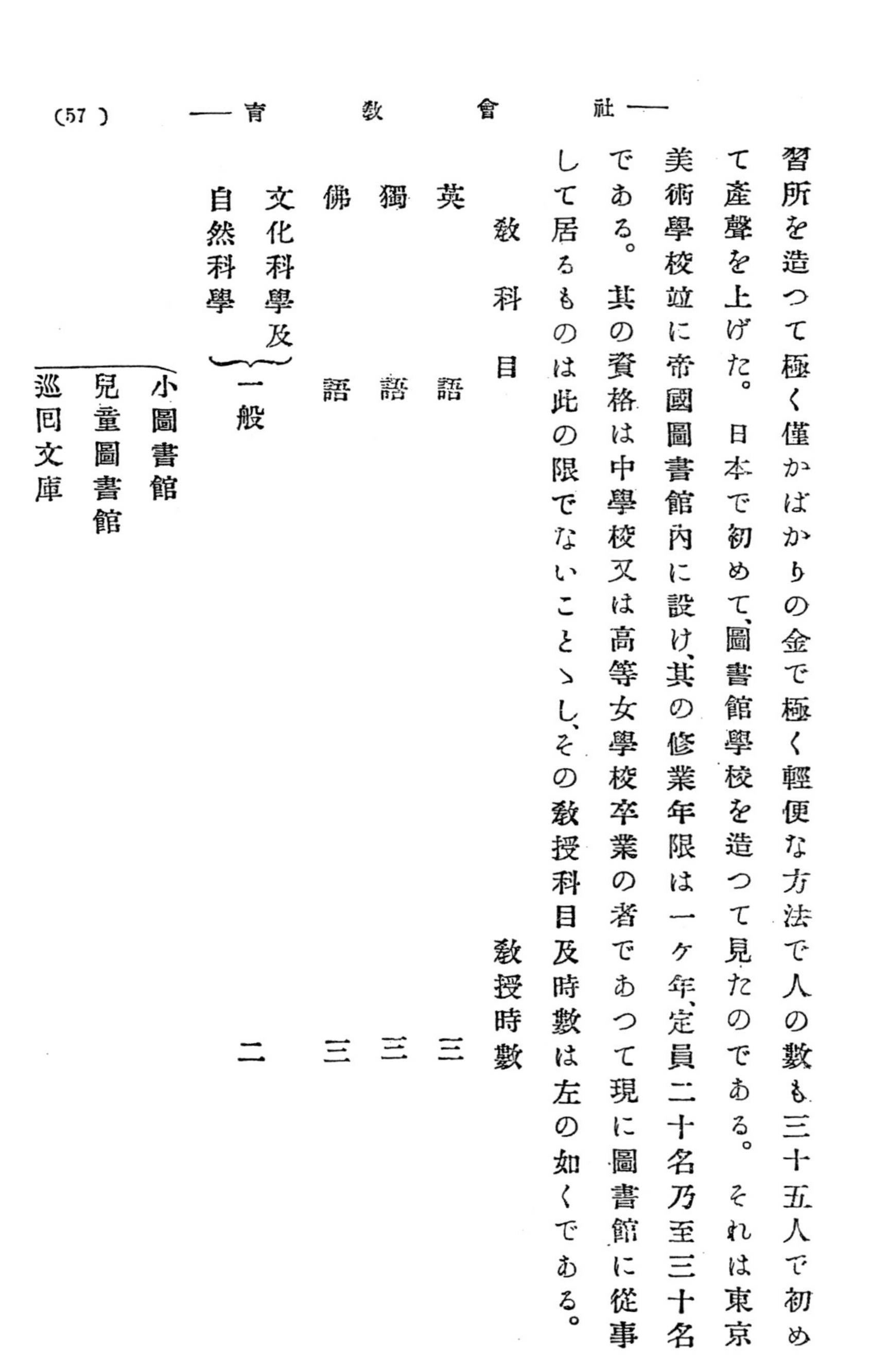

習所を造つて極く僅かばかりの金で極く輕便な方法で人の數も三十五人で初めて產聲を上げた。日本で初めて、圖書館學校を造つて見たのである。それは東京美術學校並に帝國圖書館內に設け、其の修業年限は一ケ年、定員二十名乃至三十名である。其の資格は中學校又は高等女學校卒業の者であつて現に圖書館に從事して居るものは此の限でないことゝし、その敎授科目及時數は左の如くである。

敎科目		敎授時數
英語		三
獨語		三
佛語		三
文化科學及自然科學	一般	二
	小圖書館 兒童圖書館 巡回文庫	

科目	細目	
管理法一般	建築、註文受入、選擇、書架排列、貸出、法規等	八
目錄法及實習		五
分類法及演習		二
書史學	日本、支那、西洋	六
內外圖書館史		一
倫理		隨時
見學		隨時

計三〇

兎に角圖書館の發達と云ふことは文化に重大なる關係があるのであるから、極力奬勵を致したいのである、併し何分仕事の初めと云ふものはさう完全なことを要求しても出來るものでない、成べく輕便な方法で自然に進歩さして行きたいのである。　私の方で「社會と敎化」と云ふ雜誌を毎月一回發行して居る、省內で出來て居る、私が主筆であり小使であり總てやつて居る、一冊三十錢づゝであるが、併し私が賣るのではない、大日本圖書會社で賣捌向のことは一切やつて居る、內容だけは私が全部責任を有つてやつて居るのである。　此中には圖書館に現在必要な材料を提供する爲に、例へば二十圓投ずるとどう云ふものが出來る、同じ二十圓でも青年團向はどうである。　或は處女會向又は尋常小學校五年以上の小兒向と區別して圖書目錄を作つて記載してある、次に三十圓の時にはどう五十圓の時にはどうと百圓までのものをずつと發表してある、さう云ふ便宜を與へるとか、其の他通俗圖書や普通圖書館の標準圖書の購入の爲にはどう云ふやうなものが宜いと云ふことを丁寧に示すと云ふやうなことも段々やつて居る。　是は本省でも色々なこと

をやつて居るが、第一は圖書館標準目錄、是は年に一回づゝ出して居る、參考圖書館大きな圖書館に購入すべき圖書目錄である、第二は通俗圖書認定目錄是は一般に通俗的の圖書目錄であつて、一般民衆の讀む圖書の目錄を編纂して出すので、其時々官報に載せる、又臨時に纏めて出しても居る。社會教育課では各方面の調査をしたり又地方圖書館の經營に就いても各種の相談を受ける、建築や圖書の購入の方面の相談も受ける、かくして色々奬勵して居るのである。無論私共が初めて圖書館に關係した當時は明治三十七年からであるが、その三十七年頃から思ふと非常に今昔の感に堪へない、丁度十倍になつた、非常な進歩であるが、一度眼を外國に向けると如何に我國が遲々たるものであるか、亞米利加は一ヶ年に四百づゝ殖え、非常な速度で進みつゝある、どうしても圖書館と云ふものをもう少し進めて行きたい、斯う云ふ考で努力して居る。

それで圖書館の發達を計る爲には先づ以て簡易な方法で小學校に附設すると云ふことが非常に便利だと思ふ。それから又寺院なども斯う云ふ施設は宜いことであると思ふのである。最初は簡單な設備でも小圖書館を經營せられると云

ふことは社會教育上非常に良い仕事ではないかと思ふから、是非御勸めしたいと思ふ。それから巡回文庫なども段々進歩して居るが、是は多くは地方に於ける中央圖書館が中心になつて完全に發達して居るのもあるが又單に一つの農村或は團體と云ふもので巡回文庫を造つて居ると云ふやうな所も段々多くなつた、何れも結果は非常に良い、是は將來大に努力して行くべきものである。之に就て最も注意すべきものは先程述べた圖書の撰擇が一番の要件である。讀むことそれ自身は良くもなければ惡しくもない、良い本を讀むことに依て初めて宜いのである。是は必要なことであつて其邊の調査も私共は絶へずやつて居る次第である。

五　各國圖書館の現狀

社會教育の一大有力なる機關たる圖書館につき、世界各國の現狀を見、我が國は如何なる位置にあるかを知る事は極めて有意義のことゝ信ずる。其の全體について知ることは困難であるが今十萬以上の圖書館を調査して之を表示すると次の如くである。之は何れも戰前の調査であつて今日に於ては大分變化して居る我が國現在に於ては十萬冊以上を藏書してゐる圖書館は二三增して居るのであ

るが併し明に如何に低い位置にあるかを知ることが出來る、而もこの十萬以上の圖書館で公開して居るものは僅かに二館で、他は大學附屬圖書館で學生に限るか、又は内閣文庫の如く、殆んど全く書庫に納めてある位のものであることは大に遺憾である。

國別	自十萬至廿萬	自廿萬至卅萬	自卅萬至四十萬	自四十萬至五十萬	自五十萬至百萬	百萬以上	總計
米	四三	一六	五	三	四	二	七三
獨	二六	二二	九	二	七	二	六八
佛	二二	一二	二	二	三	一	四二
伊	一八	九	四	三	一	|	三五
英	一七	七	二	一	二	|	二九
露	四	六	一	一	二	一	一五
墺	三	三	一	一	一	一	八
日	三	二	|	一	一	|	七
瑞西	四	二	一	|	|	|	七

其他	八	一〇	六	五	三	一	四二
計	一五八	八九	三〇	一八	二四	七	三三六

而して更に大小各種の圖書館を加へた數に至ると不明であるが、今米國に於けるものを見ると、巡回文庫をも合算すれば實に一萬八千の多數に達し其の藏書數は八千萬冊を算し一ケ年の經費は公立圖書館の分のみにて約二千二百五十萬圓の多額に昇つて居る。然るに我が國の夫は次表に明なる如く公開せる官公私立合して僅に千六百八十二館其の藏書數五百餘萬、其の經費は百萬圓に滿たない。殊に別表の如く藏書千冊、若くは館費千圓以上のもの僅に六百餘であつて、全圖書館の約三分の一にしか當らないのである。我が國圖書館の發展を圖るべき餘地極めて大であると謂つてよい。

六　學校と圖書館との關係

圖書館と公立學校との間には次の五つの主要なる關係がある。

其一は學術圖書館の樣式である。研究は即ち進歩の方法である。米國教育の進歩は各方面開發の大勢裡にあつて研究的であつた事は容易に認められる所で

あらう。此の進歩たる偶然的又は奇縁的のものではなくつて教育の理論歴史及び管理法等の研究より結果せられたものである、而して是等研究の大半は學術圖書館に負ふ所なるは云ふ迄もない。

米國教育局内の學術圖書館は此の主要なる事業の中心である。アルバニーに於ける紐育州立圖書館内の厖大な教育的蒐集の影響は啻に紐育のみならず、全國民に深甚な影響を與へて居る學術圖書館が教育上重要なる事の認知せられて來たのは、普通教育局がコロンビヤ大學教育部圖書館に百萬弗提供した事による。此の圖書館は更に廣い範圍の中心となり、やがて教育法及び學校管理への此の影響は世界の各方面に感せらるゝに至るであらう。

其二は學校圖書館が生徒の學業及び生活に影響することである。若しも此の種の圖書館が最近規定せられた樣な標準に應じて正當に設備せられ、又適當な圖書及び雜誌を用意し、更に又特に主要な事務には圖書館整理術に熟練せる教師又は館員が其の任に當る等のことがあるならば之は總ての學校活動の焦點となるのであらう。諸種の問題について教課を清新ならしめ、活氣あらしむる。各方面

以上はアノトー氏の意見であるが、更に又氏が英國の國民性に就て批評して居るものが頗ぶる興味あるからして讀者諸君の參考迄に左に之を附記しやう。

英人に重大なる缺點の多きは確かなる事實である。第一英人は豪慢で親しみが無く、無愛想で圭角がある。そして又冷血である。されど極めて公平なる思想を有し、自由を尊重し、且つ宗敎心に富んで居る。然るに一方物質上損得の打算も亦大に鋭敏であつて、人に命令し他を使役することを好む。けれども決して他人と共に事に當たることを欲しない。その態度とその言語とは常に一種の反語をば含み、尊大なるが如く又怯懦なるが如くである。その最も英人に缺くる所は純朴の點である。之が爲めに往々人をしてその篤實を疑はしむるのである。けれども是等の缺點をば政治上より觀察すると却つてその長處なのである。要するに英人は先天的に『政治的動物』である。予をして強いて之を批難せしむれば、その政治が餘りに「經濟的」である。その政治に於ても私生活の如くに富强を求むるに是れ汲々とし『時は卽ち金錢なり』とは英國に於て特にその著るしきを見るのである。若し英人にして萬能の事物に利益の打算を度外

視して、彼れの理想たる高遠の志望を實現したならば、英人は正さに完全なる人格として天下に模範を示すことが出來るであらう。惜しむべきは唯此の點のみである。

英人が世界の各地を征服するや冒險的であつて、ブルドック的の頑強を示し、自他に嚴格であつて、その既定の方針を決して變更しない。そして組織的手段方法の如きは毫も之を顧みない。之と同時に外見上自由主義と壓制主義とを混交し、寛容なるが如く又慘酷なるが如く、美人なるが如く又醜婦なるが如き大なる矛盾と撞着とを有して居る。

勝てる英人は臣下を作り、子息を作るも、決して同輩や兄弟を作らない。頑固と溫和とを合金とせる英國人の特質は實質を主とし、外交も亦此の特質を現はして居る。獨逸外交家をして誤解せしめたるは實に此の特質である。

獨逸は英國を或は近かづかしめ、或は隔離せしめたる長期の商議に於て英人の忍耐にして滑脫なる外貌に欺かれ、遂にその拔くべからざる或る物を看破することが出來なかつた。之が爲めに英國の躊躇的態度を見て、英國は決して起

たざるが如くに思惟したのは獨逸外交家の一大失態である。

心理作用の餘りに機械的である獨逸人が英人の一見滑脫の如くであつて然かもその奧底に一種の或る物を有して居るのを看破することの出來ぬのは別に不思議でもない。

大戰前に於ける英獨關係は先づ大體前記アノトー氏の所說の如くであつたと見て大なる過はなからうと思ふ。

第三講

大戰の直接原因

露獨關係

大戰の直接原因に就て知らんとするには勢ひ戰前に於ける露獨兩國の國際關係を究はむるの必要がある。

抑も露獨兩國は前章に於ても述べたる如く一八九〇年前迄は親密なる關係を保つて居たのであるが。それと云ふのは特に兩國の皇室が近親の間柄であつた

のと、又一には波蘭に對する抑壓政策が共通的利害を有して居たからである。けれども露國々民の感情は必らずしもさうで無かつた。否何れかと云ふ反獨的であつたが、一八八五年のバルカン問題以來露國政府も漸やく獨逸と疎隔するやうになつた。而かも一八九〇年ビスマルクが辭職しウイルヘルム二世が親政し、從來ビスマルクが執り來つた親露政策を放棄して顧みず、爾來專ぱら墺國と提携してバルカンに冒險を試みんとしたので、露獨の關係は益々冷却し、遂に露國を驅つて他に新同盟を求めて獨墺兩國に對抗するの已むなきに至らしめた。

本來露國の政策は露國傳來的の南下政策とバルカン方面に於けるスラヴ民族の國民的運動とを緊密ならしむるに在つた。然るにビスマルクはバルカンに於ては何等の野心を包藏せず、伯林會議には「所謂正直なる仲買人」としての役目を以て甘まんじ、次で一八八五年勃牙利事件に際してはバルカンの地たる我がポメテニヤ健兒の骨を曝らさしむるの價値なしと迄宣言した程であつた。然にウイルヘルム二世の志す所は之と反して、墺國と提携してバルカンに勢力を扶植するの政策を採つたのである。是れぞ今次歐洲戰亂の主たる素因を成したのであるが

貨物の供給地として、諸藩の粗米の販賣地として、且つ遠く江戸の御用商として、旭の勢を以て發達して來たのであるが、安政條約の結果、横濱と神戸とが開かれたる爲、江戸の得意は横濱に奪はれ、關西の得意の一部は神戸に取られ、剩さへ帝都も江戸に遷さるゝに及んで、一大頓挫の悲運に遭遇したが、日清日露の戰爭後、朝鮮、支那、印度方面の貿易發達するに連れ、大阪の景氣が再び恢復して隆盛に赴くやうになつた。位置の關係に變化が起れば、經濟狀態も亦變化するのが當然である。

(四)面積。面積の廣い米國のやうな國では、産物の種類が多いから、成丈け外國から輸入せず、內國品で間に合せる爲に、保護貿易政策を採用することが出來るが、面積の狹い白耳義のやうな國では、內國品で間に合せることが出來ぬから、自由貿易政策に依る外途はない。且又大國の民は何處となしに寛大であるが、小國の民は狹量である。面積は國民性の上にまで影響を及ぼすものである。

第二　人口

「人口」とは一定の領土內に住む人間の總數のことで、此總數を領土の面積で割つたものを「人口割」と名つけ、其國の人口の密度を示すものである。併し日本の樣に

山が多く、平地の少い國の「人口密度」と、和蘭陀の如く山のない國の「人口密度」を比較して其粗密を論ずるのは宜しくない。其邊はよく酌量して考へねばならぬ。

人口問題は、單に經濟上より見て重要なるのみでなく、政治上、社會上から云ふても、隨分八釜敷き議論がある。何故さう論じて八釜敷く云ふ必要があるかと云ふに、人烟が稀薄であれば、產業も興らねば國運も進まぬから、人口增殖の方法を講ずる。併し多過ぎても困まる。生活は困難となり、競爭は激烈になり、死亡率は增し、犯罪は殖える。それで此場合には自然、人口を減少する政策を採るやうになる。

我が國史を繙いてみても、朝鮮との交通が開けて以來、王朝の末頃迄は外人の歸化を歡迎したものである。當時武藏野には、朝鮮の歸化人が多く住んで居た。元明帝の朝に武藏國が銅を獻じたのは、秩父の山奥黑谷村にて、朝鮮人が精錬したのであらうと云ふことである。當時の鮮人は農工上の智識技能に於て內地人より優れてゐたから、喜んで之を迎へ、武藏野の開墾に當らしめた。德川氏の時代にも、藩によつては人口の增殖策を採つたところがある。「天明ノ五年、松平越中守定信育子ノ制ヲ定ム元來白河領內ハ婦少ク男多シ故ニ貧民婚娶ニ難ク生子多ク擧ラズ

民口年ニ減シ田圃荒蕪ス定信謂ヘラク賤民本ト學識ナク養老保嬰ノ道ニ昧シ制禁シテ是ノ弊ヲ改ムト雖モ悪ナクンバ是レ徒法ノミ乃チ庶民九十歳以上ノ者ニ俸米一口ヲ與ヘ姙婦ヲ籍シ分娩ヲ報セシメ洗兒ヲ査檢ス、五兒以上ヲ育フ者ハ賞スルニ米一俵ヲ以テス又越後ノ婦女ハ兒ヲ育スト聞キ吏ニ命ジテ同國ノ窮女ヲ募リテ田廬ヲ授與シ鰥夫ヲ配偶シ耕織ノ業ヲ勸メ陋習爰ニ改マリ云々」と大日本農史に出てをる。又南米のアルヘンチナ共和國では、來住者位では、人口の增加が遲いので、獨身税を設け、丁年に達するも猶獨身で居る男子に課税して、産兒を奬勵してをる。人口が過少の場合には增殖の手段を採るが、過多の場合には減少の策を講ずる。高知縣では、一家に二男一女を擧くるを以て極度と爲す惡風習があつた。男兒にあれ、女兒にあれ、此極度を超ゆるものは、産婆に頼んで壓殺したが、今は此風習が止んだと云ふ。こんな惡習は土佐ばかりでない。舊幕時代には各藩に有つたのである。三代將軍家光公の時に、鎖國令を發布して國を封鎖して仕舞つた。以來太平の夢を貪る事百五十年、國內の人口は殖える。海外には出られず。是では始末に困ると云ふので三番目位より以下の産兒は、内所で殺して宜しいと云ふ

惡習慣が起つた。老人などの話によると赤坊を生れた儘で殺して仕舞ふのを、御返し申すと云ふたさうである。蓋闇から闇に返す義であらう。

臺灣の生蕃人中にも、一種の面白い習慣がある。此生蕃人は多く部落共產制度の下に生活して居る。卽ち六七十人乃至二三百人位の部落が丁度一家族の如く土地農具等の財產を一切催合物にして共同生活を營む。此部落で男子が相當の年配になつて、妻を迎へやうと云ふ場合には、一々酋長の許可を受けなければならぬ。然らば酋長は何ういふ者に許すかといふに、猛獸を獲つたとか、或は祖先傳來の讐敵たる支那人の首を切て來たとかいふ樣な、特別の功勞があれば、其者には許すのである。何故かといふに、生蕃人は極く險阻な範圍の狹い天然の地域內に住つて居るものだから、人口が殖えては生活が困難に陷るから兒を產まぬ樣に結婚を制限したのである。

それから太平洋上に、綺羅星の如く散布してをる島々の中には、餘程奇妙な習慣が行はれてをる處もある。卽ち母は其產んだ子供を殺しても構はないといふ考を持つてをる。其理由が面白い。邪魔になれば、髮の毛を切つたり、爪を切つたり

するのではないか。それと同じ事で、自分の體の分娩物たる子供を殺したとて何の罪がある。是も畢竟餘り人口が増加して困るといふ事から、自然にさういふ風になつて來たのであらう。

又琉球群島の内で、臺灣に近いところに與那國島と云ふのがある。其處には人量田（ハカリダ）と云ふものがあつて、時々全島の住民を其田に入れて量つてみた。立ちきれずに餘りがあれば、其數丈け老人なり虚弱な者なりを、殺戮して人口に制限を加へ、以て食料不足の憂を除いたさうである。是に似た事は巴比倫の籠城の時にもある。昔巴比倫人がダリオス王に對し、「時到つて遂に反旗を飜した時、彼等は次の如き非常手段を執つて其結束を堅くした。先づ其母親をば何處へか避難させた後意に叶ふ女一人を各其側に侍らしめ、其他の者は或る場所に連れ行き、情容赦もなく、一人殘らず絞殺して仕舞つた。男子の衣食を調ふるには一人の女があれば充分である。絞殺したのは畢竟貯藏の食料を浪費せぬ爲である」とヘロドトスは述べてをる。

此度の歐洲大戰爭前、佛國では人口の増加率が少いので大變氣を揉で居た。昔

佛戰爭當時は獨逸の人口と略ぼ同數であつたのが、大戰前には獨逸の方が二千四百萬人も多くなつた。是では戰爭しても勝つ見込がないと、佛蘭西が心配したのも無理はない。生活程度が高くて、多勢の子供を育てるに骨が折れるからであらう。巴里にては年々三萬人分位の產兒の骨が下水から出るとの事である。

右に述べた樣な次第で、人口問題は古今東西に亘りて、人類が頭腦を惱ます大問題であるが、其增減の原因には

一、出產 Geburt, Birth.
二、死亡 Tod, Death.
三、移住 Auswanderung, Emigration.
四、來住 Einwanderung, Immigration.

の四つがある。移住と來住とは、或る特種の場合に起る增減の原因であるが、出產と死亡とは總ての時代、總ての國に起る增減の普遍的原因である。

出產率は女百人に付て、凡そ男百五人の割合であるが、男子の方が夭死をするから、五十歲以上の生存者は、男子よりも女子の方に多い。バルカン諸邦を除く歐洲

諸國では、概して女子よりも男子の數が少い。是は男子の移住者が多い爲である。米國では女子が割合に少いから女權尊重熱が非常に高い。文明の進步と共に出產率も減少するが、死亡率の減少が一層多い爲に、結局は人口の增加となつて現はれる。是れ世界文明國の大勢である。

十八世紀の末葉に至る迄、歐洲諸國は皆人口增加を以て國家繁榮の基と考へ、種々の方法を用ゐて人口の增加を助勢した。貧民救助法の如きは、其一手段に外ならぬ。彼のフリードリッヒ大王の如きは、夫を失ひし女子の喪中を九ヶ月、妻を失ひし男子の喪中を三ヶ月に短縮して、再婚の便宜を計り、民法を改正して離婚を容易にし以て產兒の機會を多からしめた。

(い)マルサスの人口論。それ斯の如く、人口の增加を希望せし時代に於て、英人ロバート、マルサスは千七百九十八年に人口論を著し、五年後の千八百〇三年に之を訂正改版して新說を立てた。惜其所說の要點を述ぶれば

一、自然の儘にて何等の故障もなければ、人口は幾何級數、食物は算術級數の割合にて增加するから、人口と食物とは常に調和を失する傾向がある。

二、然し實際兩者が甚しく調和を失しないのは、生者の死亡即ち積極的制限 (Positive check)と、出產の減少即ち豫防的制限(Preventive check)との作用によりて、人口が食物と調和を保つまで減殺せらるゝが爲である。

三、故に現下社會の慘狀を救濟するには、是非共早婚の弊風を矯めて人口の過剩を防ぎ農業を保護奬勵して食物の供給を豐富ならしむるにありと。

これはマルサスの人口論の骨髓である。人口は二、四、八、十、十六、三十二、と云ふやうに幾何級數にて增加する傾向があるけれども、食物は二、四、六、八、十と云ふ如く算術級數にて增加する傾向があるのみであるから、人口の繁殖を自然に放任してをけば、稼ぐに追付く貧乏現はれ、人口と食物とは常に境爭ひをなし、唯凶歲に於て死亡數の夥しきのみでなく、平時に在ても、人口過剩の結果、壽命縮まりて夭死する者多く、家計不如意の爲、墮胎殺兒等の所業盛に行はれ、衞生のことを顧みる遑がないから、諸疫の流行多く、時に或は一揆戰亂等も起りて、非業の死を遂ぐる者も多くなる。斯の如く死亡の增加によりて、人口過剩を減殺するのが積極的制限である。然るに智德を研き遠慮の念を養ひ、拮据勉勵、財產を貯蓄し、優に一家を支持し、相當の暮

をなすことを得るに至るまで、結婚を差控へて産兒の數を減じ、早婚より生ずる人口過剰を回避するのは豫防的制限である。未開時代には豫防的制限の力は極めて弱く、積極的制限の方が勢力を逞うするが、世が文明に赴くに連れて、豫防的制限の方が次第に強くなつて來る。英國ブラッドフォード市に於ける千九百十三年の調査によれば、四室若くばそれ以上の家屋に住居する者の死亡率は、人口千人に付て八人六分に過ぎざるに、一室乃至二室の家屋に住居する者の死亡率は千人に付て二十五人の割合であるから、約三倍である。斯く同じ一國内に在ても、下層社會には積極的制限が比較的に多く行はれて居ることが分かる。

「人口は幾何級數、食物は算術級數にて増加する傾向がある」とマルサスは普遍的に云ふて居るが、是は不完全な言である。何となれば、國情と文明の程度が異なれば、人口の増加率も食物の増加率も異なるから、斯く數學的に一定不變のものと斷言するのはよくない。唯其眞意を「人口の増加率は食物の増加率に優る」と解釋して置けばよい。

(ろ)人口増減の可否。人口増減の可否は、國により將た時代によりて決すべき問

題であつて、一概に論ずる譯には行かぬ。人煙が稀薄で未開墾地の多い國では、其増加を歡迎すべきも、人口が既に過剩を示し、植民地も有せず、他國に移住することも不可能なる場合には、適度の減少は是認せなければならぬ。又増加を奬勵する場合には、出産率の大と死亡率の小とに基因するを可とし、減少の必要を感ずる場合には、積極的制限よりも、豫防的制限の行はるゝ方が望ましい。去り乍ら現下世界の情勢にては、人口は減少するよりも増加する方が、勞働量も多くなり、兵力も強くなり、國家も富み、租税の負擔力も増す次第であるから、一般に歡迎せられてをる。人口が増加すれば自然の必要上、經濟組織も變化する。農業よりも工業の方が、工業よりも商業の方が、狹き面積の上に於て、多數の人命を支持して行くことが出來るから、人口の増加と共に、經濟組織も自然其方面に變化して行く。

北米合衆國では、人口八千以上の都會に住する者の數が、千八百年には全人口の纔に百分の四であつたが、千八百五十年には百分の十二となり、千九百年には三分の一郎ち三割三分餘となつた。日本にては明治廿三年頃は人口一萬以上の都會に住んで居る者が、全人口の八分の一位であつたが、今日は四分の一ばかりに増加

してをる。是は商工業が次第に發達し行くことを立證するものに外ならぬ。今農家の一戸平均耕作反別を擧ぐれば、露西亞(本國)と獨逸とは各約三町歩、佛蘭西と英吉利とは各約四町歩、北米合衆國は約五十町歩であるのに、日本は田畑合せて纔に約一町歩位であるから、一等國民相當の生計を營み、子女に文明的敎育を施す餘裕はない。田八反歩、畠七反歩、合せて壹町五反歩が一戸の適當なる耕作面積であると云ふ說もあるが、是でも猶狹い樣に思はれる。尤も我國の田作などは外國の方法より面倒であるから、外國同樣の面積を耕作することは不可能であらうが、一町五反歩では足りさうもない。現在は自分の土地を自分で耕やしてをる自作地が全國總反別の五割五分、地主から借りて耕してをる小作地が四割五分と云ふ割合になつてをるが、二十餘年前は、自作地が六で小作地が四の割合であつた。卽ち自作地が五分減じて、小作地が五分增した勘定である。是は畢竟自作農が迚も遣りきれなくなり、所有地を賣つて商工業に轉じたり、小作人に變つたりした爲であらう。

(は)移住の利害。人口が多くなれば移住させよと一口に云ふが、それは少々考へ

ものである。移住には利益もあるが損失もある。母國の立場から見れば、移民の敎育費、勞働力及其携帶して行く財產を損ずる勘定であるが、又一面には母國の政治上並に社會上の勢力を擴張し、貿易を發達せしむる得がある。移住の得失は國情によつて異なる實際問題であるから、抽象的に机の上にて斷定する譯にはゆかぬ。

（に）人口調査。苟くも政治、經濟、社會の事柄を論ずるには、是非共人口の靜態と動態とを知る必要がある。之が明瞭に分つて居なければ、議論が徒に空理に流れて實用をなさぬ。西洋に於ては遠く羅馬の時代、既に課税の目的を以て、人口を調査した例があるけれども、不完全で取るに足らなかつたが、千七百九十年、北米合衆國が每十年の調査制度を採用したるを始とし、文明諸國は皆其例に倣ひ、調査法も次第に綿密となつた。國によつて其期限には十年あり、五年あり、三年等の差別はあるが、人事日に增し複雜となり、變遷其速度を加ふるに連れ、十年一回の法も、漸次間に合はなくなる傾向がある。而して之が調査を爲すには、人の最出步かぬ都合のよい時日を擇び、各戶に付て其現在者の住所、氏名、本籍地、年齡、性（男女別）、世帶主との

績柄、職業、配偶者の有無、國籍、敎育、宗敎、用語等に至るまで國家社會の盛衰消長に影響を及ぼす事項を調査するのである。斯く同一時間に調査して、人口の現狀を知るのが靜態調で、此靜態調を度々重ぬれば、人口の變動卽ち動態が分明になる。靜態調は幻燈の如く動態調は活動寫眞の如きものである。此兩調査が完全に出來て、人口の現狀と移動の模樣が明瞭となれば、政治、經濟、社會を攻究するに至極便利であつて、恰も病源を究めて藥石を投ずるが如く、其改良策の效能も著しき譯である。

我國史によれば、崇神天皇(第十代)の十二年に「人民を校へ調役を課す」とあるが、是は恰も羅馬のセンサスの如く、課稅の目的で調べたものである。併し幼稚なものであつた事は想像に難からぬ。第二十九代の欽明天皇紀に「元年秦民、漢民等の諸蕃を國郡に安置して戶籍に編貫す」とある。是が歸化人の戶籍を造つた始である。然し一般人民の戶籍は未だ造らぬ。我國に於て民の戶籍を造つたのは、山守部の民が始で、次に歸化人に及び、次に田部に及んだ。田部の籍帳を造つたのは、欽明天皇の三十年である。去り乍ら此頃の調は不完全極まるものであつたに相違ない。

孝德天皇の大化の新政以後は、班田の必要上六年毎に人口調査も行つたが、班田の行はれたる範圍は至つて狹く、大和附近と四國の一部と九州の一部等に止つて居たから、戸籍調査も全國一般に行はれたか何うか疑問である。知り度くとも史籍が亡失して審でない。今諸書の中に散見するものを集めてみれば、推古天皇の十八年には、四、九八八、八四二人、天平八年には、八、〇〇〇、〇〇〇人、享保八年には、二六、〇六五、四二三人、同十一年には二六、五四八、九九八人、同十七年には二六、九二一、八一六人、延享元年には二五、六八二、二一〇人、寶曆六年には二六、〇六一、八三〇人、文化元年には二五、七八六、八九五人等の數を得れども、固より正確のものと云ふことは出來ぬ。稍信憑すべき戸籍簿は、明治四年の法令に基きて出來た。此戸籍簿による明治六年の人口は、男一六、八九一、七四一人、女一六、四〇八、九五三人、合計三三、三〇〇、六九四人であつた。以後は只此臺帳を基礎として、出生、死亡、結婚、離婚、養子、養女、徵兵移住、失踪等を記入し、加除を行つたのみであるから、完全だとは云へぬ。それで長い間國勢調査の必要が說かれて來たが、漸く第一回の調査が出來た。其結果は左の通りである。

帝國全版圖人口（大正九年十月一日現在）

	世帯	人口總數	男	女
全版圖	一五、二三一、四二五	七七、〇〇五、五一〇	三八、九二二、四三七	三八、〇八三、〇七三
內地	一一、二二二、〇五一	五五、九六一、一四〇	二八、〇四二、九九五	二七、九二八、一四五
臺灣	六九〇、〇〇〇	三、六五四、三九八	一、八九四、一四一	一、七六〇、二五七
樺太	二二、〇八七	一〇五、七六五	六二、二五一	四三、五二四
朝鮮	三、二九七、二八五	一七、二八四、二〇七	八、九二三、〇六〇	八、三六一、一四七

朝鮮に關する數字は國勢調査の結果でなく、便宜公簿調査の結果を採つたものである。

第三　國家

一定の地域內に多數の人が相集りて、習慣から發生した秩序の下に共同生活を營んでをるものを社會と云ふのであるが、國家は此上に强制力を持つた主權が加はらなければ成立せぬ。法律制度は主權の發動の形式であつて、國民は是に依つて統一せられてをる。それで定義を下せば

「國家とは一定の領土內に於て、多數の人民が一個の主權の下に統一せられたるものである」

と云ふことができる。

國家の職務の範圍に付ては、古來幾多の學說がある。自由主義を奉ずる極端な學者中には、國家の仕事を最小限度に制限し、只公安を維持する丈に止めやうとしてをる。即ち陸海軍、警察、裁判、外交に關する仕事と、歳出歳入に關する會計事務で澤山であると說くが、國家社會主義者は是に反して、公益に關する事業は勿論、土地と資本とを國有とし、財の消費を除く外、生産、交換、分配に關する一切の業務迄をも、國家にて經營し、管理すべきものであると主張する。此兩極端の間には幾多の異說はあるけれども、近時世界の大勢は漸次國家の職務を增加し、敎育、衛生、鐵道、水道瓦斯、市場等の事業より、鹽、煙草、樟腦、阿片、酒精等の製造販賣に至るまで、公營となる傾向がある。國家は啻に公安の維持者としてのみでなく公益の增進者として活動してをる。立法者、行政者、司法者として、公安公益の維持增進者として、租稅の徵收者として、生産者並に消費者として、國民經濟の上に國家の及ぼす影響は實に甚大である。就中最根本的にして影響の大なるものは、所有權と相續權であるから、以下此兩者に付て簡單なる解說を試みやう。

(い)所有權。我が民法にては、所有者の權利を次の如く規定してをる。

私は茲にもう一つの方策があると言ふ、私は之を名づけて家内植民と申します。

是は極く平たく申しますと、茲に一定の收入があつて、其收入を以て一家五口を養つて居つた、是が主として其家庭の主婦たる細君の働に依りまして、此同じ費用を以て、一家七口を養ふに足る所まで行きましたならば、日本內地丈けで約千二百萬戶でありますから、新たなる人口二千四百萬を收容する餘地が茲に生ずることになる。是が實現さるゝことの爲には必ず、內地植民が農政改良に依ると同樣に家政改良の一の方法によらねばならぬ、此の家政改良を實現し得る所の主婦たるべき婦人が日本の家每に君臨すると云ふことの爲には、所謂現代の波に漂ふべき女子敎育抔では更々なく、最も眞面目なる、最も堅實なる、沈著せる意義に於ての、女子の改良發展に待つの外は無いのであります。」──と述べてゐられるのである。

此家政改良も農政改良も要する所、科學卽ち自然科學及社會科學の進步發明に基礎を置く者であるから、科學研究の奬勵と科學知識の普及とを策せねばならぬ。

尙過剩人口の處分法としては、工業立國策を立てゝ食糧の大部分を外國の供給に仰ぎ過剩人口を大工場に收容せんとする論者もあり、商業立國策を唱へて、殊に

諸威の政策に倣つて、商船を建造し、航海通商を以つて、或は遠洋漁業を盛にして、この過剰人口を處分せんと策する者があるけれども、これ等は共に、食糧或は原料を供給して、更に商品を購入する外國、又は船荷を運搬せしむる方寸によつて、其國家生計の根底が自由に且つ容易に動かされる所の寄生的經國策であるから、過剰人口問題の解決策としては、これのみに重きを置くことは、決して其國存立の上から出來ないことである。

第三章　經濟問題と勞働問題及階級問題

第一節　産業革命

社會問題と云ふと、經濟問題殊にその該心である勞働問題及びこれより惹き起されて來る階級爭鬪から、問題とされて來る階級問題の外にないと狹義に解する經濟學者の一派があることは前に述べた所であるが、何故にこの經濟問題卽ち生活問題が現代社會に於いて、強く論せられるやうに成つて來たのであるか、これを明に論せんとすれば少くとも近世文明の母ともいはれてゐる、産業革命から說明

せねばならぬ。

英國經濟學の大家である、マーシャルが、その經濟學原論の始めに於いて、宗教と經濟との社會的生活に及す影響の大なることを說き、カール、マルクスも亦その唯物史觀に於いてこの經濟力を高調してゐる。即ち經濟組織が先づ變動して、然る後に人の思想及精神が變動する、人の思想及精神が變動して後、初めて社會組織の變動が起るものであつて如何なる時代に於ても、貨物の生產せられ、分配せられる方法に從つて、卽ち人民の經濟的事情の如何によつて、歷史の進步及發達は支配せられると論じてゐる。

人類はその起原に於ては、先づ食衣住がその生活行動を左右する、第一次要件であつて、宗教、美術、科學の如きものは第二次要件であるに過ぎない、何故かと云ふに後者は胃腑の充足の後に來る可き問題であるからである。この史觀を以てすると、古代歷史の形式は奴隷を以つて富を生產せしめたに存し、中古歷史は封建制及びこれに附屬する事情によつて其の形式を定めてゐた。然るに近代に至つて資本家的生產を以つて、その形式とするやうになり、資本家及び雇主と「プロレタリア

ート」との間に起る爭鬪を以つて歴史を形成するやうになつたのである。マルクスは此の點に就いて、サンシモンが「佛國革命は詰り「貴族市民及び貧民間の階級爭鬪に外ならぬ」と云つたのを一八〇二年に於ては大なる卓見であると評してゐる。

此の資本家生產は幾多の小工場を併合集中して、雄大幾多の機械機關をして、勞働者と競爭せしむることを意味するものである。この大工場制の出現に會つて中世產業の形式は一夜にて崩解して、資本主義的生產の形式に變轉して了つた、これを產業革命と云ふのである。

十九世紀に於ける物質的文明の進步は諸多の革命を齎らしたが、殊に科學の隆盛は機械の發明及發達を促し、一切の自然を利用して、產業の形式に大なる進步を來さしめたのであつて、この產業革命が、初めて烽火を揚げたのは、論ずるまでもなく、世界第一の工業國たる英國であつた。英國では工業上の發明及發見と、資料の自由貿易と、食糧輸入稅の廢止と、繼續せる戰爭の終止とを原因として、大工業が勃興し、都市が增加し製造業に從事する人口も增大した。この社會的事象には政治的に、ベンザム、グロート、ミル、經濟的にはアダムスミス、マルサス、ミル等の新理論に

三寶の慈力によつて皆な苦趣を脱離して、而も善道に超昇することを得せしむ。之れを福田と爲す。

とある。此思想が佛教渡來當時に於て盛んに慈善的なる社會事業を施設せしめ、それが佛教に伴ひ來れる大陸文化と共に我が文化の啓發に多大の效果を齎らしたのである。

第三節　奈良時代の民政

一　大化の改革と口分田

話は少しく前後し來つたが、聖徳太子によつて企てられた政治上の改革は蘇我氏の如き閥族が跋扈して居つたから、太子の時代には充分に實現することが出來なかつたが、閥族蘇我氏の誅伐と共に氏族制度の積弊は打破せられて國家の統制が完全に行はるゝやうになつて、天に二日なく、地に二主なく、天皇を中心として其の任命による官吏が地方に派遣せられて民政を司ることとなつて、從來の世襲的氏族の制度は改められて官司によつて政治せらるゝこととなり、氏族の長が私有

の如くに心得て居つた土地人民は直接國家に屬することとなつて、伊達千廣が「大勢三轉考」に所謂姓（かばね）の時代は去つて司の時代となり。こゝに大膽なる改革が行はれて今日の所謂共產主義的の施設が實施せられた。それは苟くも日本國民たるものは（多少の例外はあつたが）大體に於て男女ともに六歲に達すれば一定の田地卽ち口分田といふものゝ支給を受けるので、其の高は男は二段、女は其の三分二卽ち一段と百二十步を受ける制度で、六年目每に調べられて、國事に斃れたものゝ外は當人が死去した場合に返納し、生れて六歲に達したものは新に與へられるといふ、貧富を劃一した面白い遣り方で、三浦周行博士が「國史上の社會問題」の中に述べられた所によると、二段の收獲割合は稻百束として其の內四束四把が租稅にあてられ殘り九十五束六把が純收入となり、之れを米に搗くと四石七斗八升餘であるから男子は一日に米一升三合餘を得、女は六十一束二把で、これを一日に割當てると八合六勺弱といふことである。これだけあれば生活に差支はない。

これは勿論、範を唐の斑田の制に則られたものであるが、支那の制度を其儘に採用せられたるのではなく、我が國の民情に應じていろ〳〵參酌せられたので、唐の

制度にあつては男子十八歳に達して始めて口分田を受くるに、我が國には之れを六歳とし、唐にあつては婦人は寡婦となるに至つて漸く男子の八十畝に對して三十畝、卽ち三分の一强を受くるに過ぎざるに我が國には男子と同じく生れて六歳に達すれば男の三分の二を受くるといふことになり、唐にあつて癈疾の者や老ひたるものには壯者の半額としたるに、我が國には其の規定なき等、種々の點に於て我が國の方が共產的に徹底して居つたのである（內田銀藏氏「日本經濟史の硏究」に據る）

二　地方自治の始源

班田の制旣に成ると共に戶籍は調べられて孝德天皇の白雉三年に、凡そ五十戶を里とし、里每に長一人を置き、戶主は家の長を以てすることとし、五家を以て相保るのといふ制を立てられた。保といふのは警保並に納稅の爲めに五戶連帶の責任を有することで、五戶每に一人の保長を置き、相檢察して非違を戒め、若し遠地の者が來つて止宿したり、又は保內の者が他に旅行する等のことがあれば同保相告げ、若し又保內の者が賦役を免れんがために逃走したりすることがあれば同保の

者が之れを追ひ、三年を經ても知れざる時は之れを除名して其の土地を官に還し、其の除名せざる間は、同保の戸主及び同里(卽ち五十戸の內)に住する近親の者が之れを均分して耕作して其の租稅を代納するといふので、これが後世五人組の濫觴となり、地方自治の淵源となつたもので、隣保相助くるの美風、之れより出で、我が國の自治民政を論ずるものゝ忘るべからざる史實である。

かく地方には自治の萠芽を存せしめられしと共に、中央には二官八省一臺を置きて全國の政治の統一せられた、二官といふは神祇官と太政官で、神祇官は神祇を崇び祭祀を重んずるの古制によりて置かれたもので、八省を統理して政治の中心となるものは太政官、其の下に中務、式部、治部、民部、兵部、刑部、大藏、宮內の八省あり、特に民部は戸籍、地理、田租、課役、表旌等の事を掌りて直接民政に關し、地方行政は國には國司を置き、郡には郡司を置いて庶政を行はしめられて、且つしばしば國司の勸怠を巡檢せしめられて中央と地方と共に紀綱大に振つたのである。

三 墾田の奬勵と社會政策

大化の革新と共に行はれた班田の制度は今日の所謂土地國有の制度であり社會政策として面白いものであるが、さて之れを實際に行ふといふことになると多大の困難を感ぜざるを得ざることになつた。大寶令の制度によると田地を公田と私田とに分たれ、私田といふのは先きに擧げた口分田の外、位階によつて給せられる位田、官職によつて給せらるゝ職田、功勞によつて給せらるゝ功田、其の他特別の事情によつて賜田等であつて、これらを差引いて殘りのものは直接國家の所有として之れを公田と定められたのである。これで人口の增加といふことが甚しくなく、生れる者と死ぬものとが平均して行けば差支ないのであるが、人口は斷えず增加して行くから、勢ひ口分田に不足を感ぜざるを得ない。其の不足は公田にて補ふとしても、公田には限りがある上に、當時佛教信仰の盛んなるにつれ、寺院の建立は多く、從つて此寺院に寄付せらるゝ寺田といふべきものも增加して行き、勢ひ此不足は新地開墾によつて補はねばならぬから、早くも元正天皇の養老六年に地方官たる國郡司を督勵して開墾を盛んにせしめ、其の功に應じて叙勳せらるゝといふことになつたが、たゞこれだけでは充分に開墾をせしむることが出來ない

ものであるから、私人の開墾したるものには終身其の田地を所有せしむるといふことにもせられたのであるが、一代限りと定まつて居ると大に骨を折つて開墾するといふことが少いから終に有名なる三世一身の法といふものが定められて、新たに溝池を造つて開墾した田地は子孫三代の間は所有させるといふことに定められた(養老七年四月)が、これとても孫の代には還さねばならぬといふことになると、其の時期に近づくと耕作を怠つて荒蕪に歸せしむるといふ傾向があつたから、聖武天皇の天平年中には國司在任中の開墾田に就ては其の解任と共に國家に還させるが、人民の開墾したる土地に對しては永久に開墾者の所有たることを認めらるゝに至つて、班田當初の精神とは大に異るに至つたが、其の開墾には幾多の制限を付して激甚なる自由競爭を防ぐと共に、地方官たるものが地位權力を利用して開墾地を貪り人民の農業を妨ぐるの弊を矯め、桓武天皇の如きは有名なる「民は惟れ邦の本、本固うして國寧し、民の資とする所は農桑之れ切なり」と仰せられて國司たるものは其の俸給に充てらるゝ公廨田以外に田を作ることを禁じ、之れを犯すものは其の田を官沒し、其の任を解き、違勅の罪に科するとし、又山川藪澤の利は

公私之れを共にせよ、此頃聞く王臣の家及び諸司寺家、山林を包併して獨り其の稱を專らにすと、これをしも禁せずんば百姓何ぞ濟はん、宜しく禁斷を行つて公私之れを共にすべし、若し違犯するものあれは違勅の罪を科せよ」(延暦三年)とて特權利級の專横を戒められた。

併し當時の特權階級と見るべきものは、斯る支配階級の者ばかりではない。多くの寺田を給與せられて精神的に信仰を支配する以外、物質的に財力を有して居つた寺院僧侶である。

四　奈良佛教の功過

佛教の渡來に大陸文化の輸入となり、其の慈悲の精神は、現はれて八福田の實行となり、直接間接に民政に及ぼしたる效果は實に大なるものがあつたので、當時に於ける社會政策の基調には此佛教の精神が存したことは云ふまでもない。特に賑恤救濟の擧がしば／＼行はれたのは多く此精神に基因するので、彼の光仁天皇が寶龜六年に初めて天長節を設けらるゝ時の勅にも「十月十三日は、これ朕が生日、

此辰に至る毎に慶び兼ね集る、宜しく諸寺の僧尼をして毎年是の日、轉經行道せしめ、海內諸國並に居を斷つべし、內外百官に餔宴を賜ふこと一日、仍て此日を天長節と爲す、庶くは斯の功德を廻らして先慈を虔奉し、此慶情を以て普く天下に被らしめん」とあつて功德廻向の思想が現れて居るのであり、先きに擧げた聖武天皇光明皇后の御芳躅にも明かであるのであるが、更に此佛敎の信仰に伴ふ寺院の建立は工藝美術の進步を促すのみならず、聖武天皇が諸國に國分寺並に國分尼寺を建立せらるゝに至つて文化は邊陬の地に普及し、交通はこれが爲めに開けたのであるが、此の如き寺院の建立は多く國費を以てせられたるのみならず、宮廷並に諸官衙の建築等、盛んに土木を起されたるが故に勢ひ人民の負擔を重くし、其の結果貧しき者は富める者に借財し、富める者は之れによつて利を貪るといふことになり、貧富の差漸く甚しからんとするに至り、天平勝寶三年九月には太政官符を以て「豐富の百姓、錢財を出擧し、貧乏の民、宅地を質と爲し、追徵に至つて、自から其の質を償ひ、既に本業を失ひて他國に迸散す、自今以後皆な悉く禁止せよ、若し約契あらば償期に至るといへども、猶ほ任に住居せしめて漸々に酬償せしめよ」と達して、富豪の士

地を兼併し、暴利を貪るを止められたのであるが、其の後も此弊は休まず、加ふるに寺院の建立は一種の流行となつて官立の外に權門の人々が氏族の寺卽ち氏寺として之れが建立を計り、或は地方共有の伽藍として私寺を建て其の田宅園地を喜捨するものあつて、一面寺院の富有を致すと共に他面には私人の窮困するものあるを以て桓武天皇は延曆二年六月を以て「京畿定額の諸寺其數限りあり、私に自ら營作すること先きに旣に制を立つ、以來、所司寛縱にして曾て糺察せず、若し年代を經ば地として寺ならざるはなからん、宜しく嚴かに禁斷を加ふべし、自今以後私に道場を立て及び田宅園地を捨施並に賣易して寺に與ふるものならば、主典以上は見任を解却し、自餘は杖八十に決せん」と勅して寺院濫說の弊を矯むると共に、僧侶の中には富有に任せて利を貪るものあるを戒めて「京內の諸寺利潤を貪求し、宅を以て質に取り、利を廻して本と爲す、只網維の法を越ゆるのみにあらず、抑も亦官司も阿容せり、何ぞ其れ吏たるの道ならんや。 輙ち王憲に違ひて出塵の輩、更に俗網を結ぶ、宜しく多歲を經といへども一倍を過すことなかれ、若し犯すものあれば違勅の罪を科し、官人は其見任を解き、財貨は官に沒せよ」と勅して奈良朝佛敎の腐敗

を糺彈し終に都を平安に遷されて政治上に一大革新を施したまふと共に從來宮中に夤緣したりし舊佛敎は其の光りを失ひ佛敎界には新たに傳敎、弘法の二大偉人出で、一は比叡山に天台の敎義を宣揚し、他は高野山に眞言の密理を唱道して佛敎史家の所謂宮中佛法より山中佛法に轉じて奈良佛敎の弊害は除却せられたのである。

第三節　平安時代の民政

一　歷代の仁政

先きも掲げたる如く、桓武天皇の平安奠都は奈良時代の弊風を廓清して、民政の上に一大刷新を施されたので、民本的の御聖旨は先きに國司の秕政を戒めたまふ詔に「民は惟れ邦の本」と仰せられたにも新かなるが如く、之れを敎へ、之れを富ますの御政策は歷代の御詔勅によつて明かなるが如く、我が民政は常に皇室御親政の下に其の完備を見るのである。　彼の延曆二十五年、「今、聞く、頻年、登(みの)らず、民食惟れ乏しく、公稻を出擧すといへども、猶ほ阻飢多し、茲に因て私に民間に託し、更に乞貸を

事とし、報償の時、息利兼倍し、遂に富强の輩をして膏粱餘りありて、貧弊の家をして糟糠にだも厭ざらしむ、宜しく正税を貸して彼れの絶乏を濟ふべし」と勅して、貧人を調べて五保相濟はしめられし如きは、確かに今日の所謂貧富緩和の社會政策であり、平城天皇が大同元年に水旱頻りに起り米價騰貴の甚しきに至るや、造酒家の甕を封じて一時造酒を停止せしめられたるも亦之れ物價調節の政策とも見るべきであり、仁明天皇の承和七年を以て風俗の華美を戒め「省略の術は儉約にあるのみ」として衣裳の重着を禁止し、文德天皇の仁壽二年を以て「王政の要、生民の本は唯だ農を務むるにあり」とて勸農の詔を下したまへる如き皆な深く意を民政に用ひられたるを見るべきである。

若し其れ前に貞觀あり、後に延喜ありと云はるゝ淸和天皇の貞觀の治は最も意を民政に用ひたまひ、年凶にして民飢餓に苦むを聞きたまひては、常膳服御を減じたまひ、政治の失なからんを望みたまひ、納諫の詔勅を下し「參議以上各時政の是非を論じ、世俗の得失を詳にし、化を傷ひ人を害し、時に便ならざるものは用を節し度を謹み、國を利すべきものは並に昌言を盡くし、以て朕が心に沃ぐべし、華飾を爲す

勿れ、隱諱ある勿れ」と仰せられた、自治の始源ともいふべき五保の制を督勵しこれを親王公卿にも及ぼしたまひ寒夜に御衣を脱して民の痛苦を察したまひし醍醐天皇の延喜の治の民政に重きを置かれたるはいふまでもなく、其の諫を納れ、弊を改め農を勸め、民を利したまひし美蹟枚擧に遑あらず延暦に次で村上天皇、天暦の治あり、同十年秋、詔して「儉は德の本なり、明王は能く致す、惠は仁の源なり、聖主必らず施す」と仰せられ、自ら服膳等を省減せしめられ、身を以て奢侈を戒めたまひ、藤原氏の榮華絕頂に達し、滿廷の公卿奢侈を事とするの時、後一條天皇が寬仁元年を以て「節儉は上德、國を富すの表德なり、損益は前賢、民を安んずるの治要なり」とて服御掌膳其の四分の一を減せしめ「庶幾くば毫毛を鳳扆の下に省き黎元を鴻休の間に導かん」と仰せられたる如き躬行實踐、以て民を導きたまひ、其の崩御したまひて山陵の事あるや、役夫等相語つて「二十年間我が肩を息めたまへり、今にして力を效さざるべけんや」とて勞苦を厭はなかつたといふ一事を以て其の民政に心を盡くしたまひしを見るべきである。

二　佛教の社會事業

此の如く歷代の天皇が民政に意を用ひられたる裏面には敬虔なる佛教の御信仰があり、偉大なる高僧の感化のあつたことは否定することが出來ない。桓武天皇の一代革新の裏面には傳敎大師あり、彼の平安の奠都には大師の作劃最も多く、國司を督勵して意を民政に用ひしめられたる嵯峨天皇の裏面には弘法大師あり爾來天台眞言の二宗に高僧續出し、皇室の歸依ます〳〵深く、宇多天皇に至つては殆んど其の絕頂に達し、在位十年にして位を皇太子(醍醐天皇)に讓りたまひ、昌泰二年十月を以て東寺の長者益信に就て落飾し「我れ昔、人君にありければ萬姓惡を作すものは我が身に歸す、今、佛子となつて以て一身善を修し、善く萬姓を利せん」と仰せられ、且つ遺詔して「賞罰を明にし、而して愛憎に迷ふ莫れ、意を用ゐること平均にして好惡に徇ふ莫れ、能く喜怒を愼みて色に形はす莫れ、治を有識に訪ひ、治を六經に求めよ」と仰せられて後世人君の誡を遺したまひ、次で平安時代に於て民政の最も完備したりといはるゝ醍醐天皇延喜の政となり、直接國司として地方に赴任す

るものも亦此精神を以て民に望むんだので、佛教思想の影響する所少くはない。されば皇室の歸依益深く宇多天皇の落飾したまひしより平家の沒落に至る迄二百八十五年御代を累ぬる二十二代、而して其の中十三代は入道落飾したまふたのである。

若し其れ其の文化事業幷に社會事業に貢獻したるものを擧げれば、先づ第一に弘法大師を推さゞるを得ない。大師の綜藝智院を建てゝ庶民の子弟に敎育を施すの道を開きしは、我が國平民敎育史の劈頭を飾るもので、當時大學あつて貴族の子弟を敎育し、地方に國學あつて國司郡司の子弟を敎育し、其の他貴族には藤原氏の勸學院、和氣氏の弘文院等一門の子弟を敎育する所があつたが、庶民を敎育する場所のなかつた時に弘法大師の此擧は確かに文化普及の上に功があつたのであるが、それよりも大師に負ふ所の多いのは、いろは歌に於ける平假名の製作である(片假名の組立に就ても悉曇卽ち梵語の文法に據れるを以て弘法大師の制定との說もある)これが日本の文化普及に功のあつたことは今更ら喋々するまでもないこれのみならず大師は諸方を巡化して新智識を地方民に傳へ、或は池を穿ち、或は

山を開かれたる等枚擧に遑ないのである。若し其れ佛教の精神より出でたる感化救濟の事業に至つては、先きに桓武天皇の朝に事へて參議小野岑守の墾田百十四町を買ひて、續命院七宇を建て以て行旅の病人を救ふの擧あり、後には寒夜に御衣を脫して民の痛苦を問ひたまひし醍醐天皇の延喜八年「頃者、京中の病者多く路頭に臥し人の收養するなし」とて左右京職に仰せて之れを收養せしめ「事、濟民に緣る、疎略にすること勿れ」と勅したまひしあり、奈良朝時代より傳へ來れる施藥悲田の兩院は此朝に入つても盛んに行はれ、宇多天皇は寛平八年の太政官符を以て、十日毎に施藥院幷に悲田院の病者、孤子の多少、有無、安否等を巡檢せしめて賑恤に懈怠なからしめられたる等、佛教慈善の精神は各種の方面に現れて居るのである。
就中、此時代に於て感化救濟史上に特筆すべきは、盲人教育と監獄教誨とである。

仁明天皇第四の皇子人康親王は、貞觀年中に薙髮して僧となり、法性禪師と稱し盲者の心情を憐みたまひ、山城國山科に閑居して諸國の盲人を集めて之れに音樂を教授し、且つ米穀を分與して之れを愛撫せられ、之れに檢校、勾當等の僧官を授けたまひしは特に盲人を救濟せられたるの初めで、其の後、後白河天皇の時、村上源氏

の祖と云はるゝ久我家より盲人城玄検校の出でたる由緒により綸旨を下して全國盲人を愛撫すべき旨の勅諚ありて施行米を分與せしめられ、時に消長があつたが、維新前まで久我家の手を經て盲人に官を授けらるゝこととなつた。

かくて不具者の教養の道立つと共に、初めて監獄教誨に手をつけられたのは此時代の僧春朝上人である。上人獄裏に呻吟する罪囚の慘狀を憐み、「我れ當に大方便を以て七たび獄に入つて彼等をして妙經を聽かしめん」と、佯り捕へられて獄に入り、經を誦し教を說いて改過遷善せしめ、赦されて出れば、又入り、身の苦を厭はずして人を救ひ、終に「これ菩薩の權化なり」と云はしめられたる等、佛徒が感化救濟に力を盡くしたことは決して尠少ではない。

三　平安佛教の末路

奈良朝を經て平安朝に入り、高僧の輩出と共に佛教の信仰は益盛んになり、平城天皇は大同元年に「頃年、追孝の徒、心に哀慕を存して事豊厚を務め、人の耳目を眩し各競うて名を求め、貧者に至つては、或は田宅を賣却して還つて家途を滅す、凡そ功

（四）概念の運命

語が消滅して、世間に廢たれるとは、語自からの側からいふことで、それに當てられてゐた概念の方からいふと、別に考へねばならぬところがある。「むなぐるま」といふ語は用ゐられなくなつたが、それに對する概念は、棄てられたわけではなく、今でも、我々の間に存してゐる。さすれば、概念は生きてゐて、それに當る語形が死んだのである。

しかし概念は、單に概念として、ぶらりとしてゐては、思惟することは出來ない。つまり、前に言つた樣に、算盤珠はあつても、唯珠として、袋の中に、豆を入れた樣にはいつてゐるのでは、算盤を用ゐて勘定するやうな、勘定は出來ない。算盤を用ゐて勘定するやうに、勘定するには、いふまでもなく、その珠が、算盤を構成する要素となつて、算盤にはめられ、最上のものは、五の價であり、下の五つは、各々一の價であり、且つ位取りからは、その一が十とか百とかの價になり、その五が五十とか五百とかの價になるといふ、一種の約束が、つかねばならぬ。概念も、たゞの概念として獨り立

ちでなく、これにそれぞ〳〵約束がつかねばならぬ。さきに札付きにするといつたのは、こゝのことであつて、名付けがいるのである。

名付けには、音聲を用ゐる。音聲を用ゐることを、各人が皆始めるにも及ばず、その國語の社會で、ちやんと、それぞ〳〵の概念に、それぞ〳〵の音聲配當が出來てゐて、傳へられてゐる。ところが、その傳つていく間に、配當せられて來た音聲形式が、その概念に對するものとして、消滅していつたとすると、概念の方は着物を剝がれた樣なわけになつて、はだかになる。はだかでは道中が出來ないから、どうしても、代りの着物が入る。それが第二の着物になる。第二の音聲形式である。

第一の音聲形式とその概念とを以て、或語が第一の語として、存してゐて、さて退いた代りに、第二の音聲形式とその概念とを以て、或語が第二の語として、存することになる。この第一の語と、第二の語とは、形がちがふ。しかし、概念の方は同一でないまでも、甚だ近いにちがひない。こゝの處を指して「以前かやう〳〵に言つたものが、今日は語が變つて、かやうになつた」といふのである。

「みせびらき」――「開業」　「ほりもの」――「彫刻」

「とせい」（渡世」—「營業」　「うけにん」—「保證人」
「ひけし」—「消防」　「しおき」—「處刑」

などはこの例である。

かゝる變化は、何に因るかといふのに、右の例など、卽ち、日本の近代殊に明治以後に一般になつたものに就て見れば、これは、言語の敎育が、文字を通じて、一般になつたにも因る。昔しは、口頭で「みせびらき」と言つてゐて、これを文字に表すことは少數のものが知つてゐる位で、多くは强いて書くなら、假名で書いておくといふ有樣であつた。從つて、店先にも「何日までみせびらきに付、云々」と貼り出したものである。たとへ角な字で表しても、假名をつけたであらう。然るに、敎育が普くなつて來たからだん〳〵假名つき廣告も少くなり、直ちにこれを讀むやうになり、從つて、字音で讀むことになつた。

そればかりでなく、文字が讀めるやうになり、書を讀み出す世界になると、話す場合にも、字音の方で話す、聞くものも、それを知つて自分にも使ふといふ風に、だんだん一般に廣がつた。さうなると、物を知つてゐる人々が使ふやうな語が、勢力を得

て來て、平らないひ方の方は衰へて來る。殊に世間で行はれ出した方は、新進の勢でいくから、一方は棄てられるものである。所謂流行の勢やむを得ぬことになるのである。

しかし、かやうなことには、理窟ばかりが勢を制するのではない。感。情。が大きに與つてゐる。かの「多勢に無勢」といふことも、必ずしも數の多少にのみあるのでなく、感情が傾くからである。故に、もし感情が寢返りをすれば、少數の方と雖、大勢を動かすに至る。概念は同じ（若くば近似）であるのに、その語が變ることも、その變つた語を用ゐんとする感情が、かれを捨てこれを採らしめるのである。

であるから、舊新兩語が並び存してゐて、まさに新語の勢が增さんとする時には、舊語を守らんとする人と、新語に走らんとする人との間に、感情上の問題が起る。それを理論上で、とやかくいふものゝ、その根底には、少からず強い感情が引きつけてゐる。通常、世間語の變る時に、そんなに著しい感情衝突が表れては見えないがそれはいはゞ黨派的にならないまでで、實は、感情の力で、抑へるものと放つものとがあるのである。それが、遂に各々領分を造つて、かゝる場合には、舊い方、かゝる場

これによつて探湯の行はれた目的と方法とを彷彿せしむることが出來るのである。

さて探湯に類似の風俗は他の民族の間にも行はれて居る。今一二の例を示す。南洋のソロモン島では嫌疑者の罪を定める場合に燒石を握らしめて若し其手が傷かざりし時は無罪と判決する風俗がある。

斯の如き宗敎風俗を信仰の方面から觀察すると善者は神の保護を受け、惡者は反對に神罰を蒙るといふ善意に對する宗敎的信仰が其起原をなして居るものであるが、當時我が國家の種々なる重大事件を決する場合に斯の如き形式によらざるを得なかつたと言ふことは、此習慣が當時の社會に於て尙頗る勢力のあつた民間信仰であつたことゝ信ぜられる。從つて當時我が社會の狀態は未だ原始的氣分を脫して居なかつた事が判る。

古事記、日本書紀の神代卷や萬葉集にウケビといふことが屢々記載されて居るが、古事記には宇氣比(ウケビ)と書き、日本書紀には誓、盟、祈詛などの字が使用してある。其字義は事ある時に其の祈る所の神に誓ひて其の驗(シルシ)を得むことを祈るもので其驗

に因て吉凶を定め、或は是非を正し、眞僞を判ち成否について神意を試し勝負を占ひ當否を徴しなどする事を皆ウケビと云つたのである。さきに說明した探湯の如きも神に誓つて是非を判斷するものであるから一種のウケビであるのである。

人と神との間に存する關係を囘復すべき目的を以てなす所の祭儀は祓式であるが、我が上古に行はれた祓に二つの種類がある。一は祓具(贖物)を神に捧つて行ふ祓である。他の一は清水を以て身體の穢を祓ひ清める行卽ち禊祓である。須佐之男命は天照大神に對して暴行をなし其の罪のために逐降れ給ひし時千位置戶を出されたのは祓物の最も古い例である。伊邪那岐神が黃泉に到りまして穢に觸れ給ひ、其穢を清めるために筑紫の橘，小門にて大御身に着けませる物を悉く脫き棄てゝ穢を拂ひ、水中に入りて大御身を滌き身の穢を洗ひ滌がれたのである。これ禊祓の文獻に現はれた始めで實に我が神道思想史上に於ける禊祓の權輿である。

又古事記神功皇后の卷に國の大奴佐、國の大祓などの事あるにより當時祓が如何に國家的重要な祭事でありしかゞ知られるのである。

さて須佐之男命の祓と檍原(アハギハラ)の禊祓とは其性質が餘程相異して居る。須佐之男命の場合には千位(チクラ)の置物を科し、又須髪(ヒゲ)を截り、手足の爪をも拔かしめて逐(ヤラ)ひ給ふたのである。此傳説に現はれた根本思想は罪を贖ふために多くの財物を神に捧げ、且つ爪及び須髪(ヒゲ)などの汚れた部分を棄てゝ神意を和げ罪の解除を得やうといふにある。

然るに伊邪那岐神の場合は黄泉國(ヨミノクニ)に至り穢(ケガレ)に觸れ給ひしことが罪の根源をなして居る。卽ち穢を祓ふ點は一致して居るが須佐之男命の場合は財物を以て罪を贖ふ點に於て相異して居る。不淨は神の惡む所で神の祟を招く所以であるから拂淨することによつて其解除を求むるといふ思想が根本をなして居るのである。

觸穢(ショクヱ)の思想と其の淸祓法とは神道の祭祀に於て甚だ重要な要素をなして居るものであるが、これは神道に限らず、何れの宗教に於ても汚穢拂淨に關する儀禮は大抵備はらざるなき有樣である。例へば佛敎の灌頂(クワンチャウ)、基督敎の洗禮を初め波斯敎のゾロアスター敎、印度の波羅門敎等に於ても重要な儀禮となつて居るのである。

我が上代の祓に於て穢（ケガレ）といふのは汚穢のみを言つたのではなく犯罪をも穢として祓ひ清めたのである。而して其犯罪の結果は獨り犯人自身を汚がすばかりでなく、罪惡の行はれた國土民衆全體を穢すものと考へられたから大袈裟に祓が行はれたのである。此點に於て祓は社會的に重要な意義を持つて居るのである。今日日々我が新聞紙上に於て報道されつゝある疑獄事件や、背任罪や、阿片事件や、郵便局長の印紙横領事件や其他幾多の疑獄事件は其本人はもとよりのことであるが、本人ばかりの罪ではない、政府を始め我々同胞は皆穢（ケガレ）に觸れて居るのであるから大聲叱呼大いに之を祓ひ清めなければならぬ。これ實に我々日本人全體の問題である。然るに我々が安外に平然として居るのは我々現代人の罪惡觀が餘程痲痺して居る故ではなからうか。

第二節　供物、祭儀及び祝詞

祭祀を分かつて供物、祭儀及び禱詞の三種となすことが出來る。此等三の方法が相合して祭祀の形式を備へるのである。然し或場合は其の一或は二を省略して行はるゝ事もあるのである。

我が上古の祭祀は如何なる形を採つて現れたか其概念を得る爲めには、先づ天照大神の天石窟に隱れ給ひし時に行はれた祭祀を知ることが必要である。古事記、日本紀の記載によると太玉命は勾玉、鏡、靑和幣、白和幣を取りつけた眞坂樹を捧げ、天兒屋命は祝詞を奏し、次いで天宇受賣命は天香山の日影を手次にかけて天眞拆を鬘として天香山の小竹葉を手に持つて舞踏したのである。

さて太玉命の捧げたものは供物で、天兒屋命の讀み上げた祝詞は卽ち祈禱文で、最後の舞踏は祭儀にあたるのである。以下やゝ詳細に上古の有樣について說明を試みる。

一、供物の種類

古語に幣帛といふのは、神を祭る時に奉るものを總稱した言葉で、又單に幣と書いてヌサと訓んであることもある。ヌサといふは、元來麻のことである。

さて幣帛として神に奉納のする重なるものゝ名稱を數へると靑和幣、白和幣、麻、木綿、勾玉、竹玉、神酒、穀類、桙、楯、劒、神地、神戶、神領等である。鏡は多くの場合神の依代として用ひられるのであるから供物とは其性質を異にして居る。

青和幣、白和幣、麻及木綿

古語拾遺や其他の古書によると、青和幣と言ふのは麻で作り、又白和幣といふのは穀又は栲にて造つたもので、共に幣帛として用ひられた時の名稱である。
此外、祭祀に關係して古書に屢々現はれて居る名は、幣と木綿である。幣といふのは必ずしも麻に限つたのではなく、此類の幣帛を一般にヌサといつたものと思ふ。

千磐破。神之社爾。我掛師。幣者。將賜。妹爾不相國。（萬葉集卷四）

久爾具爾乃。夜之呂乃加美爾。奴佐麻都理呵加古比須奈牟。伊母賀加奈志作
（同上卷二〇）

此等は幣を捧げて神を祭つた時のことを詠んだ古歌であるが、又木綿を捧げて祈るものもある。

久堅之。天原從。生來。神之命。奥山乃。賢木之枝爾。白香付。木綿取付而
（中略）吾者祈奈牟。君爾不相可聞。（萬葉集卷三）

木綿疊。手取持而。如此谷母。吾波乞嘗。君爾不相鴨。（同上卷三）

一手者木綿取持。一手者和細布奉。平。間幸座與。天地乃。神祇乞禱云々
(同上卷三)

木綿懸而。齋此神社。可超所念可毛。戀之繁爾。(同上卷七)

かくよみ來つて考へると幣と木綿は必ずしも常に榊の枝にのみ取り付けて供へたのではなく、疊んだまゝ、或は又竹や木の柄に挿んで神前へ奉つたものであらうと思ふ。

麻や木綿の外に和細布卽ち絹布の類も幣帛として用ひた。然しながら最も普通の幣帛は麻と木綿で、殆んどすべての場合に缺くべからざる形式的の幣帛であつたことゝ思はれる。

勾玉と竹玉

勾玉は三種神器の一であるが、當時勾玉を又鏡、靑和幣、白和幣と一所に榊にかけて神を祭つた。さて古書や遺物によつて考へると榊に取り付けて神前へ奉つた勾玉は珠數のやうに連結したものであつたと思ふ。

由來玉は我が原史時代に於ては、廣く頸飾として使用されたもので、其遺品は現

に我が古墳墓から多く發見され、又其の着用のさまは埴輪に屢現はれて居る。

勾玉は、瑪瑙、碧玉岩、水晶、硬玉、蛇紋岩のやうな寶石で造られて居るが、簡略な祭には、竹などを切つて模造したものと思ふ。萬葉集に竹玉といふ言葉の殘つて居るのは、かくの如き事實の存在を語るものではなからうか。舊說にも竹をつぶ〳〵切つて絲に貫て神に奉るものなりとある。古墳墓から發見される碧玉岩の管玉も細い青竹を一寸程に切つたやうな形である。勾玉は又祭器にも取り付けたものと見え素燒製の齋瓮(イハヒベ)に勾玉を取り付けた形を現はしたものが往々發見される。

神酒

古來幣帛として神に捧げる飲食物は色々あるが、神酒は非常に廣く用ひられ、且つ重大な意味を持つて居るミテグラであつた。

すべて神に供へる飲食物は、撤下して後、信徒に頒與して其の神惠に浴するといふ信仰は古來一般に見る所のものであるが、神酒は氏子等が、神前に集つてこれを載き、且つ宴遊(ウタゲ)をしたのである。其の有樣は、古書に屢記載されて居るから明かであるが、常陸風土記には香島神宮で行はれた有樣が書いてある。

年別四月十日。設祭灌酒。卜氏種屬。男女集會積日累夜飲樂歌舞。其唱曰。安良佐賀乃賀味能彌佐氣乎。多義多義止。伊比祁婆賀母與。和我惠比爾祁牟。

要するに、祭祀に伴ふ宴遊は神を中心として構成される集團である。かゝる場合に發生する集團的感動は、個人的感動よりは遙かに偉大なものとなつて外部に表現される。從つて、そこに神靈の偉力を感ずるのであるが、神酒に醉ふことも、此集團的熱情の發露となる一原動力と考へる事が出來る。されは當時行はれた神前の宴遊は社會學的見地から見て神社の社會に及ぼした影響の一面である。

穀物其他の供物

古事記神代卷に島の速贄獻るとき云々とある。島といふは、志摩國で、ニヘはニヒアへの約りであつて新物を神にも人にも饗へ、自分もそれを食ふことである。要するに初物を速贄といつたのである。又稻穗を神前に撒くことも行はれた。さて延喜式によると酒、米、稻、大豆、小豆、鰒、堅魚、腊、海藻、滑海藻、鮭、鹽、烏賊、平魚、雜菓子、橘子等であるが、其より以前も大抵同樣に日常の飲食物を神へ奉つたものと見える。

祭祀に用ひられたる武器

祭祀に使用された武器を、延喜式以前の古典について調べると、盾、矛、太刀、劒等が重なものであつたが、稀には弓箭鎧の名も見えて居る。崇神天皇は赤良色色の楯矛を以て大坂神と墨坂神とを祀られ、神功皇后の三韓を征伐し給ふ時にも刀矛を大三輪社に奉納された。其他幾つも類例はあるが皆略して置く。さて神社に奉納する武器は神寶として保管されたのであるが尚一つ、注意すべき別の意味があつた。

崇神天皇の即位六十年に武諸隅(タケモロスミ)を出雲に遣はして出雲大社の神寶を朝廷へ献せしめられたが、出雲振根(フリネ)が、後に苦狀を云つたといふことが日本書紀に記載してある。又垂仁天皇は屢々使者を出雲國に遣はして神寶を檢校せしめられたが、一人として滿足に報告する者が無つたので、即位二十六年には物部十千根(モノノベトチネ)に詔して汝親ら出雲に行つて其の神寶を檢校せよと仰せられた。又其の翌年には武器を神幣となすことに就いて祠官をして卜へしめられた。これ當時武器が神寶として重要なものであつたことを語るものと思ふ。

是によつて考へると大和朝廷は出雲大神宮の武器について大いに警戒された

ものと思ふ。であるから垂仁天皇の三十九年、大和石上（イソノカミ）神宮へ劒一千口を納めて神寶となされたのも、或は大和朝廷が出雲の神寶に對抗して造られたものではあるまいかと想像される。要するに地祇を祀つて居る神社と天祇（アマツカミ）を祀つて居る神社との間には、かういつた關係のあつたことが想像される。されば此點に於ても亦神事と國家經營との間にあつた密接な關係を注意しなければならぬ。

神地、神戸、

最も古く、神地を神社へ奉献されたのは、日本書紀と出雲風土記の記載によると大國主命の祭つてある天日隅宮（アメノヒスミノミヤ）へ神田を供進されたのが始めである。降つて崇神天皇の御代、八十萬群神を祭る爲めに諸國神社の神地、神戸を定められ、更に又垂仁天皇の御代には諸社の神地、神領を定められた。仲哀天皇九年四月神功皇后、西を征せんとして神田（ミトシロ）を定めて神祇を祀られた。神地は後に所謂神領で、神戸といふは其神田に附せられた民戸である。さて神田、神戸は神社の維持上缺くべからざるもので、神社經濟に於て最も重大な制度である。我が國家と神社は同時に成立したのであるから神田、神戸は神社成立當初から必要であつたことゝ思ふ。後に制

定された神祇令にも「凡神戸調庸及田租者並充造神宮及供神調度」とあるから神地神戸の定められた目的は明かである。

二、祝　詞

神に祈禱を捧げることは、何れの宗教に於ても最も大切な要素で實に神と交を結ぶべき樞機である。祈禱に默禱するときと、唱へる場合とがある。

さて古來神道の祭祀は、神前で奏上すべき一定の祈禱文が出來て居つた。それは卽ち祝詞、壽詞、大祓詞などである。祓のことは旣に述べて置いたから繰り返さない。祝詞のうちで最も古いのは、天照大神が天岩窟にお隱れになつた時、天兒屋命の奏上したものであるが、其內容は不明である。其の後重要な祭典には、それぞれ一定の祝詞が出來、それを口々に傳へて居つたのであるが、平安朝のはじめ、延喜の御代に一纏めにして收錄された。それが卽ち延喜式の祝詞である。故に其祝詞は各々その出來た時代を異にして居るものと思はれるのである。先づ穀物の豐熟を祈るため、毎年二月に執行される祈年祭の祝詞をはじめとし、春日祭、廣瀨大忌祭、龍田風神祭、平野祭、久度古開、大殿祭、大祓、大甞祭などの祝詞及び出雲の國造の

神賀詞、中臣壽詞等其の重なものである。

次に祝詞を神前で奏上する時は如何なる形式に依てなされたか。即ち上古、祝詞を奏上する時は譜を付けて唱へたものであらうか、或は單純に口誦したものであらうかといふのが問題である。延喜式の祝詞や其の後の宣命などは何れも譜を付けて神前に奏せられたもののやうに思はれる。永仁二年八月の古寫本「本朝書籍目錄」中に宣命譜一卷とあり又三代實錄卷の十四、貞觀九年九月の條仲野親王の事蹟を記載した所に、「親王能用奏壽宣命之道、音義詞語足爲模範、當時王公罕識其儀」とある。故に宣命に譜のあつたことは疑いないことゝ思ふ。さて宣命は神前で百官に聞かしめ給ふものであるから、其の性質は祝詞に類して居る。奈良朝に於て經典を佛前で讀誦する時は一定の音律によつて讀誦しなければならなかつたのであるから、神前で宣命を讀む時も恐らくは、佛敎の此儀式から敎へられて、同じく譜を付けて奏したものと思ふ。

然しこれを以て直ちに上世の祝詞にも譜が出來て居つたとは、もとより斷言は出來ない。蓋し一定の譜を付けて奏上するといふが如きことは、祝詞が餘程儀式

的になつた時代の産物でなければならぬ。故に假令かりにあつたとしても奈良朝以後のことで、上古に於ては未だ一定の譜は無つだと見るが穩當であらう。然しなにか調子を付けて唱へる位のことはあつたであらう。

三、祭儀としての音樂と舞踏

我が上古の祭儀は、舞踏と音樂が主なるものであつたと思ふ。舞踏が祭儀として行はれたのは、天照大神が天石窟に隱れました時、天鈿女命が舞踏したのが始めである。此時の舞踏については、既に一言して置いたのであるが更に詳しく述べる。古事記によると天宇受女命は、天香山の日影を手次に繋けて天眞析を鬘として天香山の小竹葉を手草に結びて天之石窟に伏汙氣而。踏登杼呂許志。神懸爲而胸乳を掻き出で裳緒を陰に押垂れて居つたのである。又日本書紀には、天鈿女命即ち手に茅纏の矟を持ち、天石窟戸の前に立たして巧みに俳優したとある。

此等の記事によると、天鈿女命の行は一種の舞踏であつたことが想像される。即ち天鈿女命は、日陰蔓を襷となし、尚又蔓で髪を結び一束の笹又は矛などを手にして中の空虚になつて居る臺か何かをドン／＼と踏み鳴らして舞踏したものと

見える。これによつて其の祭儀の頗る原始的な氣分が現はれると思ふ。

次に神道の祭儀としての音樂は、如何なるものであつたか。古事記によると、仲哀天皇、熊曾國を將撃(コトムケ)給はむとせられし時、天皇御琴を控(ヒ)き給ひ、建内宿禰(タケシウチノスクネ)沙庭(サニハ)にゐて、神の命を請奉(コヒマツ)つた。その時太后に歸神(カムガカリ)して教へさとし給ふ云々とある。又仲哀天皇崩御の後、皇后、吉日を選んで齋宮に入り、親ら神主と爲り給ひ、武内宿禰に命じて琴撫(ヒ)かしめ、中臣烏賊使主(イカツノオミ)をして審神者(サニハ)となし、千繒(チハタ)、高繒(タカハタ)を以て琴頭(コトカミ)琴尾(コトジリ)に置いて請(ホ)き申して先の日に天皇に教へ給ひしは、誰神であるか、願くは其名を知らふしめ給へと宣はせられた。又萬葉集卷の九に神奈備(カムナビ)。神依板(カミヨリイタ)爾(ニ)。爲(スル)杉(スギ)乃(ノ)などい句がある。此神依板といふのは、神を請招(ネギヨセ)るためにたゝいたものであらう。現に伊勢大神宮の祭器の中にも神依板といふものが傳へられて居るし、又出雲大社にも琴板といふものがある。

要するに我が上代に於て祭儀として使用された樂器は琴及び神依板の類で、これも舞踏の原始的なるに恰度ふさはしい程のものであつたと思ふ。

凡そ舞踏と音樂が祭儀の主要な一儀式である所以の根本思想は、神の歡心を求

めて神と交ることによつて其加護を得んとするにあるけれども、今一つ注意すべき點は、神前で神酒に醉ひつゝ宴遊（ウタゲ）する時に集團的感動によつい一種、偉大な靈光に接するやうに舞踏や音樂によつて會集一同がそれに和して其所に矢張り一種の集團的感動が起つて神靈の力を感ずることである。

第三節　齋王、祝部、其他の司祭者

由來我が皇祖の祭祀には、天皇親ら當らせ給ふのであるが。神宮と皇居がまだ分かれない時代には、中臣氏忌部（インベ）氏などが天皇を補弼して祭祀に從事し、かねて又政治を執つたのである。然し崇神天皇の時神宮皇居とが別かれて以來、神威益々いやちことなるに從ひ、皇女をして專ら其の祭祀に當らしめられるやうになつた。即ち爾來世々皇女は神宮境内の齋宮（イツノミヤ）に於て齋王となつて皇祖の祭に當られたのである。然し祭官としては矢張中臣と忌部の兩氏が其局に當つたのであるから祭政一致の制度には、未だ變りはなかつたのである。要するに我が上代に於ては政治を行ふものが祭祀を執行したのである。故に中央政府で天皇を扶けて祭祀を行ふ者は、當時の國家に於て最も勢力ある氏族であつたのである。即ち中央に

には輿論といふものはござりません。輿論の輿の字は「字書」には多なり衆なりとありまして、略ぼ公衆といふ意義に當り、論は理非を闡明するの義を含んで居りますが、今日用ひられて居るのは先きに擧げたパブリック、オピニオンの飜譯でありますから寧ろ公論と申した方が適當かとも思はれます。公論といへば直に私論といふことを思ひ起します、私論といふのは私人の意見でありまして、公衆の意見でないのでありますが、こゝに輿論(即ち公論)と申しますのは公衆の意見でありまして、更に精密に申しますれば、社會の民衆が或る社會問題に對して行ふ所の團體的の判斷であるのであります。既にこれ判斷でありますから、人智未だ發達せざる時代には見ることの出來ない現象で、獨り文明社會に於て見らるべきことでありと申した次第であります。文明ならざる社會に於きましては、何事も傳統的でありまして思考の自由や、言論の自由がありませんから疑問といふものが起りません、疑問の起らない所には研究といふものがありません。研究のない所には判斷はないのでありますから、輿論は自由の所産であり、文明の現象であつて、社會心理の最も高き階級に屬するものであります。

此輿論といふものも、其の初めは一二少數の人によつて唱道せらるゝのでありますが、これに其の周圍の人が共鳴いたしまして其の範圍は大となり、更に之れに共鳴するものを生じ、終に大なる勢力となりますと、多數は之れに雷同しまして、終に其の判斷の實現に努力するに至るものでありまして、其の初めに唱道いたしましたのを輿論成立の第一能動的要素と申しまして之れに共鳴する人々は第一所動的要素となると共に、第二能動的要素となつて之れが傳播を計りて第二所動的要素を造り、かくて次第に其の範圍が大になりますと、終には何等の思考を費さず、たゞ多數の意見なりといふ理由を以て之れに贊同するといふ傾向を生じて、殆んど暗示を受けたる如き狀態となり、輿論なりといふことの外には何等の理由なく贊成するもので、これにはロッスの所謂多數模倣の心理といふものが强烈に働き一切をして雷同せしめずんば止まずといふ群衆心理の狀態にまで流れ、煽動政治家をして乘ずべきの機會を與へて、其の極最初の唱道者の意思とは全く反對する方向にも走せ行くこととなるのでありますから、眞の公衆の自由判斷であるか、煽動者の暗示に動かされたる妄論であるかといふことを判定して、此輿論を啓發し

指導するといふことは、講演者の愼重に考量すべき所であります。

輿論の判定

一體、民衆の多くは其の日〳〵の生活に追はれて社會の事象に對して精到に考へる餘裕を有せないものでありますから、常にこれらの事象に着眼せる思想又は言論に關係せる人々——生活に追はれる人々から見て暇な階級（Leisure class）とも云はるゝ人々——が最初に下したる判斷が、先づ其の周圍の——同階級の——人々に共鳴せられて輿論の種子となるのでありますが、これが民衆に受け容れらるゝには、其の判斷が民衆の心の中にありながら云はんとして未だ云ひ得ざる所のものと一致する所があるからで、民衆に此の素地がなかつたならば、如何なる名論卓說といへども、共鳴せられ、傳播せられて輿論となることは出來ないものでありますから、其の唱道者は二三少數の人でありましても、それが輿論となるのは民衆に共鳴點があるからでありますから、此意味に於て輿論は民衆の云はんと欲して云ふ能はざる所を少數の人が發言し、民衆はもと〳〵自己の云はんと欲する所な

るが故に賛同するのであると申すことが出來るのでありますが、其の間には模倣の心理なるものが行はれずして、是非の判斷なく、權力あり、名譽あるものゝ言なるが故に雷同するといふ權力模倣や、多數の意見といふことに無上の價値を認めて贊成する多數模倣や、これ時代の趨勢なりとする同時模倣となつて、少しく思慮を運らせばかくあるまじと思はるゝことにまで、徒らに民衆に媚びる言辭に弄せられて贊同することがないとは云はれないのでありますから、多數の意見なるが故に必らず民意なりと速斷することは出來ません。もと〳〵輿論といふものは民意を失ふものではありませんが、一切の人士によつて是認せられて居るものとは見られません。多くの場合に於て不贊成なる人も多數の力に壓倒せられて沈默を守つて居るので、此沈默分子が又次ぎの輿論の唱道者となることも少なくないのでありますから、能く其の歸嚮を洞察して囂々たる輿論の裏面に斷えず潜流のあることをも看取せねばなりません。これは人心を機微に察するむづかしいことでありますが、其の表面に現はれたるものに就て、充分に判別せねばならぬのは其の議論の眞の公衆の理性的判斷であるか、煽動家によつて挑發せられたる感情

的なる有心故造の俗論であるかといふことで、俗論は往々輿論の假面を被つて現れるものでありますから思想の眞僞を判定すべき論理の法則に隨順するか否かは輿論と俗論とを別つ上に於て忘るべからざる標準でありますから、從つて

一　輿論は其の中堅となつて唱道する人物の公明正大なると否とで其の價値を增減するものであり、

二　輿論は感情的ならざるほど其の價値を高めるものであり、

三　輿論は何等の壓迫なく自由に發表せらるゝほど其の價値を有し、

四　輿論は合理性に富めるほど眞價を增すものであります。

併したゞ論理的であるといふことのみを以て直に眞價ありといふことは出來ないので、如何に其の思想が合理的でありましても、それが實行せられない場合には空論として葬り去るの外はないので、論理の法則は眞理の有無を判定して所謂眞論と謬論とを區別しますがそれが當該社會に於て實行せらるべき判斷であるか否か、卽ち實論か空論かは充分に判定することが出來ないのでありますから輿論を看取する場合には此點にも充分の注意を拂はねばなりません。

輿論の指導

講演者の前に集れる個々の聽衆の心理には先きに擧げた地方精神や時代精神並にそれによつて醞釀せられる輿論の影響を受けて居るのでありますから、之れを洞察し看取することが必要でありますが、又一面から申しますれば講演者は此輿論を指導し時代を啓發すべき重大なる任務を帶びて居るものでありまして、單に輿論の歸嚮を察して自己の思想表現の方法を考ふべきのみでなく、進んで此輿論を指導せねばならぬのでありまして、其の輿論が自己の思想と一致する場合は、たゞ之れを督勵して其の實現に努力せしむればよいのでありまして、之れは流れに掉して舟を下すが如く、さほどの困難はないのでありますが、それでも輿論が激發して參りますと、終に群衆の妄動となつて理性の判斷を失ひ、感情の刺戟に動かされて、あらぬ方向に走るものでありますから之れを正當なる方向に導くといふことは指導者たるものゝ注意を怠ることの出來ない緊要事でありますから、講演に從事する人々は常に冷靜なる理性の判斷を失はず、勢ひに乘じて事を破壞する

擧に出でしめざるやうにせねばなりませんが、講演は多くの場合に於ては理想と現實との衝突に出發するものでありますから、民衆が輿論ならざることを輿論として動いて居る場合に之れを矯正して眞の輿論に向はしむるといふことが講演者の仕事となるのでありまして、先きに申しました多數の勢ひなるが故に已むを得ずして沈默を守れる人々に代つて眞に向ふべき道を示し、熱狂せる群衆の頭上に冷水を與へて彼等を覺醒するといふ場合に演説なり講話なりの必要を見ること最も多いのでありますから、そこに多大の困難があるのであります。もと〳〵輿論又はこれに類似のもの〻起るのは當該社會が其の問題に對して興趣を感ずるからで、よし其の判斷に誤つて居る所があつても、興趣を有するといふことは爭へない事實であるから、之れに正當なる判斷を與へて終に實行に至らしむるといふことは指導者の手腕に屬するので、こゝに眞の指導者と煽動者との別がある、眞の指導者は常に正當なる判斷といふことを忘れないのでありますから、冷靜に思索し推理することを怠りませんが、煽動者は唯だ興趣に動かされて思索し推理することなき民衆の意を迎合して、彼等が欲するまゝの判斷を彼等の前に下して彼

等を熱狂せしむるを之れ努めるのでありますから、思索なく、推理なく、自己に都合よき一時的判斷に過ぎないのであります。之れに迷はされんとするものを覺醒して正しき判斷に導くのが指導者の任務でありますから、指導は常に冷靜に思索し、精到に推理して正しき判斷を民衆の前に提供して、それが實現に一歩を近づけるやうにせねばなりません。

論理の正確

先きも申しました如く、講演の聽衆は群衆の狀態に置かるゝものでありますから、其の心理の特性として冷靜に思索し精到に推理する能力を減じて、緻密なる論理や、面倒なる理窟に傾聽せずして簡單なる斷言に共鳴するものであるから、思想の法則たる論理の如きは講演にはあまり必要のないやうに云ふ人もあり、又實際聽衆に感動を與へたと云はるゝ講演の筆記などを讀むと整然たる論理を見出さずして斷片的なる警句を見ることが多いので、ルボンもいうた如く「群衆は推理せず又他より推理を以て動かす能はずとは云ふことが出來ないが、實際群衆に感化

を及ぼせる議論は論理上より見れば極めて劣等なる種類に屬するものである」ことは疑ひのない事實でありますが、それは思想を表現する上に於て、成るべく聽衆の心理に近づかんとする努力の結果であつて、講演者の發表せんとする思想其者が論理的に缺陷のあるのでは、到底聽衆に首肯せしむることの出來るものではない。よし一時は首肯せしめたやうに見えても、講演終つて聽衆が群衆の狀態より個人の狀態に立ち返りて思索し追想する時には、直に其の不合理が發見せらるゝのでありますから、講演者が其の講演を組立つる上に於ては、毎に論理の法則に遵據することを忘れてはならないのであります。勿論、これを表現する場合に、堅苦るしく三段論法を用ひて大前提が斯うの小前提が斯うのと一々に説明する必要はないのでありますが、構想の上には是非論理の法則に背かざるやうにして、其の表現する所は一の斷言であつても、其の背後には精到なる論理思索がなければなりません。特に他の議論を評價し批判する場合には此心得が最も必要でありまして、先きにいうた輿論の判定には此論理なるものが確に重要なる標準となるものであります。ルボンも亦申して居りまする通り「群衆が受け容るゝ判斷は、彼等

の上に押し付けられたる判斷であつて、決して議論の後に、彼等が自由に採擇したる判斷ではないのでありますから、彼等に代つて思索し推理するといふことは指導者の忘れてはならぬ必要事であります。　群衆が推理力が薄弱であるからとて其れに乘じて不合理なる判斷を押し付けんとするは煽動者の行爲で指導者の最も恥づべき態度で、指導者は常に群衆の心理的缺陷を補ふといふことを心掛けねばならぬのでありますから、群衆が推理力を失へば失ふほど、指導者は精到の推理を必要とするのであります。

概念より推理へ

取り立てゝ論理(Logic)なぞと申すと、むづかしいのでありますが、實は人間が物を考へて行く自然の法則を申すのでありまして、此の考へるといふこと卽ち心理上で所謂思考作用(Thinking)といふことは如何なることかと申しますと、一つの物と他の物との間に關係をつけ之れを統一するといふ心の働きに起りますので、われ〳〵が一つの動物を見ますと、これを曾て見た他の動物と比較して、その一致して

居る所を抽象し、其の抽象した所を概括してこれは犬であるとか、猫であるとかの概念 (Conception) が出來ますので、此概念は普通に名をつけられるのでありますから、概念成立の過程は觀察、比較、抽象、概括、命名となつて參るのであります。此概念に內包 (Contents) と外延 (Extention) といふ二つの性質がありまして、內包と申すのは其の中に含まれて居る所の材料でありまして、外延といふと其の概念の及ぶ範圍であります。例へば生物と申せば其の內包となるべきものは生命ある物といふだけの材料でよいのでありますから其の外延は動物にも植物にも及びますが、動物と申しますと其の內包は生命ある物といふ外に感覺のあつて動くものとの條件をも備へなければなりませんから、其の外延は植物には及びませんが、其の動物でも犬と申しますと其の內包には以上の外、四足といふ材料も、哺乳類であるといふ條件も、吠へるといふことも、人に馴れるといふこともいろ〳〵な材料が必要となりまする代りに、其の外延は犬の外には他に及ばないのであり、更に白犬といふ內包をかへますと、外延は又狹められて黑とか赤とかいふ他の犬は除却せらるゝこととなりますす如く、概念の內包が增すに從ひ、其の外延は減するのであります。

此關係が判斷（judgment）といふことに最も注意を要することとなりますので、判斷と申しますのは二つの概念を比較して其の關係を定めて行くので、これには勢ひ二つの概念は關係ありといふ肯定と、關係なしといふ否定との二つの別を生ずると共に、全體には關係なしといひ能はざるも、一部分には關係なしといひ得るものあり、一部分には關係なしといひ得ると共に他の部分には關係ありといひ得るものあつて全體を指定して判斷し得べき全稱と、一部分を指定してのみ判斷を下し得べき特稱との二がありますから、質の上の肯定、否定と量の上の全稱、特稱とを相互に合して判斷の形式は四となるのが、普通に論理學に所謂四個の命題（Proposition）であります。

一　全稱肯定命題　と申しますのは、「すべて犬は動物なり」と判斷いたしまする如く動物といふ概念の中に犬といふものは含まれてしまうのであります。

二　全稱否定命題　これは「犬は石にあらず」と申しますやうに此二個の概念は何等關係する所なしとの判斷の下さるゝのであります。

三　特稱肯定命題　といふのは「或る犬は白色なり」と申しますやうに白色とい

ふ概念の中に犬といふ概念の一部分は關係を有して居るのであります。

四　特稱否定命題　併し又「或る犬は白色にあらず」といふやうに犬といふ概念の一部分を白色といふ概念と關係を絶つ判斷も下されるのであります。

さて此の一つ判斷と他の判斷とを比較して其の關係を定めて行く上に推理(Reasoning)といふ作用が起りますので、われ／＼の思考は概念より判斷、判斷より推理と進み行て、こゝに最高の働きをいたしますので、これには直接、一つの判斷から他の判斷を推理するのと、一つの判斷から他の判斷を媒介として結論を生ずる間接推理との區別がありまして此間接推理は普通に三段論法(Syllogism)として行はるゝものであります、これらのことを詳しく述べますのは論理學の專門に屬するのでありまして、これは別に講述すべき機會もありますから今はたゞわれ／＼の思考の過程は此の如くに進み來つて終に推理に達するので、此推理の正否が直に判斷の眞妄に關するのであるといふに止めて置くべきでありますが、思想の正否といふことが、やがて表現の正否に關係するのでありますから、少しく論理學の範圍に入つて推理といふことを簡單に申し述べて置くことにいたします。

直接推論

私は吾等が思考の過程を辿つて概念、判斷、推理と申しましたが論理學の方では其の概念は名辭 (Term) 其の判斷を命題 (Proposition) 其の推理を推論 (Inference) として取扱ひますので、二の概念を比較して其の關係を示す判斷たる命題は判斷せらるべき主たる名辭卽ち主辭 (Subject) と判斷すべき客たる名辭卽ち賓辭 (Predicate) と其の關係を示す媒辭 (Msddle term) との三つから成立いたしますので、これが判斷を示す命題になくてはならぬ三個の名辭であるのでありまして、

在野黨は(主辭)政府の施設に(客辭)贊同せず(媒辭)といふ如きはこれでありますο 此命題は先きに擧げましたやうに四つありまして、其の各を對當させますと、一つの命題から直に他の命題を推理することが出來るのでありますο 量を同じくして質を異にする全稱肯定(符號 a)と全稱否定(符號 e)との關係を大反對と申しますο 此對立したる二個の命題は主辭と賓辭とを同じくして其媒辭に於て異るものでありまして、

a　全市街は水に浸されたり

o　全市街は水に浸されず

と申すので一方が眞なれば他方は妄と定ることは出來ますが。一方が妄なるが故に他方は眞なりとは申すことが出來ませんので、時には双方とも妄なる場合があつて、或る部分は水に浸され、或る部分は水に浸されない時があります。然らば特稱肯定(符號i)と特稱否定(符號o)とを對當せしむれば、何うかといふに、此場合は小反對と名けまして、一方が眞なれば他方は妄と斷定することは出來ませず、他方が妄なるが故に一方は眞なりとも斷定することが出來ず、前例の如く

i　市街の或る部分は水に浸されたり

o　市街の或る部分は水に浸されず

といふやうに双方とも眞理なることがありますが、双方とも間違であるといふことには成り得ないのであります、ソコデ此特稱を以て全稱に反對して

a　帝國議會の議員は皆な人民より選擧せらる

といふに對して

(48)

o　帝國議會の或る議員は人民より選擧せられず
というて帝國議會は衆議院のみならず、貴族院なるものあり、其の中には勅選あり互選あると云ひますと、oは眞であつてaは妄でありますが、若し

—直

a　衆議院議員は選擧民の選擧に成る
といふに對し
o　衆議院議員は選擧民の選擧に成らず
といへばaは眞にしてoは妄であり

接

e　代議士は清廉ならず
といふに對し、

推

i　或る代議士は清廉なり
といへばeは妄にしてiは眞、

論—

e　代議士は外國人にあらず
といへるに對し、
i　或る代議士は外國人なり

淨土宗の安心

——法然上人の敎義——

望月信亨

法然上人は、日本淨土宗の元祖であつて、七百餘年來、その敎義は國民の信仰を指導し、勢至菩薩の再誕として、幾千萬の同胞から、絶大の崇敬を受けられた聖者である。

上人の誕生は、源信僧都の寂後、一百十六年に當り、源平時代から、鎌倉時代の初期にかけて、康存せられて、我が國思想界の爲めに、獻身的功業を成就し、順德天皇の建暦二年正月二十五日、八十歳を以て、京都東山大谷の地(今の知恩院の位置)に入寂せられたことは、人の善く知る所である。著書の最も重なるものは、選擇本願念佛集であるが、その他にも、遺文、法語等は少くない。漢和兩語燈錄、並に法然上人全集に收錄され

たものが、即ちそのすべてである。

案ずるに、上人の時代は、南都、北嶺の現世的佛敎が、既に全盛期を過ぎて、弊害百出し、惡僧横行して、朝廷も持て餘さるゝに至り、社會一般も、其の腐敗に顰蹙せぬものはなかつた。ところが一方、政治上に於て、藤原氏の權力失墜して、平氏これに代り尋いで鎌倉幕府、樹立せらるゝに及んで、天下の政權は、遂に武家の手に移ることとなつた。かくて人心が新たになると同時に、宗敎界にも、革新の機運が漲り、新宗を唱導し、又舊宗の改革運動も、相次で勃興して、空前の活氣を呈するやうになつたのである。斯かる時代の初頭に、敎界革新の急先鋒として、第一聲を揚げられたのが即法然上人である。蓋し上人は、時代の聲として、何物を聽かれたかと云ふに、當時源平互に干才を交へて、平安の帝都は、しば／＼修羅の巷となり、やがて平家没落して、謂ゆる盛者必衰の理をあらはし世は物のあはれを留めて春の夜の夢の醒めたるが如き有樣であつた。それ故、人々から、現世のはかなさを喞ち、來世の救を求むる異口同音の叫を聽かれた。即ち源信僧都已來の厭穢欣淨の思想が、最高潮に達して虛僞の俗諦を解脫し、眞諦第一義に入るべく、人々の心の底から湧き出づる眞

の叫を聴かれた。上人の敎義が、主として來世往生の信仰を鼓吹し、人生終極の歸趣を示すを、唯一の目的とせられたのは、全くこれが爲である。

上人の主張は、一言、以て之を覆へば、選擇の二字を出でぬ。選擇とは、取捨の意味で、即ち多くのものゝ中から、ある物は取り、ある物は捨てるといふ意味である。果して上人が、何を捨て、何を取られたか。又果して何を標準として、取捨を企てられたか。その筋路を研究すれば、上人立敎の元意も分かり、隨つて淨土の宗義も了解されるのである。蓋し上人の企てられた選擇取捨の重なるものに三重ある。一は聖道の諸宗を捨てゝ、淨土の一門を取られたこと。二は雜行雜修を捨てゝ、專修正行を取られたこと。三は助業を捨てゝ、唯だ本願念佛の一行を取られたことである。選擇本願念佛集の奥に、速に生死を離れんとおもはば二種の勝法の中においてしばらく聖道門を閣いて、選んで淨土門に入れ。淨土門に入らんとおもはば正雜二行の中においてしばらく諸の雜行を抛つて、選んで正行に歸すべし。正行を修せんとおもはば、正助二行の中に於て、猶ほ助業を傍らにして、選んで正定を專にすべしと書いてある。これが即ち三重選擇の意義と見るべきものである。

その中、先づ初に聖道の諸宗を捨てゝ、淨土の一門を取られたといふのは、選擇集の第一章に宣言された通り、卽ち上人が、全く從來の諸宗を捨てゝ、新に淨土の一宗を開かれた事を云ふのである。聖道の諸宗とは、選擇集に依つて見ると、眞言、佛心天台、華嚴、三論、法相、地論、攝論の大乘八家、並に俱舍、成實、及び諸部の律宗を指すと書いてあるが、つまりは、淨土宗を除いて、これ迄、支那、日本に行はれた凡べての諸宗を聖道門と名けられたのである。處が何故に上人は、斯くも、すべての諸宗を捨てられたのであるかといふと、これ等の諸宗には、大小顯密の別があつて、各々立て方が違ひ、隨つて敎理の淺深、悟道の遲速はあつても、要するに、皆此の穢土に於て、自力で修行して、悟に入らうと云ふのであるから、元と〳〵容易の業でない。まして、今日濁世末代に及んで、人の根機が下り、惡業を造り、煩惱を起すことのみが盛んで、佛の制せられた禁戒も守れず、邪智の長けるに反して、正智は、地を拂ふといふ有樣なるに於ては、自ら修行を積み、智慧を磨いて、深遠なる理義を悟るなどは到底、及びも寄らぬことである。然るに佛の道が、すべて皆斯樣なものであるとすれば、及ばずながら、いろ〳〵の修行を勵み、深遠なる理義も、觀じて見ねばならぬが、佛敎の中には、

末代今日の有様を見透うして、特に設けられた易行の法門がある。それは、此の世で修行して、自ら悟を開くのではなく、彌陀の本願を信じ、その願力に乘じて、極樂に往生し、淨土の中で、普賢の行願を滿足して、成佛しやうといふ敎であるから、如何なる下根下智にも、出來ない筈はない。これが卽ち今日の時代に適し、吾等の身分に應じた宗敎であらねばならぬ。一切經の中に、到る所、淨土往生が勸めてあるのも、全くこれが爲であると。斯く考へられた所からして、上人は弊履の如く、從來の聖道諸宗を捨てゝ、新たに、淨土一宗を開かられたのである。

處が斯樣な考を持たれた人は、實は上人の已前にも有つた。往生要集の劈頭に往生極樂の敎行は、濁世末代の目足なり。道俗貴賤、誰れか歸せざらん者ぞと喝破されたのも、永觀の往生十因に、眞言、止觀の行は、道幽にして迷ひ易く、三論、法相の敎は理奧にして悟り難し。勇猛精進ならずんば、誰れか之を修せん。聰明利智ならずんば、誰れか之を學せん。念佛宗に至ては、行ずる所の佛號は、行往座臥を妨げず。期する所の極樂は、道俗貴賤を簡ばず。輪廻の鄕を出でゝ、不退の土に至らんとするに、若し、此の行を外にして、復何れの道をか尋ねんと言つてゐるのも、同じく皆顯

密事理の諸行を難修難證として廢捨し、念佛の一行を易修易往として選取するの意味で、上人の捨聖歸淨と、大體の趣旨は變つて居らぬ。斯樣に、源信にも、その他、空也、千觀等にも、捨聖歸淨の意志があつたことは明かであるが、併かし此等の諸師は尙その本宗に栖籠つて、全く舊套を脫することが出來なかつた。然るに、上人は、之に反して、新たに別宗開立を宣言し、斷乎として天台の本宗を捨てられたから、隨つて其の敎義も、敎式も、全然、獨立して、舊宗との間に截然たる區別が立つて來たのである。一體、天台や、三論の舊宗に栖籠りながら、念佛を勸めるといふのは、聊か矛盾である。果して往生極樂の敎行が、濁世末代の目足であり、果して三論、法相の敎が理奧にして悟り難いとしたなら、決然として其の舊套を脫すべきではないか。態度の鮮明ならぬところは、慥に源信や、永觀の不徹底がある。

併かしながら、一宗を唱へるなどいふことは、當時に在りて、極めて重大事件である。日本の佛敎は、奈良朝までは、三論、法相、俱舍、成實、華嚴、及び律の六宗だけであつたが、平安朝の初に、天台、眞言の二宗が新たに勃興してこゝに八宗の別を生じ、それが數百年間、おの〳〵敎權を擁し、互に門戶を張つて勢力を爭ひ、しば〳〵戰爭まで

も惹き起した。斯樣に八宗の繩張が出來て、而も啀み合つてゐる所へ、新たに別宗を立てるなどいふのは、實に容易ならぬ業である。されば源信、永觀等が、それを敢てせられなかつたのも、無理はない。處が上人の信仰は、舊宗に隱れるほど、生濕いものではなかつた。上人の意志は、舊宗の壓迫に怖れて、主張の徹底を差控へるほど、薄弱ではなかつた。斯くて上人は、金剛の信心を唯一の力として、八宗環視の中に起つて、蹶然として淨土の一宗を唱へられた。併かし他宗との衝突は、元より好む所でない。それゆゑ、上人は、選擇集の相傳を秘密にし、又その奧にも、一たび高覽をへて後、壁底に埋んで、窓前に遺すことなかれ。破法の人をして、惡道に墮せしめん事を恐るればなりと書かれて、なるべく衝突を避けることに努められた。然るに上人の主張は、時代の要求に投じたものであるから、物の響に應ずるが如くに、天下の人心は、忽ち呼應し始めて、實に當時の敎界を聳動せしめたものであつた。そこで南都北嶺の聖道諸宗は、一時に騷ぎ立てゝ、朝廷に嗷訴を始める朝廷も止むことを得ず、しば〳〵宣旨を下して、彼等を慰諭せられたけれど、仲々、聽き入れるどころでない。中にも、笠置貞慶の筆と傳へられる元久二年十月の興福寺の奏狀には

九個條を數へて、上人の非が鳴らしてある。その第一條には、新宗を立つるの失と題して、佛法東漸の後、我が朝には、八宗あり。上代の明王、勅して施行せしむ。新宗を興して一途を開く者、中古以降、絶えて聞かず。今末代に及んで始めて一宗を建てしめば、源空はそれ傳燈の大祖ならん歟。たとひ功あり德あるも、須らく公家に奏して、以て勅許を待つべし。私に一宗と號するは、甚だ以て不當なりと書いてある。これが恐らくは當時敎界の輿論であつたのであらう。斯くて南北鬱訟の結果は、遂に七十五歲の上人をして、遠流の刑に服せしめたのであるが、いよ〳〵京都出立といふ時、ある弟子が、一向專念の談義は、暫く御遠慮あるべしと申したことに對し、上人は、儼然として、吾れたとひ死刑に行はるとも、この事いはずばあるべからずと答へられた。この決心、卽ちこの信仰の爲に身を捧げられた大決心があつたからして、彼れが如き南都北嶺の大勢力に對抗して、淨土開宗の宣言が出來たのである

次に雜行雜修を捨てゝ、專修正行を取られたといふのは、選擇集の第二章に言明された通り、卽ち淨土往生の多くの行法の中に於て、唯だ彌陀一佛にかゝる行業の

みを選び取つて、その餘の一切を捨てられたことを指すのである。一體、聖道を捨てゝ淨土に、歸した上に、果して如何なる法を修行すべきかといふと、無量壽經にも觀經にも、種々の法が明されてあり、他の諸經論にも、亦いろ〳〵の說があつて、支那已來、その廢立に關して、盛に意見が鬪はされたのである。ところが、今上人は、それ等の中に於て、獨り善導の說に依られて、往生の行を正行雜行の二種に大別し、讀誦觀察、禮拜、稱名、及び讚歎供養の五種の法によりて、專ら彌陀の事を行ずるを正行と名け、その餘の一切の行を悉く雜行と判じ、餘佛餘方の行を捨てゝ、專ら彌陀の法を修すべきことを勸められたのである。就中、正行とは、選擇集に依つて見るに專ら觀經、彌陀經、無量壽經を讀誦するのを讀誦の正行とし、專ら極樂の依正二報を觀察するのを觀察の正行とし、專ら阿彌陀如來を禮拜するのを禮拜の正行とし、專ら阿彌陀如來の名號を稱するのを稱名の正行とし、專ら阿彌陀如來を讚歎し、供養するのを讚歎供養の正行と名けると言つてある。次に又雜行は、其の種類が甚だ多いから、しばらく正行に翻對して、之を五種として、論じて見るといはれて、觀經等の往生淨土の經を除いて、他の大小顯密の諸經を受持し、讀誦するのを悉く讀誦の雜行

と名け、極樂の依正を觀ずることを除いて、他の大小顯密事理の觀行を修するを悉く觀察の雜行と名け、彌陀佛已外の一切の餘の佛菩薩等及び諸の世天等の名號を稱するのを悉く稱名の雜行と名け、彌陀佛已外の一切の餘の佛菩薩等及び諸の世天等を讃歎し、供養するのを、悉く讃歎供養の雜行と名ける。此の外にも布施、持戒等の無量の行があるが、皆雜行の言の中に收め盡くされると書いてある。これで見ると、專ら阿彌陀佛に就いて、讀誦等の五種の法を行ずるのを正行とし、餘佛餘菩薩等に就て、讀誦等の法を修するを雜行と名けられた趣意が分かる。

正雜二行の中に於て、何故に雜行を捨てゝ、正行を取られたかといふと、これには五番相對の得失があるからである。五番の相對とは、一に親疎對、二に近遠對、三に無間有間對、四は不囘向囘向對、五に純雜對である。初に親疎對とは、五種の正行を修すれば、彌陀と親密の關係が成立つに反し、雜行を修すれば、全く疎隔することをいふのである。善導の觀經定善義に、衆生、行を起して、口、常に佛を稱すれば、佛卽ち之を聞き給ふ。身、常に佛を禮敬すれば、佛卽ち之を見給ふ。心常に佛を念ずれば佛卽ち之を知り給ふ。衆生、佛を憶念すれば、佛も亦衆生を憶念し給ふ。彼此の三

業、相捨離せず。故に親緣と名けるとあつて、卽ち正行を修して、身口意業に、專ら彌陀の事を行ずる時、衆生の三業と、佛の三業とが相離れず。極めて親昵の關係が成立つところを正行の得とするのである。雜行は、之に反して、身口意業に彌陀の事を行ぜないから、彼此の三業が相離れて、佛と衆生の關係が疎隔し、常に親密でないのを、雜行の失として指摘されたのである。次に近遠對とは、五種の正行を修すれば、常に彌陀に隣近するに反し、雜行を修すれば、全く佛と遠ざかることを示したのである。觀經定善義に、衆生、佛を見んと願ずれば、佛卽ち念に應じて、目前に現在し給ふ。故に近緣と名けるとあつて、卽ち正行を修する者の前には、その念に應じて佛が現はれ給ふところを正行の得とし、雜行は、旣に彌陀と疏隔し、彌陀を念せない行であるから、その人の前に、佛の現はれ給ふ由のないところを雜行の失とするのである。次に無間有間對とは、五種の正行を修すれば、彌陀に對して、憶念の心が無間に相續するに反し、雜行を修すれば、常に間斷することを指摘されたのである。

卽ち正行は、專ら彌陀に就いて修する行であるから、自然に憶念が相續して、無間修を具することが出來るところを、正行の得とし、雜行は、彌陀に關する行でないから

隨つて憶念の心が間斷して、常に彌陀と絕緣の狀態に在るのを雜行の失とするのである。次に不囘向囘向對とは、五種の正行を修すれば、たとひ別に囘向を用ひなくとも、自然に往生の業となるに反し、雜行は必ず囘向を用ひなければ、往生の業とならぬことを指摘したのである。觀經玄義分に、今此の觀經の中の十聲稱佛は卽ち十願十行ありて具足す。云何が具足すとならば、南無と言ふは、卽ち是れ歸命にして、亦是れ發願囘向の義なり。阿彌陀佛と言ふは、卽ち是れその行なり。この義を以ての故に、必ず往生を得と說いてあつて、稱名の行には、發願囘向の義が含まれてあるから、特に囘向を用ひなくとも、自然に往生の業となるのを正行の得とし、雜行には斯樣な義が含まれてないから、若しも囘向を用ひなければ、往生の業となることが出來ぬ。それを雜行の失と數へたのである。最後に純雜對とは、五種の正行は、專ら彌陀にかかる行であるから、純然たる極樂往生の法であるに反し、雜行は餘佛餘菩薩等の行であるから、通じて十方淨土の生因となり、亦通じて人天、及び三乘の果を招く業因となることを指摘し、その得失を判せられたのである。斯樣に雜行には、疎遠等の五番の失があるから、隨つて決定往生が得がたく、正行には、親近

等の五番の得があるから、隨つて百卽百生の利益が得られる。それ故淨土の行人は須らく雜行を捨てゝ專ら正行に歸せねばならぬと勸められたのである。

蓋し正雜二行の說は、總じて行相に約して、その得失を論ぜられたものであるが併かし亦其の中には、自ら所求、所歸、去行の三種の意義が含まれてゐる。所求とは吾等が求むる所の當來の果報をいふので、卽ち專ら西方の往生を求むるを正行とし、他方の淨土、又は人天三乘等の果を求むるを雜行とするのである所歸とは、歸する所の本尊をいふので、卽ち偏に彌陀一佛に歸するを正行とし、餘佛餘菩薩、又は諸の世天等に歸するを雜行とするのである。去行とは、三界生死を離去する行法の意味で、卽ち行體を指すのであるが、これは上に述べた如く、專ら西方彌陀の事を行ずるを正行とし、餘方餘佛の法を修するを雜行と名けるのである。正行、雜行といへば、主として去行に關する分類のやうであるけれど、而もその中には、所求、及び所歸の二種も、もとより含まれねばならぬ。卽ちたとひ五種の正行を行じても、餘方餘事を所求とし、又餘佛餘菩薩を所歸としたなら、眞の正行といふことは出來ぬ。されば上人の捨雜歸正は唯だ行體の上の取捨のみでなく、卽ち餘の一切の佛菩薩

を捨てゝ、唯だ彌陀一佛に歸し、又餘の一切の淨土、及び人天等の果報を捨てゝ、唯だ西方極樂を求められる趣意であることを知らねばならぬのである。

斯樣に上人が善導の正雜二行說を引用して盛に捨雜歸正を唱道せられたには別に亦近因がある。前にも述べた如く、上人の已前に於ても、淨土往生の信仰は、可なり盛であつて、叡山は勿論、南都にも、三井にも、高野にも、敬虔なる修行者が少からず在つた。然るに此等の修行者が、如何なる行を修したかといふと、もとより念佛を專にしたものもあるが、併し其の多くは、法華等の大乘經を書寫し、讀誦して、極樂の往生を求め、或は眞言や陀羅尼を誦持し、或は色相觀、又は法身同體の理觀を凝し、或は阿彌陀法又は阿彌陀護摩などを修して、往生の業とし、或は又大日を念じ、藥師を念じ、觀音を念じて、西方を求め、或は唯だ專ら雜行を行ずる者もあれば、正雜兼行するものもあつて、所歸も、去行も、實に雜駁を極めたものであつた。それといふのも、これ等の行者は、之と皆天台、眞言等の宗徒で、各本習に基いて、淨土の修行を始めるものであるから、その行業が思ひ〳〵になるも、寧ろ當然である。但し斯やうに種々雜多な法が行はれた中にも、上人の當時に、最も尊ばれたものが、凡そ四種あ

る。卽ち持戒と、菩提心と、理觀と、讀誦大乘とである。選擇集の第十二章に散善の中に大小持戒の行あり。世皆以爲らく、持戒の行は是れ入眞の要なり。破戒の者は往生すべからずと。又菩提心の行あり、人皆以爲らく、菩提心は是れ淨土の綱要なり若し菩提心なくば卽ち往生すべからずと。又解第一義の行あり。これは是れ理觀なり。人亦以爲らく、理は是れ佛の源なれば、理を離れて佛土を求むべからず。若し理觀なくば、往生すべからずと。又讀誦大乘の行あり。人以爲らく、大乘經を讀誦せば、卽ち就いて二あり。一には持經、二には持呪なり。持經とは、般若、法華等の諸大乘經を持するを云ひ、持呪とは、隨求、尊勝、光明、阿彌陀等の諸の神呪を持するをいふ。凡そ散善の十一人は、皆是れ貴しと雖も、而もその中に於て、この四箇の行は、當世の人の殊に欲する所の行なり。これ等の行を以て、殆んど念佛を抑ふと書いてあるが、これで見ると、この四箇の行は、念佛よりも重ぜられたことが分かる。就中、持戒は、往生要集の要行の一に數へられた行で、卽ち十重禁等を持ちて、三業の非を護らねば、往生は得がたいとする說である。菩提心は、これ亦往生要集の所謂要行の一で、加之、永觀等の諸師も、亦皆悉く之を發さねばならぬと主張したので

ある。理觀は、卽ち第一義を解して、法身同體の理を觀ずることであるが、これは、蓋し天台はもとより、眞言でも、三論でも、盛に其の義を談じ、この理を觀せなければ、淨土にも往生は出ぬと唱へたものである。讀誦大乘は、四箇の行の中で、最も流行した法であつて、その功德を以て、往生を求めた者が甚だ多い。かの源信僧都の長和二年正月一日の願文に、念佛二十倶胝遍の外、更に大乘經五萬五千五百卷、法華經八千卷、阿彌陀經一萬卷、般若經三千餘卷を讀誦し、又阿彌陀の大呪百萬遍、千手呪七十萬遍、尊勝陀羅尼三十萬遍、並に阿彌陀の小呪、不動、光明、佛眼等の呪、その數を知らず（源信僧都傳に出せる數はこれと異同あり）と書いてあるのが、其の一例である。その他、法華讀誦の功德を以て亡靈の超生淨土を祈つた願文なども、少くない。斯樣に上人の當時に行はれた淨土の行門は實に亂雜であつて、全く一定の規準がなかつた。これが、卽ち上人が、善導の敎に依りて、正雜二行の範を示された所以である。

次に助業を捨てゝ、唯だ本願念佛の一行を取られたといふのは、選擇集第三章已下に縷說せられた通り、卽ち非本願の一切の餘行を捨てゝ、唯だ專ら稱名正定業に歸せられたことを指すのである。一體、讀誦等の五種の正行は、共に彌陀に就て起

すところの行であるから、雑行に對すれば、同じく皆正行と名けられるけれど、而もその中に於て、稱名の一種は、第十八願に誓はれた生因の業であり、餘の讀誦等の四種は、本願の行でないから、善導は、更にこれを二種に分類して、稱名を正定業とし、他の四種を助業と判じて、所謂助正兼行を往生の行軌と定められたけれど、上人は、選擇本願の主旨に基き、本願の念佛には、ひとりだちをさせて、助をさすの要なしとし、遂に助業までも、悉く捨てられて仕舞つたのである。

願文の十念を、十聲稱佛と解して、稱名を以て本願生因の正定業と見込まれたことは、いふ迄もなく善導の說に依られたのである。處が上人は、この說から出立して、更に進んで彌陀の因位に於ける發願の元意を探り、以て新たに選擇本願の大義を首唱せられた。選擇本願のことは、選擇集の第三章に、委しく述べられてあるがそれに依つて見ると、阿彌陀如來が、法藏因位の昔、世自在王佛の許にゆかれて、無上道心を發し、自ら二百一十億の諸佛の國土を覩見せられたところが、その中には、地獄等の惡趣のある麁末な國もあれば、又惡趣のない立派な國もあり、善き人民のみの住する國土もあれば、惡き人民の居る世界もある。そこで法藏比丘は、それ等の

多くの國土の中に就いて、麤惡なものは、悉く選び捨て、唯だ善妙のもののみを取つて四十八願を建立されたのである。されば四十八願は、一々に阿彌陀如來が、因位に二百一十億の諸佛の國土の中から、選擇取捨を加へられたもので、卽ち精選の結果に出來上つたものと謂はねばならぬ。中にも第十八願は、法藏比丘が、諸佛の淨土を觀見せられた時、その中には、布施を以て往生の行とする土もあり、或は持戒を以て、或は忍辱、精進、禪定、般若を以て、或は、菩提心、六會、持經、持呪、又は起立塔像等を以て、往生の行とする土もあり、或はその國の佛名を稱するを以て、往生の行とする土もあつた。そこで法藏比丘は、それ等の淨土の中に於て、布施等の餘行を往生の行とする土は、悉く選び捨てられて仕舞つて唯だ稱名を往生の行とする土を標本とし、以て吾等衆生の生因の本願を立てられたのである。

何故に布施等の餘行を捨てゝ、本願とし給はず。唯だ稱名の一行を選んで、生因に誓はれたかといふと、これには、勝劣と、難易の二義があるからである。勝劣の義とは、稱名の行は、その功德が勝れ、餘行は劣るからして、卽ち劣行を捨て、勝行を選ばれたのだといふのである。稱名が勝れるといふのは、如來の名號の中には、彌陀一

佛が有してゐられる四智、三身、十力、四無畏等の一切の內證の功德と、相好、光明、說法利生等の一切の外用の功德が、悉く收め盡くされてある。譬へば、知恩院といふ名稱の中に、御影堂や、阿彌陀堂は勿論、その堂を組み立ててゐる棟梁椽柱等の一切の材料までが、悉く含まれるのと同樣である。斯樣に如來の名號は、卽ち萬德の歸する所であるから、之を稱する功德が、極めて勝れねばならぬ。之に反して、布施等の餘行は、棟梁等の一々の材料に同じく、唯だ部分的であつて、卽ち一隅を守るに過ぎない行であるから、その功德が劣るのである。次に難易の義とは、稱名は修し易く餘行は行じ難いからして、卽ち難行を捨てゝ、易行を選ばれたといふのである。稱名が修し易いといふのは、この行は、行住坐臥を簡ばず、時處諸緣を論せず。男女、貴賤、下智、高才、持戒、破戒、有罪、無罪の別はなく、誰れにても、一般に修することが出來るそれゆゑ、立てゝ本願の行とせられた。處が之に反して、若しも造像起塔を以て本願の行と定められたら、貧窮困乏の者は、絕望せざるを得ない。若しも又智惠、高才を以て本願と定められたなら、愚鈍下智の者は、絕望せざるを得ない。多聞多見を以て本願と定められたら、少聞少見の者は、絕望せざるを得ない。持戒持律を以て

本願と定められたら、破戒無戒の者は、絶望せざるを得ない。然るに、世には、持戒の者、多聞、智慧、若しは富貴の者は少く、破戒、少聞、愚癡、乃至貧賤の者は、甚だ多い。されば、此等の難行を以て本願の行と定められたら、多くの衆生は、往生に於て、全く絶望せざるを得ない。彌陀は、因位に、平等の慈悲に催されて、普く一切を救はん思召から、發願せられたことであるから、多數の絶望すべき此等の難行を捨てゝ、誰れにでも、出來得る易行の法を取られたのだといふのである。

蓋し勝劣、難易の二義の中、難易の義は、十住毘婆娑論已來、諸家の悉く唱へたところで、殆んど異論はない。併かし勝劣の義となると、支那已來、觀念を勝とし、稱名を劣とする論が盛に行はれ、源信等も、觀念に堪へない者に、稱念を勸めるといふ説であつて、兎角、稱名を第二義として、取扱つたものが多い。處が今上人が、稱名を易行とせられた上に、更に功德が勝れるといはれるのは、謂ゆる虎に角を戴かせる議論であつて、稱名念佛の解説としては、先づ既に最高潮に達したものと謂はねばならぬ。然かのみならず、彌陀は、これ等の理由によりて、選んで、稱名を以て本願に誓はれたとする時、そこに絶大なる强味が、更にその上に加つて來るのである。醍醐本

法然上人傳記に、諸行と念佛と比較する時、念佛は勝れ、餘行は劣るといへば、いよいよ諍論絕えざる事なり。只念佛は本願の行なり。諸善は非本願の行なりといふ時、眞言、法華等の甚深微妙の行も、全く此校に非ざるなりと云ひ、又選擇集第七章に念佛は、是れ既に二百一十億の中より選取する所の妙行なり。諸行は是れ既に二百一十億の中より選捨する所の麤行なり。故に全非比校といふのだと書いてあるが、これ等は、本願に誓はれた上の强味に就いて、說き明かされたものである。

斯樣に、稱名の一行を本願と誓はれたことを以て彌陀因位の選擇にかゝるものと論じて、卽ち取捨を佛意の上に歸せられた點で、慥に上人の獨創であり、又卽ち根本信仰であるといはねばならぬ。上人が聖道の諸宗を捨てゝ、淨土の一門を開かれたのも、雜行を捨てゝ、正行に歸せられたのも、助業を捨てゝ、稱名の一行を專にせられたのも、悉く皆此の確信から湧き出た動作である。卽ち選擇を標榜して取るといひ、捨てるといつても、自己の胸臆から出た考案ではない。阿彌陀如來が、因位に心中の所願を選擇して、四十八願を建立せられたのであるから、取捨は、元と〱佛意の上に存するのである。既に如來が選擇を加へられて、吾等衆生を攝受せん

が爲に、善妙の國土を莊嚴せられた上は、吾等は、佛意に隨順して、此土入聖の心を捨て淨土往生の法に歸せねばならぬ。又旣に如來が選擇を加へられて、諸行を以て本願となさず、唯だ稱名を生因と誓はれた上は、吾等は、佛意に隨順して、餘行餘善を拋ち、專ら稱名の一行を事とせねばならぬ。取るも、捨てるも、悉く如來の指命であるから、吾等は唯だその指命に信順して、取捨を決すれば善い。否な決せねばならぬ。自己の裁量で、進まうとするから、煩悶も起り、異見も起り、結局、行詰まつて、適從する所を知らぬやうになるのである。如來が、旣に選擇を加へられて、吾等の取るべき道を示された已上は、吾等は、その敎に信順して、捨てしめ給ふものは、卽ち捨て行せしめ給ふものは、卽ち行じ、去らしめ給ふものは、卽ち去れば善いのである。これが卽ち上人の擇法眼であつて、又卽ち上人の根本信仰であつた。十六門記に、上人が、四十三歲のとき、淨土に歸入せられた光景を叙して、時に、觀經散善義の一心專念彌陀名號の文に至りて、善導の元意を得たり。歡喜の餘りに、聞く人なかりしかども、予が如きの下機の行法は、阿彌陀如來の法藏因位の昔、かねて定め置かるるをやと、高聲に唱へて、感悅、髓に徹り、落淚千行なりきと書いてあるが、實にその通りで

あつたに相違ない。九歳の時から、四十三歳まで、前後三十五年煩悶に煩悶を重ねすべての名譽を抛ち、誘惑を拂つて、專心に求められた出離生死の捷徑が、今そこに開けて如來の限りなき力と、慈悲とを全身に浴びられたのであるから、大なる歡喜の情が湧くのも當然である。法藏因位の昔、吾等ごとき下機の行法として、かねて稱名の一行を定め置かせられたと、佛意に徹底された時に、上人の總身が慄ひ、上人の兩眼が涙に溢れたのも、不思議はない。求道の志が、大であるだけ、得道の歡喜も亦大であらねばならぬのである。

斯くて、上人は選擇の願海に歸投せられて、稱名の一行を、本願生因の正定業と見定められた已來、雜行は勿論、讀誦等の助業までも、悉く捨てられて仕舞つて、一向専修の但信の行者として起たれた。上人が、讀誦を捨てられたことは、進行集に、隆寛に答へられた詞をのせて、源空も、念佛の外に、毎日に、阿彌陀經を三巻讀み候ひき。一巻は唐音、一巻は呉音、一巻は訓讀なり。然るに、この經に詮ずるところ、たゞ念佛申せとこそ、説かれて候へば、今は一巻も讀み候はず。一向念佛を申候也とあるによりて、知ることが出來る。觀察を捨てられたことは、決答疑問抄に、或人が、色相觀

は觀經の說なり。たとひ稱名の行人なりとも、これは觀ずべきかと問ひ申したるに、上人は、源空も、初めはさるいたづら事をしたりき。今は然らず。但信の稱名なりと答へられたと書いてあり、又行狀畫圖に、上人の常に仰せられたる詞として、近來の行人、觀法をなすことなかれ。佛像を觀ずるとも、運慶、康慶が造りたる佛ほどだにも觀じあらはすべからず。極樂の莊嚴を觀ずとも、櫻梅桃李の花菓ほどにも、觀じあらはさんことかたかるべし。たゞ彼佛今現在世成佛、當知本誓重願不虛、衆生稱念必得往生の釋を信じて、ふかく本願をたのみて、一向に名號を唱ふべしとあるによりて、知ることが出來る。餘の一切を捨てゝ、一向專修を勸められたことは津、戶三郞へつかはされたる御返事に、今決定して淨土に往生せんとおもはゞ、專雜二修の中には、專修の敎に依りて、一向に念佛すべし。正助二業の中には、正業のすゝめによりて、ふた心なく、たゞ第四の稱名念佛をすべしといひ、九條殿下の北政所へ進せられたる御返事にも、念佛にとりても、一向專修の念佛が、めでたき事にて候也。そのむねは、三昧發得の善導和尙の觀經の疏に見えて候。されば雙卷經には、一向專念無量壽佛ととき給ひて候。今はたゞ一向專修の但念佛にならせ給せふべ

く候とあるによりて、知ることが出來るのである。

上人所立の教義の綱要は、大體、如上の三重選擇を出でぬ。三重選擇は、言を換へていへば、三重の陶汰である。即ち聖道を捨てるのが、一重の陶汰。雜行を捨てるのが、二重の陶汰。助業を捨てるのが、三重の陶汰である。斯くして三重の陶汰を經て、最後に篩ひ殘されたものは、外でもない、即ち選擇本願念佛の一法である。蓋し此の三重選擇は、觀經疏披見の刹那に、徹悟せられた深旨であるけれども、一面に於ては、上人信仰の歴程を語るものと見ることが出來る。即ち上人の黒谷隱棲より、四十三歳に至るまでは、捨聖歸淨の意思はあつても、未だ決行せられず。本願の元旨に、尙明ならぬ所があつて、煩悶を續けつゝ、雜行雜修を勵まれた時代である。それから承安五年の立敎開宗は、捨聖歸淨と同時に、捨雜歸正も斷行されたのであるから、前二重の陶汰が、同時に行はれたものといふことが出來る。それから老年に及んで、阿彌陀經の讀誦も止め、色相觀を廢せられて、但信稱名の行人となられたのは、即ち第三重の陶汰と見られるからである。兎も角、斯樣に聖道を捨て、雜行を捨て、又助業を捨てゝ、唯だ本願念佛の一法を取り、之を自行化他の規矩とすること

は疑ひもなく、上人教義の根本精神である。されば本願念佛は、彌陀の選擇である
と同時に、亦上人の選擇と見ねばならぬ。卽ち彌陀が、二百一十億の諸佛國土の生
因の中から、稱名の一行を選び取られたと同じく、上人の選擇と見ねばならぬ。卽
ち彌陀が、二百一十億の諸佛國土の生因の中から、稱名の一行を選び取られたと同
じく、上人は、八萬四千の法藏の中から、念佛の一法を擇び出された。否な念佛の一
法は、彌陀の選擇の行であるから、上人も、亦それを選擇されたのである。こゝに於
て、彌陀の選擇が、卽ち上人の選擇。上人の選擇が卽ち彌陀の選擇であるといふこ
とが出來る。加之、選擇集第十六章には、彌陀、釋迦、及び十方恒沙の諸佛は、同心に念
佛の一行を選擇すといつて、具に八種の選擇が列ねてある。若し然らば、上人の選
擇は、卽ち亦釋迦、及び諸佛の選擇であると謂はねばならぬ。斯くて上人は、選擇の
願海の中に、三佛大悲の本懷を體認せられて、それを甘露の泉として、長へに吾等の
上に濺がれたのである。

上述の如く、上人は、選擇本願の主旨を高唱し、專ら稱名念佛の法を勸められたが
併かしながら、その念佛を行ずるには、心の持ち方があり、又信じ方がある。之を卽

ち安心と名けるのである。安心のことに關しては、上人の滅後、門下の間に、種々の論議が起つたけれど、上人の說は、全く善導を祖述せられて、觀經の所謂至誠、深信、回向發願の三心を以て、安心の內容とし、その外に、何等變つたことを述べられてゐない。選擇集第八章の篇目に、念佛の行者は、必ず三心具足すべしといひ、又その私釋に、三心は、これ行者の至要なり。經には、則ち具三心者必生彼國といふ。明かに知ぬ、三を具すれば、必ず生ずるを得べきことを。釋には、則ち若少一心得不得生といふ。明かに知ぬ、一も少かば、これ更に不可なることを。これに因りて、極樂に生れんと欲するの人は、全く三心を具足すべしと言つて、極めて三心を重んじ、三心を具足しなければ、往生が出來ぬことを明かにせられた。就中、至誠心とは、虛飾の心を起さず、眞實至誠の心中に、念佛を行ずるをいふのである。往生大要抄に、至誠心といふは、眞實の心なり。その眞實といふは、內外相應の心なり。身にふるまひ、口にいひ、意におもはん事、皆人目をかざることなく、まことをあらはす也といひ、大胡消息には、至誠心といふは、眞實の心なり。眞實といふは、內はむなしくして、外をかざる心のなきを申すなり。すなはち觀經疏に釋していはく、外には賢善精進の相を

現じ、内には虚假いだくことを得ざれと。この釋の意は、内はをろかして、外には善人のよしを示し、内には懈怠の心を懷きて、外には精進の相を現ずるを直實ならぬ心とは申也。外も内も、ありのまゝにて、かざる心のなきを至誠心と名くと言つてある。して見ると、内外相應して、人目をかざることなく、名利の念を離れて心にまことあるを至誠心と名けられたことが分かる。次に深心とは自身は、罪惡、生死の凡夫なれども彌陀の本願を信じて、念佛すれば、決定して往生することを得と思ひ定める心をいふので、これに信機信法の二種の信相があることは、善導の章下に述べた通りである。往生大要抄に、初に信機の相を釋し、次に信法の相を明かす中、疏の文を見るに、後の信心につゐて、二つの心あり。即佛につゐて、ふかく信じ、經につゐてふかく信ずべきむねを釋し給へるにやと意得らるゝ也。まづ佛につゐて信ずといふは、一には彌陀の本願を信じ、二には釋迦の所說を信じ、三には十方恒沙の證勸を信ずべきなり。經につゐて信ずといふは、一には無量壽經を信じ、二には觀經を信じ、三には阿彌陀經を信ずるなり。又次の文に、佛の捨しめ給はんをば、すてよといふは、雜修雜行なり。佛の行せしめ給はん事をば、行せよといふは、專修正行

なり。佛の去しめたまはん事をば「されといふは、異學異解雜緣亂動の處なり。又佛敎に隨順すといふは、釋迦のみをしへにしたがひ、佛願に隨順すといふは、彌陀の願にしたがふ也。佛意に隨順すといふは、二尊の御意にかなふなり。いまの文の意は、さきの文に、三部經を信ずべしといへるにたがはず。詮じてはたゞ雜修をすてゝ、專修を行ずるが、佛の御意にかなふところぞは、きこえたれといひ、大胡消息には、たれも〳〵煩惱のこき、うすきをかへりみず。罪障のかるき。おもきをも沙汰せず。たゞ口に南無阿彌陀佛ととなへむ聲につきて、決定往生のおもひをなすべしその決定の心を、やがて深心とはなづくるなり。その深心を具しぬれば、決定して往生するなり。詮ずるところは、とにも、かくにも、念佛して往生すといふ事を深く信じてうたがはぬを、深心とはなづけて候也と書かれてある。されば、三經三佛の敎信順して、疑ふ心なく、深く本願を憑みて、念佛をさへ申せば、決定して往生が出來るとおもひ定めるのを、深心と名けるのである。次に回向發願心とは、自他の功德善根を以て、悉く極樂に回向して、往生を求むる心をいふのである。淨土宗略抄に、先づ我が身につきて、前世にも造りと造りたらん功德を、皆悉く極樂に回向して、往生

を願ふ也。わが身の功德のみならず、一切凡聖の功德をも回向するなり。凡といふは、凡夫の造りたらん功德をも、聖といふは、佛菩薩の造り給はん功德をも、隨喜すれば、わが功德となるをもて、皆極樂に回向して、往生を願ふなり。詮ずるところ、往生を願ふより外に、異事をば願ふまじきなり。我身にも、人の身にも、この界の果報のいのり、又おなじく後世の事なれども、極樂ならぬ淨土にむまれんとも願ひ、若くは人中、天上にむまれんとも願ひ、是の如く、かれこれに回向することなかれと也。若しこのことはりを思ひさだめざらんさきに、この土の事をもいのり、あらぬかたへ回向したらん功德をも、皆とり返して、今は一すぢに極樂に回向して、往生せんとねがふべきなり。一切の功德を皆極樂に回向せよといへばとて、又念佛の外に、わざと功德を造りあつめて回居せよといふにはあらず。過ぎぬるかたの功德をも今は一向に極樂に回向し、この後なりとも、をのづから、たよりに隨ひて、僧をも、供養し、人に物をも施し與へたらんをも、造らんに隨ひて、皆往生のために回向すべしといふ意なりと書いてあるのが、卽ちこの心の解說である。要するに、內外相應して、虛假不實の心なきを至誠心とし、自身は、煩惱具足の凡夫なるも、唯だ念佛をさへ唱

ふれば、佛の本願に乘じて、必ず往生を得と信ずるを深心とし所作の行業を回して、淨土を求むるを回向發願心とするのである。されば、閑亭後世物語には、法然上人の仰せられたる樣は、詮ずる所、彌陀を賴みて僞らず、眞實なる心は、至誠心なり。我身のわるきに付ても、深く本願を信じて疑はざるは、深心なり。念佛に依て、極樂に生る事を得べしと思定たる心は、回向發願心なりといひ、大胡消息には、三心を意得わかつ時には、かくの如く別々の樣なれども、詮ずるところは、眞實の心をおこしにて、深く本願を信じて、往生をねがふ心を、三心具足の心とは申也といはれた。これによりて、三心の綱要を知ることが出來るのである。

蓋し安心と起行は、互に相應し、互に相扶けて、始めて往生の目的を達成することを得るのである。たとひ起行はあつても、安心が缺げたら、往生の業とはならぬ。安心はあつても、起行が伴はなければ、往生の望を充たすことが出來ぬ。具三心者必生彼國の說は、安心の邊を語られたもので、起行を無用とする意味ではない。それゆゑ、本願の文には、至心信樂欲生我國、乃至十念、若不生者不取正覺と說かれた。乃至十念は起行、至心信樂は安心であるから、卽ち願文の上に、明かに安心起行の二

種の要件が、顯はされてゐることを見ねばならぬ。乃至十念を稱名の起行とすることは、善導已來の説で、今更ら論ずるまでもない。至心信樂欲生が、三心であることは、上人の觀經釋に、この經の三心は、卽ち本願の三心に同じ。謂ゆる至心は卽ち至誠心なり。信樂は卽ち深心なり。欲生我國は卽ち回向發願心なりといひ、又要義問答に、本願の文を擧げて、この下に、此文に至心といふは、深心にあたれり。欲生我國は回向發願心にあたれりといふによりて知ることが出來る。されば、吾等は至心信樂欲生の三心具足し、乃至十念の起行を修して、以て若不生者の本誓に答へねばならぬのである。

三心を起さねばならぬことは、斯樣に、願文にも、又觀經にも、明了に說かれた所であるが、但しそれを實際に具足し、且つ常に吾等の身に保たうとするには、三心の中の就行立信を先とし、念佛によりて必ず往生を得と信じて、一向に名號を唱ふることが、卽ち必要である。それゆゑ、行狀畫圖に、上人の常に仰せられたる詞を載せてたゞ彼佛今現在世成佛、當知本誓重願不虛、衆生稱念必得往生の釋を信じて、ふかく本願をたのみて、一向に名號を唱ふべし。名號を唱ふれば、三心、をのづから具足す

るなりといひ、十二問答には、たゞ念佛申す者は、極樂にむまるなればとて、常に念佛をだに申せば、そらに三心は具足するなりといひ、又一枚起請文にも、たゞ往生極樂のためには、南無阿彌陀佛と申して疑なく往生するぞと思ひとりて、申す外には、別の子細候はず。但し三心、四修と申すことの候は、皆決定して南無阿彌陀佛にて、往生するぞとおもふうちに籠り候なりと書かれた。これは、卽ち稱名念佛は、本願生因の唯一の行であると信じて、その念佛を唱へてさへ行けば、その中に、虛假不實の心もなく、疑もなく、餘事の回願もないから、おのづから三心が籠るといふ說である一體、稱名念佛は、上に述べた通り、選擇本願の正定業であるから、この行に就いて決定往生の信を立てることが、最も大切な主題でなければならぬ。隨つて此の就行立信が確立すれば、それが卽ち實行の上に現はれて、稱名の相續となり、信は行を引き、行は信を强めて行く間に、自然に三心を具足して、往生の業が、成辨するのは、當然の徑路である。大胡消息に、口に南無阿彌陀佛ととなへむ聲につきて、決定往生の思をなすべし。その決定の心をば、やがて深心となづくと言つてあるが、これは吾等が唱へる念佛は、本願に誓はれた生因の行であるから、その念佛の聲に就いて、決

定往生の信心を確立せよといふ趣意であつて、卽ち事實の上に、就行立信を說き明かされたものと見ることが出來る。斯樣に、行門を本として、安心の具足さるべき所以を示される處に、上人の經驗から割り出された極めて實際的な、且つ極めて堅實な主張が顯はれてゐるのである。

三心具足の念佛でさへあれば、十聲でも、一聲でも決定して往生は出來る。それゆゑ本願の文に、乃至十念といひ、觀經下品下生に、具足十念といひ、大經付屬の文に乃至一念と說かれたのである。併かしながら、一念十念で往生が出來ると言つても、本願の念佛は元來、恒修相續を本則とする趣旨であるから、淨土の行者はなるべく稱名の相續を勸めねばならぬ。本願の念佛が恒修相續の趣旨であることは、願文に、乃至の語が置かれてあることによりて、知ることが出來る。乃至とは、選擇集に從多向少の義と解して、多とは上盡一形なり、少とは下至十聲一聲等なりと釋されてある。されば本願の文は、少くとも十聲一聲は、唱へねばならぬといふ意味であるから、隨つて其の中には、おのづから亦上盡一形の恒修相續を本則とする意味が、含まれてゐると見ねばならぬ。善導が、行住坐臥不問時節久近、念々不捨者、是名

正定之業と説かれたのも、又四修の法を明かして、無間、長時の二修の法規を立てられたのも、皆この微意を探られた結果であり、上人が、日に六萬七千の稱名を課し、人にも數遍を勸められたのも、亦即ち善導を透うして、この本願の元旨を體得せられた結果である。光明房に遣はされたる上人の御返事に、乃至といひ、下至といへるは、上、一形を盡くすをかねたる詞なり。然るを此の頃の愚痴無智の輩の多く偏に十念一念なりと執して、上盡一形をすつる條、無慚無愧の事なり。まことに十念一念までも、佛の大悲本願、尙必ず引接し給ふ無上の功德なりと信じて、一期不退に行ずべきなりといひ、淨土宗略抄にも、一念に往生すればとて、必ずしも一念に限るべからず、彌陀の本願の意は、名號を唱へんこと、若しくは百年にても、十二十年にても、若くは四五年にても、若くは一二年にても、若くは七日一日、十聲一聲までも、信心を起して、南無阿彌陀佛と申せば、必ず迎へ給なり。總じて之を云へば、上は、念佛を申さんと思ひ始めたらんより、命終るまでも申なり。中は、七日一日も申し、下は、十聲一聲までも、彌陀の願力なれば、必ず往生すべしと信じて、いくら程こそ本願なれと定めず。一念までも、定めて往生すと思ひて、退轉なく、命終らんまで申すべきなり

と示されてある。上人が懇に一期不退の行持を勸められた所以は、これによりて大體知る事が出來る。

處が上人の在世に、行空、幸西などといふ門義があつて、已に一念で、往生が出來るとすれば、その後の相續は無益である。一念でも救ふといふ本願であるのに、多念を勵むは、反つて本願を疑ひ、自力を募るのであると、高言して、頻りに相續恒終に反對したのみならず、彌陀の本願は、罪惡の凡夫を目的に、特に立てられた、超世の悲願であるから、罪を恐れ、惡を愼むは、本願を輕んずる所以であると唱へて、口に念佛を申さず、身には、誰れ憚る所なく、女犯肉食を公行し、大に世の物議を惹起して、遂に上人遠流の起因ともなつたのである。これが蓋し一念義と稱する一派であつて、今日の眞宗は、おそらく、これに淵源したものと思はれるが、併かし其の主張は、餘まりに極端で、且つ餘まりに實行的修養を無視したものといはねばならぬ。負へば抱かれやうといふ諺があるが、彼等の主張は、正しくそれであつて、如來が、大悲、もだし難く、一念でも救はう、極重の罪人でも助けやうと、最大限度に誓はれた本願に負はれて申し得らるゝ念佛も申さず、愼み得べき行爲も愼まずに、自己の責務を最小限

度に限定し、否な全然無制限に解放して、更にその上に抱かれやうといふのは、餘まりに如來の恩寵に狎れて、自己の勝手を募るものと見ねばならぬ。果然上人は彼等の主張を邪説として、行空等を破門し、元久元年十一月には、七ケ條の起請文を製して、その非違を誡め、又諸處の法語中に、その説の謬れることを指摘せられた。中にも平基親の問に答へられたる書には、近來、一念の外の數遍無益なりと申義、出來候。勿論不足言の事に候。文釋を離れて義を申人、既に證を得候歟。如何、尤不審候。又深く本願を信ずるもの、破戒を顧るべからざる由の事、是れ亦問はせ給にも不可及事歟。附佛法の外道、外に求むべからず。凡そ近來、念佛の天魔、きをひ來て斯の如きの狂言、出で來り候歟とあり。七ケ條起請文には、未だ是非を辨へざる癡人聖教を離れて、師説を非し、恣に私の義を述べ、妄りに諍論を企て、智者に咲はれ、愚人を迷亂することを停止すといひ、その末文には、此の如き等の無方は、愼んで犯すべからず。この上、猶ほ制法に背く輩は、是れ予の門人にあらず、魔の眷屬なり。更に草菴に來るべからずと書かれて、極力、禁遏の方法を取られた。

一念多念の問題に關しては、上人は、これを信と行との二方面に分けて、一念往生

は信ずる様。多念相續は行ずる様と説かれて、この兩説の矛盾せざる所以を明かにせられた。禪勝房に示された詞に、一念十念に往生すといへばとて、念佛を疎相に申すは、信が行をさまたぐるなり。念々不捨者といへばとて、一念を不定に思ふは、行が信をさまたぐるなり。信をば一念に生ると信じて、行をば、一形にはげむべしといひ、十二問答に、十聲一聲の釋は、念佛を信ずる様。念々不捨者の釋は、念佛を行ずる様なりといひ、又、小消息に、行は、一念十念むなしからずと信じて、無間に修すべし。一念尙むまる。いかに況んや多念をやと示されたのも、皆卽ちその意旨である。これで見ると、一念義の輩が、多念を無益とするのは、一念往生の信が、先きに立つから、恒修相續の行が妨げられるのであり、多念義の徒が、一念を不定とするのは、恒修相續の行が、先きに立つから、一念往生の信が妨げられるのであつて、共に一邊に偏した主張たることが分かる。處が上人の所立は、一念でも、往生は出來ると信じた上に、一期不退の行を相續せよといふ勸め方であるから、一念義でも、多念義でもないと同時に、亦その兩義を併せ取られたものと謂はねばならぬ。特に禪勝房に示されたる詞に、阿彌陀佛は、一念となふるを、一度の往生にあてがひて、をこし

給へる本願也。かるが故に、十念は、十度むまるゝ功徳なり。一向専修の念佛者になる日よりして、臨終の時にいたるまで、申たる一期の念佛をとりあつめて、一度の往生は、必ずすることとなりとあるに依つて見れば、上人は一念往生の理を基礎として、以て多念相續を勸められたことを見ることが出來る。

それから又上人は、言ふまでもなく、惡人罪人の往生を認められたけれど、本願に誇りて、惡無過の見に墮することを誡め、出家は勿論、在家の人といへども、罪を怖れ惡を愼むべきことを敎へられた。されば、七ヶ條起請文には、念佛門に於ては、戒行なしと號して、専ら婬酒食肉を勸め、たまたま律儀を守る者をば雜行の人と名け、彌陀の本願を憑む者は、造惡を恐るゝことなかれと說くを停止すといひ、十二ヶ條問答にも、佛は、惡人を捨て給はねども、好みて惡を造ることなかれ。佛の弟子にはあらず。一切の佛法に、惡を制せずといふことなし。惡を制するに、必ずしも之をとゞめ得ざるものは、念佛してその罪を滅せよとすゝめたる也。我身のたへねばとて佛にとがをかけ奉らんことは、おほきなるあやまりなりと示されてある。一體上人は、慈覺大師九代の嫡統として、慈眼房叡空より、圓頓戒を稟承し、門弟は素より

王公貴紳までにも、之を傳授し圓戒中興の祖と崇められたことは隱れもない事實である。それゆゑ、上人を始め、門徒の面々も、律儀を守り、僧風を重んじ、決して放逸の行などは無かつた。併かしながら、これは主として佛法の通規といふ點から說かれたものであつて、宗義上に、持戒持律を必要とする意味ではない。されば、選擇集第三章には、若し持戒持律を以て本願となし給はゞ、破戒無戒の人は定めて往生の望を絕たんといひ、第十一章には、世皆おもへらく、持戒の行は是れ入眞の要なり。破戒の者は、往生すべからず。と。乃至此等の行を以て、殆んど念佛を抑ふといひ、又和語燈錄第五には、本願の念佛にはひとりだちをさせて助をさゝぬなり。助と申は、智慧をも助にさし、持戒をも助にさすなりといはれてある。これは破戒の者では、往生が出來ぬから、戒行を持たねばならぬとし、又は念佛に不足の思をなして、持戒等を以て、往生の業を助成せねばならぬと考へては、却て本願に悖ることを指摘し、往生には、持戒破戒を簡ばず、唯だ稱名念佛の一行を專らにすべき旨を明かにせられたものである。但し持戒破戒を簡ばぬと言つても、決して故意に破戒を勸められる趣意ではない。それゆゑ、十二ケ條問答に、惡人をも、すて給はぬ本願を聞か

んにも、まして善人をば、いかばかりか喜び給はんと思ふべきなりと云ひ、小消息には、罪は、十惡五逆の者も、尙むまると信じて、小罪をも犯さじとおもふべし。罪人尙むまる。いかに況や善人をやと示されて、一念多念の分別に同じく、惡人往生を信ずる樣、小罪を愼むを行ずる樣として、宗義を信奉しつゝ、佛法の通規をも亦守るべきことを敎へられたのである。

これを槪するに、上人の敎義は、聖道諸宗を以て、今時難證の法とし、末世濁惡の凡夫は、彌陀の本願を憑みて、淨土往生を期するの外他に出離の方便がないといふ點から、出發し、淨土往生の法は、正雜にわたりて、いろ〳〵あるが、就中、稱名念佛は、彌陀の選擇本願の正定業であるから、一向に之を專にせねばならぬことを明かにし、三心具足して、念佛を行ずるものは、一念十念までも、必ず往生し、罪障の輕重、煩惱の厚薄は、問ふところではないけれども、而も罪を怖れ、惡を愼みて、一期不退に稱名を相續せよといふに在るのである。その主唱は、極めて簡明にして、理論に涉らず。穩健にして極端に馳せず。徹頭徹尾、行門を本とし、往生之業念佛爲先と標榜して、先づ念佛の實行を勸め、然る後、自然に安心具足の域に導くといふ說方であつて、道俗

一般の者をして、入り易く、且つ堅實に所期の目的を達成せしめる化導の趣旨を察知せねばならぬのである。かくて平易にして、極めて實際的なる上人の敎義は偉大にして恭謙なる、其の人格と相俟つて、海內の人心をして、潮の如く、歸趨せしめ、本邦の佛敎は、これより一新時期を劃して長へに淨土の宗風の榮えゆくべき氣運を啓いた。

教化資料

○僧侶と惡魔の賭

『私は僧侶と惡魔の恐ろしい物語りを知つてゐる、それは或る時僧侶が惡魔と賭をして、若し惡魔にして僧侶の室に入る事が出來た時には僧侶は如何なる命介を惡魔が下してもそれに從ふといふのであつた、すると惡魔は傷いた鴉となつて僧侶を訪ねた。彼は血のついた翼をばた〳〵させて僧房の戸を悲しげに叩いた。僧侶は憐憫の情を起して鴉を室に入れると惡魔は直ぐ僧侶に三箇の罪惡即ち殺人、姦婬、飮酒の裡其一を採れと命じた、負けた僧侶は酒害は獨りのみと思つて飮酒の戒を破つた。酒を飮むと彼は理性を失ひ、次で一人の女の誘惑に陷つて姦淫を犯し、更に彼を襲ふて來た女の夫を慘殺した。三箇の罪惡は酒によつて破れたのである』（トルストイ「神へか惡魔へか」）

○男女の實際壽命

今日の實際調査の上から統計して見ると、男女の平均壽命は男が四十四年二分五厘、女は四十四年七分七厘である。

○兒童の觀る警察官

子供が警察官をどう觀てゐるかは、比較的等閑視されてゐるが、兒童保護の問題として重要であつたために東京府聯合敎育會では女子師範青山師範の兩附屬小學校及び品川、澁谷、鮫ケ橋、砂村、千住等の小學校十餘校の兒童に就て調査した結果、左の如き回答を得た。

○巡査を何んと呼ぶか（女子師範附屬調査）

「おまはりさん」と呼ぶ者が多いが尋常五六年になると「巡査」と呼ぶ者が多く、中には「ポリ」と呼ぶと言ふ者もある

○巡査を見たとき何と思ひましたか？

下級兒童程「こわい」と感ずる者が多く、尋五の男子などは「生意氣」だとか「ゐばつてゐる」とか言ふ者があるが中で上

級に行く程「なんともない」と言ふ者が多い、高等二年の女生徒は「氣の毒」とか「可愛さう」とか言ふ者がある

○巡査は「こはい」と思ひますか「良い人」と思ひますか

「こはい」と言ふ者は一般に少なく、「良い人」の方が多數であろが中には古い人は良いがなりたては惡いと言ふ者もある

○巡査にはどんな人がなるか

下級兒童は「えらい人」とか「つよい人」とか言ふのが多いが尋五の男子は「のらくら者」とか「用のない貧乏者」とか「職業につけない人」とか言ふ者が却々多い

○巡査は何をする人だと思ひますか？

「惡い人」をつかまへると言ふ者が多いが、尋五頃から戸籍調べをする者とか交通整理をするとか、迷子を敎へるとか言ふ者がある、

○巡査さんがあなた方を何と呼びますか？（青山師範附屬小學校調）

「オイ、オイ」（百五十八人）「ボッチャン」（四十六人）「お孃サン」（六十七人）「コラ、コラ」（六十六人）

○それをあなた方はどう感じましたか（同校調）

恐ろしい　（八十九人）
びつくりします　（三十九人）
親切である　（二十八人）
良い人である　（六十八人）
生意氣である　（十二人）
丁寧に呼んで貰ひたい　（十五人）

○巡査さんに叱られたことや、注意されたことはありますかそれは何でしたか？（同校調）

右側を通りし爲　（百四十八人）
電車道を通りし爲　（廿七人）
手を繋いでいて歩いた爲　（六人）

○その時にどんなに感じましたか？（同校調）

惡いと思ふ　（五十六人）
いやな感じ　（三十三人）
きまりが惡い　（二十四人）
尤もである　（二十四人）

○巡査がどんな人であれば良いと思ひますか

（女子師範附屬小學校）

「親切な人」と言ふのが一番多いが、中には僕を可愛がる人とか、目さとい人とか家の親類であれば良い、とか言ふ者が少しある

○顰笑で働く顔面筋

人間が顔をしかめる時には、六十四の筋肉を使用しなければならない。之に反して笑ふ時には十三の筋肉を働かせればいゝ、從つて人は笑ふ時より顔を顰かめる時の方が骨が打れる譯である。

○反社會主義傾向

伊太利にては猛烈な社會主義反對運動起つて各大學々生悉く之に加盟し社會黨の巨魁暗殺され、佛國にても最近甚しく社會主義の閉塞を見、英國にても次第に社會主義の衰兆を呈し來る、今や歐洲全土に渉つて社會主義反對の空氣漲りつゝあるも獨り獨逸に於ては大勢社會主義に傾き總ての生産機關の社會化を唱へられ、近く住宅すら社會の監理に移すべしとさへ叫ばれてゐるそうだ。

○世界各國の結婚費

國別	年收一萬圓の家庭	年收二千圓の家庭
英	八分	一割
佛	一割	一割
獨	一割	一割
米	二割	二割
伊	四割	四割
西	五割	七割
露	八割	八割
日	二十割	二十五割
支	三十割	三十割

○不良少年の特徴

不良少年の特徴として最も注意すべきは職業や仕事に對する移動性に富んで居ることで、物事に直ぐ飽く氣風に滿ちて居る、此程東京府で兒童保護員が調査した處に據ると、今十八歲の少年が十歲の時、初て呉服屋の小僧となつて以來、農業から八百屋から紡績職工から坑夫から牛乳配達から再

び鑛山坑夫といふやうに轉々した例が澤山あるそうだ。

○日本佛敎各宗一覧

文部省宗務局發行「宗敎要覧」によれば、我國佛敎各宗は次の通りであるが、各開宗順にすると次の順序は變更を免れない。

（宗派名）	（總本山又は代表的本山）	（開祖又は太祖）	（寺院數）
天台宗	近江阪本延暦寺	傳敎大師最澄	三、四七七
同 寺門派	近江大津市園城寺	智證大師圓珍	六四五
同 眞盛派	近江阪本西敎寺	慈攝大師眞盛	四三四
眞言宗高野派	紀伊高野金剛峯寺	弘法大師空海	二、七二〇
同 御室派	京都花園仁和寺	寛平法皇	一、四一〇
同 醍醐派	京都醍醐醍醐寺	理源大師聖寶	一、三六三
同 大覺寺派	京都嵯峨大覺寺	恒寂法親王	三九九
同 東寺派	京都敎王護國寺	弘法大師空海	一八一
同 泉涌寺派	京都市泉涌寺	月輪大師俊芿	三九
同 山階派	京都山科勸修寺	濟高和上	一五六
同 小野派	京都山科隨心院	增高和上	三〇
新義眞言宗智山派	京都東山智積院	興敎大師覺鑁	二、八一六
同 豊山派	大和初瀬長谷寺	興敎大師覺鑁	二、九一一
眞言律宗	奈良伏見郡西大寺	興正菩薩睿尊	九六
律宗	奈良縣唐招提寺	鑑眞和尚	三三
淨土宗	京都東山智恩院	圓光大師法然	七、一九六
同西山禪林寺派	京都市禪林寺	圓光大師法然	
同西山光明寺派	京都府粟生光明寺	圓光大師法然	一、一五三
同西山深草派	京都新京極誓願寺	圓光大師法然	
臨濟宗天龍寺派	京都嵯峨天龍寺	夢窓國師疎石	一一三
同 相國寺派	京都今出川相國寺	普明國師妙葩	一二一
同 南禪寺派	京都市南禪寺	大明國師無關	四五〇
同 妙心寺派	京都花園妙心寺	無相大師關山	三、五四五
同 建長寺派	相模鎌倉建長寺	大覺禪師蘭溪	四六八
同 東福寺派	京都市東福寺	聖一國師辯圓	四二一
同 大德寺派	京都愛宕郡大德寺	大燈國師妙超	二三三
同 圓覺寺派	相模鎌倉圓覺寺	佛光國師祖元	二三三
同 永源寺派	近江高野永源寺	圓應禪師元光	一五三
同 方廣寺派	遠江奥山方廣寺	聖鑑國師滿頁	一九七
同 佛通寺派	廣島豊田郡佛通寺	大通禪師周及	四八
同 國泰寺派	富山氷見郡國泰寺	慈雲妙意禪師	二六
同 向獄寺派	山梨縣向獄寺	鹽山拔隊禪師	六七
曹洞宗	越前永平寺	承陽大師道元	
	武藏鶴見總持寺	常濟大師瑩山	一四、三三六

黄檗宗	山城宇治萬福寺	眞空大師隱元	五三三
眞宗本願寺派	京都市本願寺	見眞大師親鸞	九、七二四
同大谷派	京都市本願寺	光壽上人	八、三五三
同高田派	伊勢專修寺	眞佛上人	六三四
同興正寺派	京都市興正寺	蓮教上人	二八八
同佛光寺派	京都市佛光寺	眞佛上人	三三二
同木邊派	滋賀縣錦織寺	光去上人	五五
同出雲路派	越前武生在毫攝寺	善鸞上人	四八
同山元派	越前五分市證誠寺	善鸞上人	二
同誠照寺派	越前鯖江誠照寺	道性上人	四四
同三門徒派	福井市中野專照寺	如導上人	三四
日蓮宗	甲斐身延久遠寺	日蓮上人	三、七〇三
顯本法華宗	京都市妙滿寺	日什上人	四九
本門宗	駿河富士本門寺	日興上人	二一七
本門法華宗	京都市本能寺	日隆上人	三三三
法華宗	越後三條本成寺	日印上人	一六四
本妙法華宗	京都市本隆寺	日眞上人	八二
日蓮正宗	靜岡富士大石寺	日興上人	七〇
日蓮宗不受不施派	岡山御津郡妙覺寺	日奥上人	三
同講門派	岡山御津郡本覺寺	日講上人	一
融通念佛宗	大阪府大念佛寺	聖應大師良忍	三六一
時宗	相模清淨光寺	圓照大師一遍	四九五
法相宗	奈良市興福寺	道昭和尚	四三
華嚴宗	奈良市東大寺	良辨僧正	三一

○女工の娯樂調べ

東京市社會局では曩に五十人以上使用の工場法適用工場官私立の四百九十四工場の女工の千七百六十八人に對し娯樂と興味の方面を取調べた、其の回答に依ると娯樂興味は芝居が第一で四百七十五人、次が活動の四百三十三人、以上の回答者は比較的順境の人が多く、第三は裁縫に興味を有つた者百十九人で、之れは職業柄の紡績工場の勤めが多く、次は寄席の百四人、高尚なのになると生花茶の湯の四十五人、是れ等は嫁入仕度の爲めに嗜むので、一方不遇な女工としての興味は可愛らしいのや哀れの者が多く中には『母の笑顔を見るのが樂みです』とか『父母を喜ばせる事』『一家の平和』『親よりの通信』『老母の健康』等で最も悲慘な樂みは『早く年を取りたい』とか『時の進むのを喜びます』とか云ふので實際現生活の苦しみから脱

れたいと云ふのである、又老女工としては說敎、神の崇拜等が最も多かつたと。

○米國全土の鷄卵

最近の調査によれば、米國全土に於ける鷄の數は五億九千九百萬羽で、それ等の鷄が一年間に產出する卵は十九億二千一百萬ダース、其の價約十一億七百九十萬弗である、之を米國の全人口に割り當てると、一人一日の分け前半個となり、又其の價格は玉蜀黍の年產額の三分の一、小麥の二分の一に當り、木棉と略同額である。

○道　歌

ゆめを問ふ人
ねてもゆめおきても夢の世の中を
　ゆめと知らねばゆめはさめけり
あまた人をつかふに
心得しみちにつかへばつかふ人の
　あやまる事はつねになきなり
もののふの道たしなむ人に
生き死をのがれはてずばもののふの
　みちもかならずあやまるとしれ
とせいをくるしむ人に
世の中はふくべのしりになまずの尾
　おすがごとくにわたるへうなり
佛道ありがたしといふ人に
ものごとに心とむなととくのりの
　法にこゝろをとむる人かな
しゐて佛をねがふ人に
さかさまに阿鼻地獄へはおつるとも
　佛になるとさらにおもふな
大道のもとをとふ人に
おもわねばおもわぬ物もなかりけり
　おもへばおもふものとなりけり
大道聞得て行ぬ人に
とく法に心のはなはひらけども

そのみとなれる人はまれなり

○基督の無智

イエスは何等人並勝れた智能を有せない、ガリラヤの一農夫ではなかつたか。彼は人類の趨向する所を知らず、人性の內在力が後世何事を成し得るかをも看破することが出來なかつた、彼は甚だしい迷信家で嚴然たる眼前の實在を閑却して天使や惡魔の所爲を力説した、彼は後世科學が勃興し諸種の發明や發見が起て、その文明の力が全世界を光被する日の來ることをも知らずして、彼はその生涯の中に必らず最後の日が來て天地が晦滅するものと信じて居た。（エムテーカービー氏）

○貯蓄に關する格言

一、富豪となるは極めて單純なり唯金を濫費せざるのみ

一、ぶるなかれ、らしくすべし

一、顧客顧客を產む

一、資本が財產より生じ、更に大規模に於て其作用を促進する事實は恰も畑に實れる麥の穗の食用より省かれたる麥粒より生じ、以前より更に多くの收獲を持ち來すの勢力を有するが如し

一、安物買は不經濟の原

一、一金を得んよりも寧ろ一金の節約することを務むるに如かず（ベーコン）

一、入る金が多くても出金が多ければ何にもならぬ

一、無益の道具類を買ふな買へば他人に見せたくなり自然と自分の職業を怠り時間を費すべし愼まざるべからず

一、花を棄て實をもむさぼらぬ心してひたすら根をば養へよ人

一、富豪の名譽にして道德より來るものは山林の花の如く自ら是れ舒徐繁衍す、功德より來る

ものは盆樫の花の如し便ち遷徙廢興あり、若し權力を以て得るものは瓶鉢の中の花の如し其根植ゑざれば其の萎むこと立ちどころに待つべし

一、一日に十里の道を行くよりも十日に十里ゆくぞたのしき（桂太郎）

一、千里の道も一歩より進む

一、百里を行くにも一足宛でなければ行かぬ

一、一旦に千兩の身代と成りても其身存命に衰ては五代と十代かゝりて千兩になるとも年々榮へて衰へる事無なければ吉かるべし

一、貯蓄をせんと思ひ立たば其日よりせよ（丁抹俚諺）

一、貯ふるは得るよりも大なる技術なり（獨逸俚諺）

一、貯ふるは得なり（英國俚諺）

一、貯蓄は收益の初歩なり

○親を拜め

これは加賀の落鴈長生殿と同じ家から賣り出してゐる達摩菓子ぢや、茶受けに、一つ嚙まさうかナ、何、祖師を嚙むのは勿體無いと云ふのか、こゝに面白い話がある、昔時或田舍に一人の放蕩息子があつた。親爺が持て餘して檀那寺の和尙に意見を賴むと和尙は早速其の息子を寺へ招いて、親孝行の大切な事を諄々と說いて聞かして、而してこれを日夜座右の銘にして置けとて「神佛拜まぬ先に親をかめ」と書いて與へた、スルト右の放蕩息子は何と感じたものか、翌くる朝むく起きに恭しく手を合せて親爺を拜むかと思ひの外、未だグウ〳〵と鼾をかいて寢てゐる親爺の禿頭へカブと齒形を入れて嚙み付いたアッ痛い！と驚いて刎ね起きた親爺は藥罐頭に湯氣を立てゝ怒り出しオノレ憎い奴だ、親の頭に嚙み付くとは、鹽でも付けて喰ふつもりか、此の不孝者奴が、未來は鼠に生

れ變つて、猫に嚙み殺されて仕舞ふぞ、昨日檀那寺の和尚樣に何と說法して貰つたのぢや、と眼を剝くと、息子は、阿父さん、ソンナに怒りなさんナ、昨日檀那寺の和尚樣に敎へて貰つた通りの親孝行をしてゐるのに、左樣、ガミ〳〵と叱られては引合はぬ、これを御覽、と親爺の面前へ擴げたのは正に和尚眞筆の座右の銘、ソレ此の通り神佛拜まぬ先に親をかめ、親を嚙めと書いてある。何、それは親を嚙めではない親を拜めと書いてあるのぢや、イヽエ親を嚙めぢや、イヽエ親拜めぢや、と遂々又親子喧嘩を始めよつたとの笑話があるが、今日親の脛を嚙つてゐる俗人や、祖師達摩や佛を喰ふてゐる坊主はツマリ親を嚙む此の放蕩息子のやうなものぢやテ、アハヽヽヽ。（竹田默雷禪師）

○農家經濟十四訓

明治二十一年農商務大臣井上馨氏から上申すべき内命があつて、農商務省で農家經濟の方針を講話した、其時發表した敎訓十四箇條は左の如し

一、寢て居て人を起す勿れ。
二、遠國の事を學ぶには先づ自國の事を知れ。
三、資金を力にして起す產は敗れ易し。
四、金滿家の息子は、多く農家の權利を知らず。
五、經濟は唯だ金錢を澤山持つ事に非ず。
六、勸業の良結果は、多く速成を要せざるにあり
七、農家にて蓄財を望まば、耕地を貸付けて利をとれ。
八、樹木は祖先より借りて、子孫に返すものと知れ。
九、人力のみにて成熟するものは、永久の產とならず。
十、子孫の繁榮を思はゞ草木を培養する事を以て知れ。
十一、國の經濟を考へて、家の經濟を行へ。
十二、豐年にも太凶あり、氣を付けて見よ。
十三、金錢は濫りに集むる事易くして能く使ふ事

難し。

十四、僥倖の利益は、永久の寶に非ず。

○日常生活とメートル

メートル法は、日本の生活とは全く沒交渉で生れたものだつたが、偶然にも、我々の日常生活に用ひられるものと密接な關係を見出すことが出來る即ち長さの一メートルは殆ど疊幅の大さで、疊は京間三尺五寸又は三尺三寸のもあり、關東は三尺内外となつて居るが、大體平均して三尺二寸位だから一メートルに近い、一間は約二メートルで殊に間口の柱の外矩(そとのり)は殆ど二メートルに近いからその半分は一メートルとなるわけで、一メートルを思ひ浮べるのは誠に便利である。次に反物一反は鯨の二丈八尺となつて居るが、これは殆ど十メートルで、一反の十分の一が一メートルと思つて大差ないのである。

次に距離の一町は偶然にも百メートルに非常に近い。また反別の一畝は前に云ふ通り百メートル平方で一町歩が一萬平方メートルであることも偶然の一致といふべきであらう。

○類の無い保險村

此頃靜岡縣の御前崎に全村擧げての保險村が出來た。此地は戸數六百餘の漁村で、住民は概ね漁業に從事し、年額百萬餘圓の水産を出して居るが本年一月房州沖へ鮪漁に出掛けた十四人乘組の漁船が、圖らずも暴風の爲に一人殘らず溺死したといふ悲慘事があつた。元來漁業は危險なる稼業であるにも拘らず、以前は此土地の人で保險に加入して居る者が極めて稀であつたが、兩三年來郵便局長や遞信局員の努力により、最近には全村の加入者七百二十五人に達し、一戸一人一分餘の平均を示すに至つた。されば前記の遭難者十四人の内にも七人の被保險者があつて、直に保險金總額六百餘圓が遺族へ交附された。此事が全村に聞こゆる

と吾も吾もと保險に加入するやうになり、今では何でも簡易保險に加入することを『人並のお附合ひ』と稱して居るさうであるのみならず、此村へは最近簡易保險の積立金から二萬圓を小學校建築費に貸付けたので、村民は保險に入つて安心が出來、仕事には精が出る上に、小學校の建築も出來兒童の敎育に困らぬ事になつたので、村民は簡易保險制度の效果を遺憾なく體得して、心から謳歌するに至つたのである。（桑山保險局長談）

○馭者とビスマーク

今は昔、鐵血宰相として知られたかのビスマークが或時非常な急な用件が出來てペトログラードに行かうと馬車を走らせたさうな、廣茫無限な露西亞の平原を馬車は快ろよく走つた行途を急ぐビスマークは驛場驛場で馬を取り換えさせて彌やが上にも早く〳〵とせき立てたろが………村を通り河を渡つて或る林のなかへ來た時にどうしたハズミかヒヨクリとまつた馬がどうしても動かない。馭者の露西亞人は平然と馭者臺に座つて首をヒネツテゐる性急なビスマークは耐へ切れないのでオイどうしたのだ早く早く早くやらなけア困る……とガン〳〵怒鳴つたさうな。大男の馭者はフンと鼻尖で笑つて、ニチヱオウフシオーラブノー……と呟やきながらノコ〳〵降りて行つて馬の蹄を直ほした。ニチヱオウ此の露語はまア簡單に言へばどうでもえゝ……と云ふ樣なわけださうな。如何にも大陸的な露西亞の國民性を象徴した樣な此の言葉と馭者の態度にビスマークは非常に感動し、歸途には請ふて其の馬の鐵蹄を貰ひ受け其處にニチヱオウの文字を印刻して終生身を離さなかつたと云ふ、そして機略縱横神出鬼沒な彼れの外交政略に一面事に當つて悠揚迫らぬ腰の据つた態度を加味されたのは此事があつてからだと云ふ事だ。

地方資料

編者との協議の上、収録しないことになりました。
（不二出版）

雜録

□遲刊謝告　本第四卷は又々大遲刊となつたことを講習員諸君に深謝します、將來は努めて定日發行にいたしたいと心掛けて居ます。

□第三卷正誤　本講習錄前卷（第三卷）講義中左の通り正誤す。

『經濟學說と實際問題』

頁	行	誤	正
32頁	5行	眞重に	愼重に

教化講習錄概要

□課目並に講師

課目	講師
歐洲近代文藝思潮	文學博士 金子馬治先生
大戰後の世界現勢	ドクトル、オフフイロソフイー 長瀬鳳輔先生
社會問題と思想問題	文學士 赤神良讓先生
社會教育	文部省社會教育課長 乘杉嘉壽先生
思想の變遷と流行語の研究	文學博士 藤岡勝二先生
兒童心理の應用	東洋大學教授 高島平三郎先生
經濟學說と實際問題	慶應義塾教授 清水靜文先生
實用論理	東洋大學學長 境野黃洋先生
佛教文化の特徵	文學博士 椎尾辨匡先生
我國の政治と佛教	文學博士 村上專精先生
現代思想と佛教	ドクトル、オフフイロソフイー 渡邊海旭先生
思想の表現と聽衆の心理	加藤咄堂先生
社會事業概說	内務事務官 齋藤樹先生
自治民政と佛教	加藤咄堂先生
我國の文化と神道	帝室博物館祭祀神祇部主任 津田敬武先生
佛教各宗の安心	各宗諸大家

其他隨時課外講義として最近科學の進步幷に教化に適切なる講演を掲げ且つ毎卷教化資料を添ゆ

□會員特典

特典　會費三ケ月分以上前納者に對しては質問劵を送附し、講義科目に就き隨時質問の便を得せしむ

□期間並に紙數

每月一回（一日發行）、紙數二百頁內外、各科講義に長短ありと雖、全部十二冊を以て完結す

□本講習錄の五大特色

一、專門知識を通俗化し平易なる説述を以て民衆敎化に好資料を提供するは本講習錄の特色なり。

一、敎化傳道に從事する宗敎家諸君に斷えず新なる敎材話材を供給するは本講習錄の特色なり。

一、社會を敎化し民衆を指導する人々に常に思潮の推移を知らしむるは本講習錄の特色なり。

一、各方面に於ける現代大家の執筆を請ひ讀者をして親しく其敎を受くるの感あらしむるは本講習錄の特色なり。

一、質疑應答の欄を置き讀者をして其難解の個所に對して隨意に質問せしむるも亦本講習錄の特色なり。

本講習錄購讀上の注意

△會費御送付の節は「新規」若くは「繼續」と御記入ありたし

△會員住所氏名は間違を生じ易きが故に最も明瞭に記載されたし

會	費
一ケ月分	金壹圓
三ケ月分	金貳圓九十錢
六ケ月分	金五圓五拾錢
一ケ年分	金拾圓五拾錢

△會費は前金のこと、送金は振替にて新修養社へ御拂込を乞ふ、集金郵便を差出す時は手數料金拾錢を加ふ

△中途加入者にも第一卷より送付す

大正十年八月廿八日印刷
大正十年九月一日發行

編輯兼發行人　東京府豊多摩郡代々幡村代々木百八番地　加藤熊一郎

印刷人　東京市神田區三崎町三丁目一番地　百目木智璉

印刷所　東京市神田區三崎町三丁目一番地　株式會社共榮舍

發行所　東京市麻布區飯倉町五丁目四拾四番地　新修養社
電話芝二一七四番
振替東京八二二六四番

この部分は、原本の状態により収録できませんでした。（不二出版）

現代最新の好布教

直ちに本書の秘庫を開け

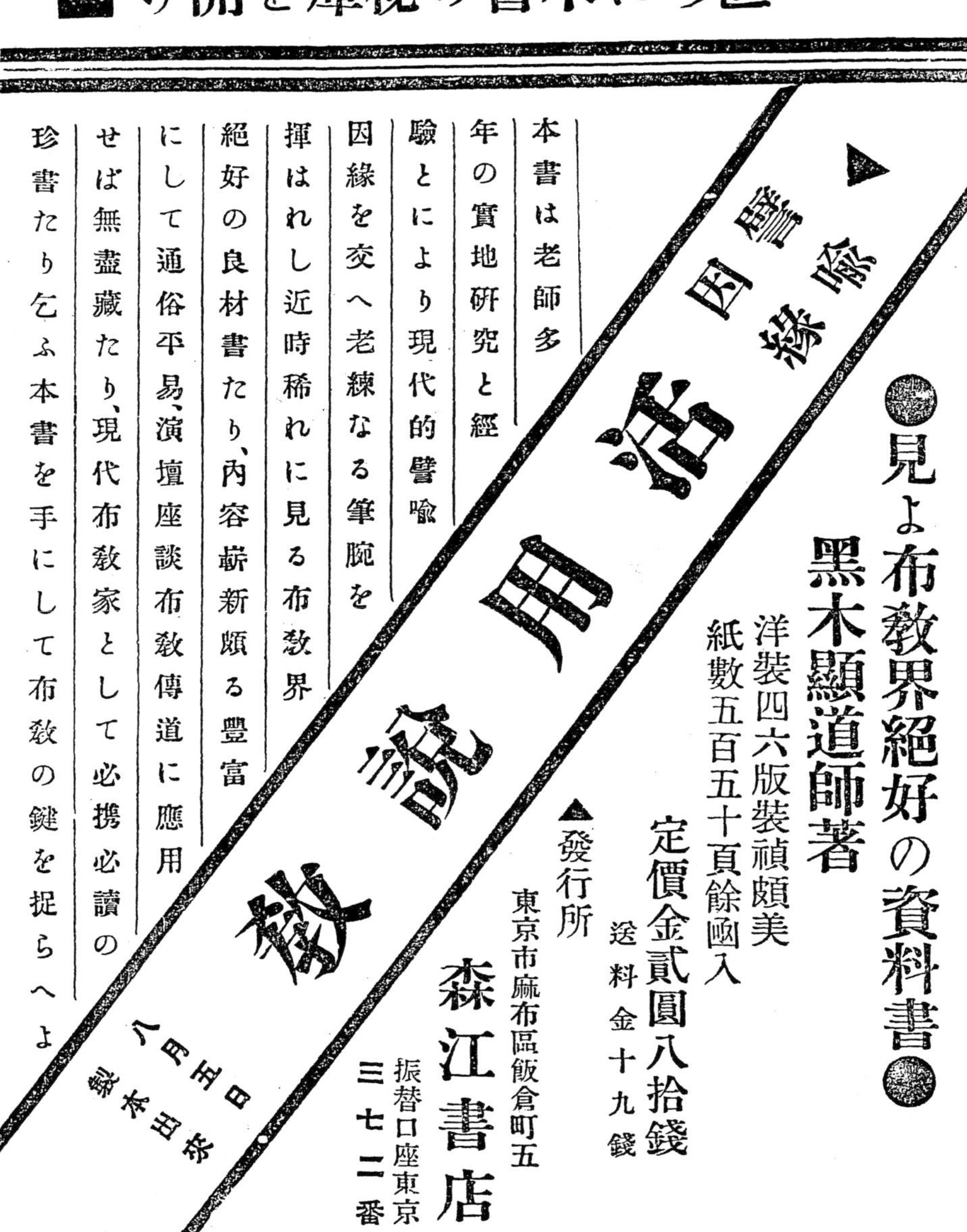